누적 1억 명이
선택한 비상교재

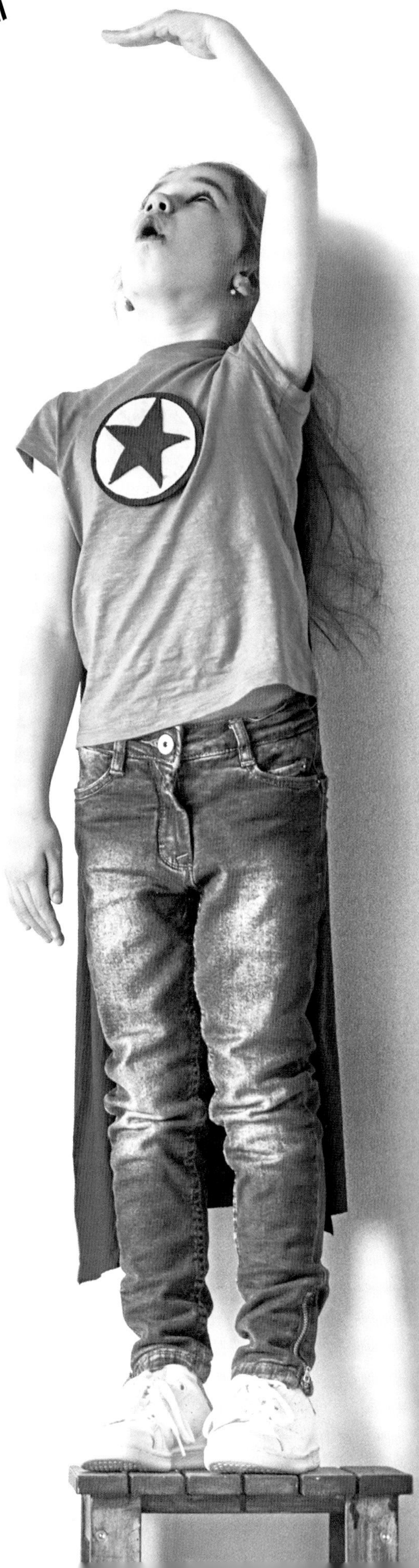

핵심만 빠르게~ 단기간에

내신 공부의 힘을 키운다

# 내공의 힘

## 동아시아사

구성과 특징

# STRUCTURE

## 내신 개념 정리

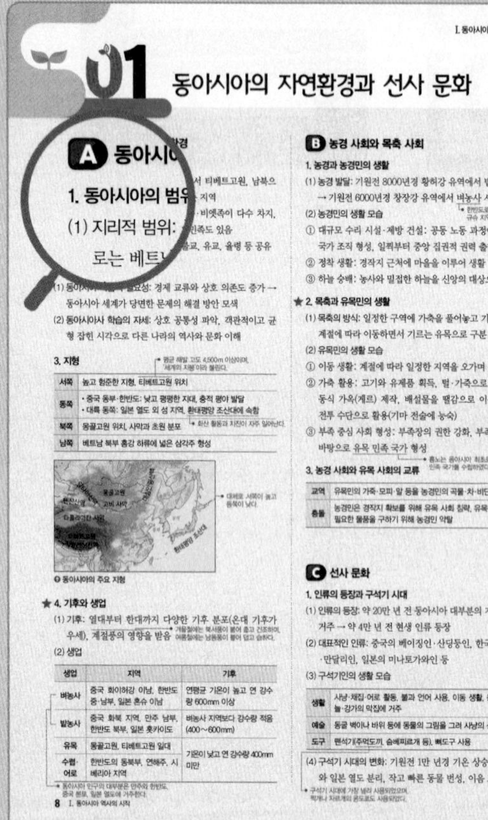

시험에 자주 나오는 주제를 선별하여 교과 내용을 정리하였습니다. 한눈에 들어오는 표, 자료 등으로 단원의 핵심 개념을 효율적으로 학습할 수 있습니다.

## 단계적 문제 풀이

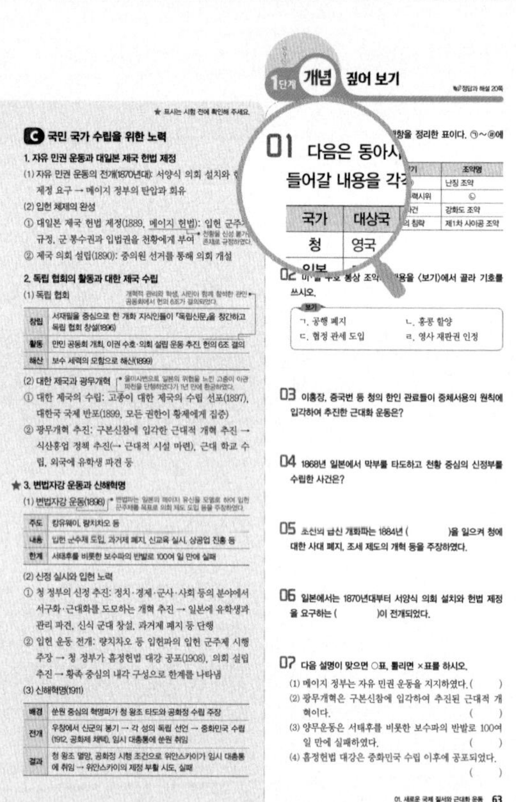

### 1단계 개념 짚어 보기

단원의 핵심 개념을 잘 이해했는지 단답형 문제를 통해 꼼꼼하게 체크할 수 있습니다.

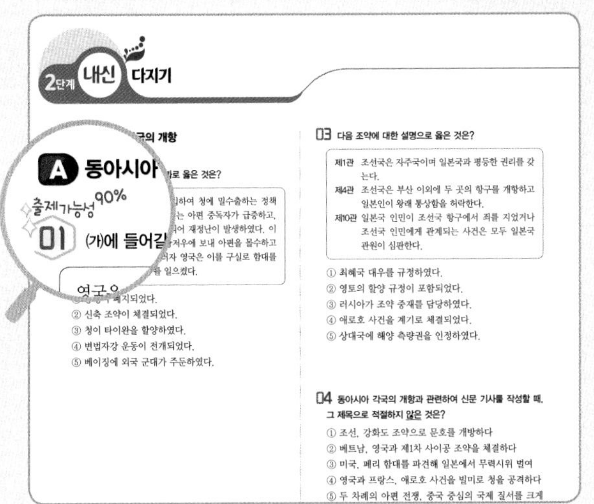

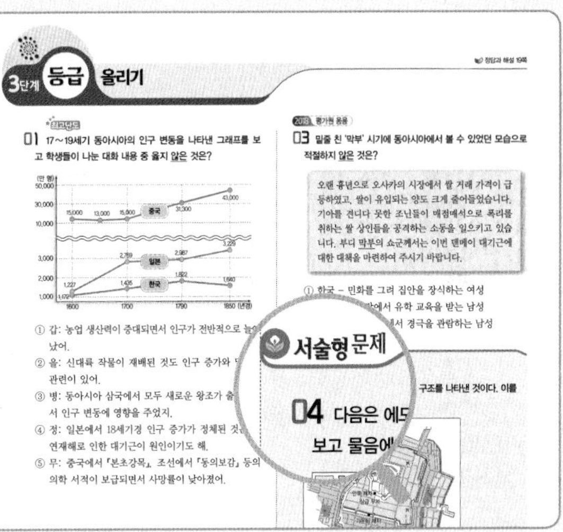

## 2단계 내신 다지기

교과서를 철저히 분석하여 학교 시험에 출제될 가능성이 높은 문제로만 구성하였습니다. 핵심 자료를 활용한 다양한 문제로 실전 감각을 키울 수 있습니다.

## 3단계 등급 올리기

내신 1등급 달성에 도움을 주는 통합형 문제와 서술형 문제를 구성하였습니다. 고난도 문제를 통해 사고력과 응용력을 향상시킬 수 있습니다.

## 내공 점검

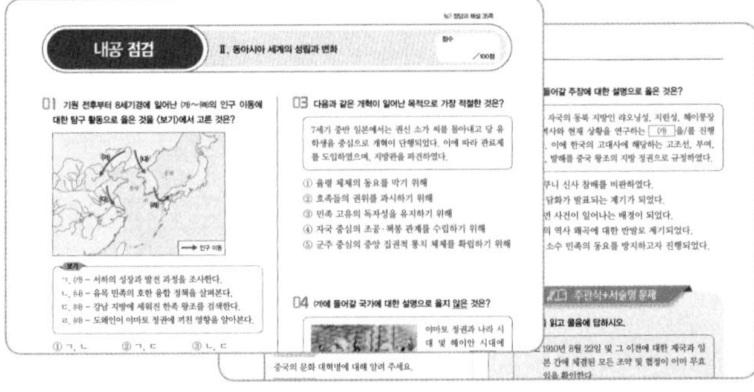

- 대단원별로 시험 대비 실전 문제를 구성하였습니다. 중간·기말 고사 직전에 자신의 실력을 최종 점검할 수 있습니다.

내공과 내 교과서

# 단원 비교하기

| 단원명 | | 내공 | 비상교육 | 천재교육 | 미래엔 | 금성 |
|---|---|---|---|---|---|---|
| I 동아시아 역사의 시작 | 01 동아시아의 자연환경과 선사 문화 | 8~13 | 10~25 | 10~27 | 10~23 | 12~31 |
| | 02 국가의 성립과 발전 | 14~19 | 26~35 | 28~41 | 24~33 | 32~41 |
| II 동아시아 세계의 성립과 변화 | 01 인구 이동과 정치·사회 변동 | 20~25 | 40~49 | 46~53 | 38~47 | 46~55 |
| | 02 국제 관계의 다원화 | 26~33 | 50~63 | 54~65 | 48~61 | 70~81 |
| | 03 유학과 불교 | 34~41 | 64~81 | 66~81 | 62~81 | 56~69 |

차례

# CONTENTS

## I 동아시아 역사의 시작

## II 동아시아 세계의 성립과 변화

## III 동아시아의 사회 변동과 문화 교류

## 동아시아의 근대화 운동과 반제국주의 민족 운동

## 오늘날의 동아시아



## 내공 점검

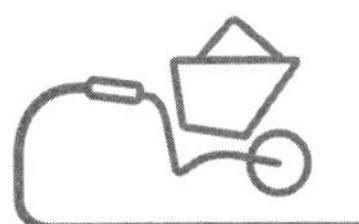

# 01 동아시아의 자연환경과 선사 문화

## A 동아시아 세계와 자연환경

### 1. 동아시아의 범위와 특성

(1) 지리적 범위: 동서로는 일본 열도에서 티베트고원, 남북으로는 베트남에서 몽골고원에 이르는 지역

(2) 민족 구성: 한민족·한족·일본 민족·비엣족이 다수 차지, 몽골족·위구르족·티베트족 등의 민족도 있음

(3) 문화 요소: 역사적 경험과 한자, 불교, 유교, 율령 등 공유

### 2. 동아시아 학습의 의의

(1) 동아시아 학습의 필요성: 경제 교류와 상호 의존도 증가 → 동아시아 세계가 당면한 문제의 해결 방안 모색

(2) 동아시아사 학습의 자세: 상호 공통성 파악, 객관적이고 균형 잡힌 시각으로 다른 나라의 역사와 문화 이해

### 3. 지형

| | |
|---|---|
| 서쪽 | 높고 험준한 지형, 티베트고원 위치 |
| 동쪽 | • 중국 동부·한반도: 낮고 평평한 지대, 충적 평야 발달<br>• 대륙 동쪽: 일본 열도 외 섬 지역, 환태평양 조산대에 속함 |
| 북쪽 | 몽골고원 위치, 사막과 초원 분포 |
| 남쪽 | 베트남 북부 홍강 하류에 넓은 삼각주 형성 |

• 평균 해발 고도 4,500m 이상이며, '세계의 지붕'이라 불린다. (티베트고원)

• 화산 활동과 지진이 자주 일어난다. (환태평양 조산대)

• 대체로 서쪽이 높고 동쪽이 낮다.

⊙ 동아시아의 주요 지형

### ★ 4. 기후와 생업

(1) 기후: 열대부터 한대까지 다양한 기후 분포(온대 기후가 우세), 계절풍의 영향을 받음

• 겨울철에는 북서풍이 불어 춥고 건조하며, 여름철에는 남동풍이 불어 덥고 습하다.

(2) 생업

| 생업 | 지역 | 기후 |
|---|---|---|
| 벼농사 | 중국 화이허강 이남, 한반도 중·남부, 일본 혼슈 이남 | 연평균 기온이 높고 연 강수량 600mm 이상 |
| 밭농사 | 중국 화북 지역, 만주 남부, 한반도 북부, 일본 홋카이도 | 벼농사 지역보다 강수량 적음(400~600mm) |
| 유목 | 몽골고원, 티베트고원 일대 | 기온이 낮고 연 강수량 400mm 미만 |
| 수렵·어로 | 한반도의 동북부, 연해주, 시베리아 지역 | |

• 동아시아 인구의 대부분은 만주와 한반도, 중국 본토, 일본 열도에 거주한다.

## B 농경 사회와 목축 사회

### 1. 농경과 농경민의 생활

(1) 농경 발달: 기원전 8000년경 황허강 유역에서 밭농사 시작 → 기원전 6000년경 창장강 유역에서 벼농사 시작

• 한반도로 전파된 후 일본 규슈 지역에 전해졌다.

(2) 농경민의 생활 모습

① 대규모 수리 시설·제방 건설: 공동 노동 과정에서 사회·국가 조직 형성, 일찍부터 중앙 집권적 권력 출현

② 정착 생활: 경작지 근처에 마을을 이루어 생활

③ 하늘 숭배: 농사와 밀접한 하늘을 신앙의 대상으로 숭배

### ★ 2. 목축과 유목민의 생활

(1) 목축의 방식: 일정한 구역에 가축을 풀어놓고 기르는 방목, 계절에 따라 이동하면서 기르는 유목으로 구분

(2) 유목민의 생활 모습

① 이동 생활: 계절에 따라 일정한 지역을 오가며 생활

② 가축 활용: 고기와 유제품 획득, 털·가죽으로 의복과 이동식 가옥(게르) 제작, 배설물을 땔감으로 이용, 이동과 전투 수단으로 활용(기마 전술에 능숙)

③ 부족 중심 사회 형성: 부족장의 권한 강화, 부족의 연합을 바탕으로 유목 민족 국가 형성

• 흉노는 동아시아 최초로 유목 민족 국가를 수립하였다.

### 3. 농경 사회와 유목 사회의 교류

| | |
|---|---|
| 교역 | 유목민의 가축·모피·말 등을 농경민의 곡물·차·비단 등과 교환 |
| 충돌 | 농경민은 경작지 확보를 위해 유목 사회 침략, 유목민은 생활에 필요한 물품을 구하기 위해 농경민 약탈 |

## C 선사 문화

### 1. 인류의 등장과 구석기 시대

(1) 인류의 등장: 약 20만 년 전 동아시아 대부분의 지역에 인류 거주 → 약 4만 년 전 현생 인류 등장

(2) 대표적인 인류: 중국의 베이징인·산딩둥인, 한국의 덕천인·만달리인, 일본의 미나토가와인 등

(3) 구석기인의 생활 모습

| | |
|---|---|
| 생활 | 사냥·채집·어로 활동, 불과 언어 사용, 이동 생활, 동굴·바위그늘·강가의 막집에 거주 |
| 예술 | 동굴 벽이나 바위 등에 동물의 그림을 그려 사냥의 성공 기원 |
| 도구 | 뗀석기(주먹도끼, 슴베찌르개 등), 뼈도구 사용 |

(4) 구석기 시대의 변화: 기원전 1만 년경 기온 상승 → 한반도와 일본 열도 분리, 작고 빠른 동물 번성, 이음 도구 제작

• 구석기 시대에 가장 널리 사용되었으며, 찍개나 자르개의 용도로도 사용되었다. (주먹도끼)

정답과 해설 2쪽

★ 표시는 시험 전에 확인해 주세요.

## 2. 신석기 시대

(1) 신석기 시대의 변화: 농경과 목축을 통해 식량을 생산하면서 생활 양식 변화(신석기 혁명)

- 농경과 목축의 시작이 인류 사회 발전에 큰 영향을 미쳤다고 여겨 이를 신석기 혁명이라 일컫는다.

(2) 신석기인의 생활 모습

| 경제 | 사냥과 채집 활동, 농경과 목축 시작 |
|---|---|
| 주거 | 큰 강이나 해안가의 움집에 거주, 정착 생활 |
| 사회 | 사회적 분업 실시, 갈등 해결 과정에서 부족장의 권위 강화 |
| 종교·예술 | 자연 현상 숭배(애니미즘), 특정 동물 숭배(토테미즘), 조상 숭배, 공동의 제사 의식 거행 |
| 도구 | 간석기 사용, 토기를 제작해 음식 저장·조리, 뼈바늘로 옷과 그물 제작 |

## ★ 3. 동아시아의 신석기 문화

(1) 각 지역의 신석기 문화

| 지역 | 문화 | |
|---|---|---|
| 황허강 유역 | • 양사오 문화: 중류 유역, 채도 제작<br>• 다원커우 문화: 하류 유역, 홍도 → 흑도 제작 | 룽산 문화: 양사오·다원커우 문화를 아우름, 흑도 제작, 회전판을 사용해 토기 제작, 제사용 토기 제작 |
| 창장강 유역 | 허무두 문화: 흑도·회도·홍회도 등 제작, 벼농사 실시, 고상 가옥 거주 | 량주 문화: 허무두 문화 계승, 옥기 제작 |
| 랴오허강 유역 | 훙산 문화: 밭농사 유적지와 주거지·신전 발견, 채도 제작, 용 모양의 옥기·여신상 제작 | |
| 만주·한반도 | 이른 민무늬 토기·덧무늬 토기 → 빗살무늬 토기 제작, 돌괭이·돌삽·돌보습 등으로 잡곡류 경작, 사냥·채집·어로 실시 | |
| 일본 열도 | 조몬 문화: 표면에 새끼줄 무늬를 낸 조몬 토기 제작, 농경보다 사냥·채집·어로로 생계 유지, 여성이나 동물 모양의 토우 제작(다산과 풍요 기원) | |

◐ 동아시아 신석기 유적과 토기

(2) 신석기 문화의 교류: 동아시아 지역 전반에 덧무늬 토기 분포, 한반도 동남부에서 일본 규슈 지역의 흑요석 발견, 벼농사의 전파 등

**01** 동아시아의 지리적 범위는 동서로 일본 열도에서 티베트고원, 남북으로 베트남에서 (　　　　)에 이른다.

**02** 동아시아 지역은 (　　　　)의 영향으로 겨울철에는 춥고 건조하며, 여름철에는 덥고 습하다.

**03** 몽골고원, 티베트고원 일대에서 행해지는 것으로, 계절에 따라 일정한 지역을 이동하며 가축을 기르는 생업 형태는?

**04** 기원전 8000년경 중국의 (㉠　　　　) 유역에서 밭농사가 시작되었고, 기원전 6000년경 중국의 (㉡　　　　) 유역에서 벼농사가 시작되었다.

**05** 농경민과 유목민의 생활 모습에 해당하는 것을 〈보기〉에서 골라 기호를 쓰시오.

> 보기
> ㄱ. 게르 제작　ㄴ. 기마 생활　ㄷ. 이동 생활
> ㄹ. 정착 생활　ㅁ. 하늘 숭배　ㅂ. 대규모 제방 건설

(1) 농경민: (　　　　)　(2) 유목민: (　　　　)

**06** 구석기 시대에 가장 널리 사용된 뗀석기로, 짐승의 가죽을 벗기거나 나무를 다듬는 등 다양한 용도로 사용된 도구는?

**07** 신석기 인류는 곡식의 조리와 보관을 위해 (　　　　)를 제작하였다.

**08** 다음 설명이 맞으면 ○표, 틀리면 ×표를 하시오.

(1) 훙산 문화의 유적에서는 흑도, 회도, 홍회도가 주로 발견된다. (　　)

(2) 황허강 유역의 양사오 문화와 다원커우 문화는 룽산 문화로 발전하였다. (　　)

**09** 일본 열도의 신석기 시대에 주로 만들어졌으며, 새끼줄 무늬를 특징으로 하는 토기는?

## A 동아시아 세계와 자연환경

**01** 동아시아 세계에 대한 조사 내용으로 옳지 않은 것은?

① 동서로 일본 열도에서 티베트고원에 이른다.
② 위구르족, 티베트족, 아이누족이 다수를 차지한다.
③ 한국, 중국, 일본, 베트남, 몽골 등의 국가가 있다.
④ 대체로 서쪽이 높고 동쪽이 낮은 지형적 특징을 지닌다.
⑤ 오늘날 동아시아 국가 간 교류가 활발히 이루어지고 있다.

**02** 선생님의 질문에 대한 학생의 답변으로 적절하지 않은 것은?

> 선생님: 동아시아 지역에서 나타나는 문화적인 특징에 대해 알고 있는 것을 말해 볼까요?

① 일상생활에 유교 윤리가 수용되었어요.
② 국가 간 한자로 의사소통이 가능하였어요.
③ 도가 사상에 따른 통치 체제가 정착되었어요.
④ 불교가 건축, 조각 등 예술에 영향을 주었어요.
⑤ 역사적으로 영향을 주고받으면서 공통의 문화 요소를 공유하였어요.

**03** 다음에서 설명하고 있는 지역을 지도에서 고른 것은?

> • '세계의 지붕'이라 불린다.
> • 평균 해발 고도 4,500m 이상의 높고 험준한 지형이 나타난다.

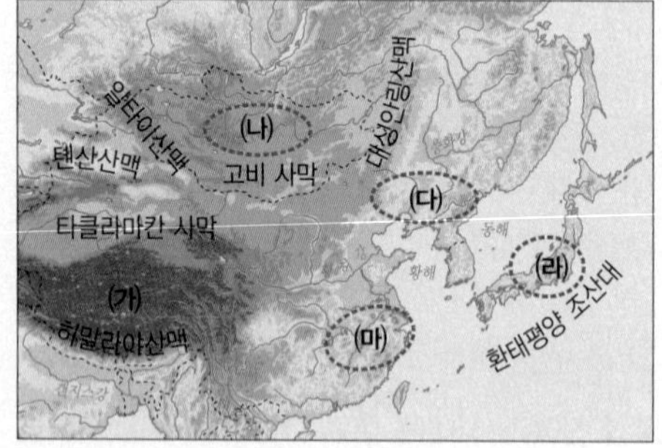


① (가) ② (나) ③ (다) ④ (라) ⑤ (마)

출제가능성 90%

**04** 지도는 동아시아의 지역별 연 강수량을 나타낸 것이다. (가), (나) 지역에 대한 설명으로 옳은 것은?

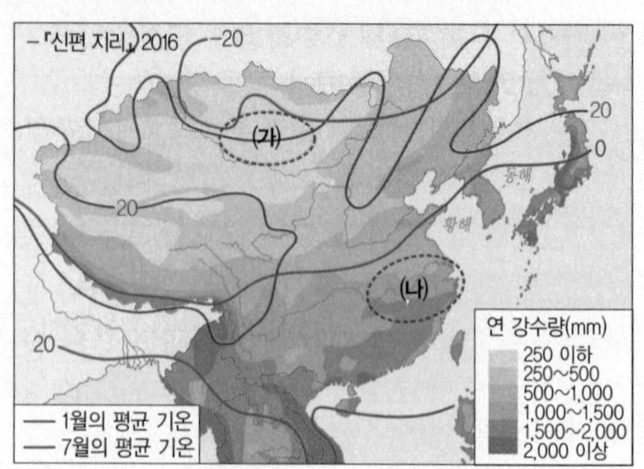


① (가)는 환태평양 조산대에 속한다.
② (가)에는 강을 따라 평야가 이어진다.
③ (나)에서는 주로 벼농사가 이루어진다.
④ (나)에는 사막과 초원이 넓게 펼쳐져 있다.
⑤ (가)에는 (나)에 비해 인구가 많이 모여 산다.

## B 농경 사회와 목축 사회

**05** 지도와 같은 경로로 전파된 농경 방식에 대한 설명으로 옳은 것은?

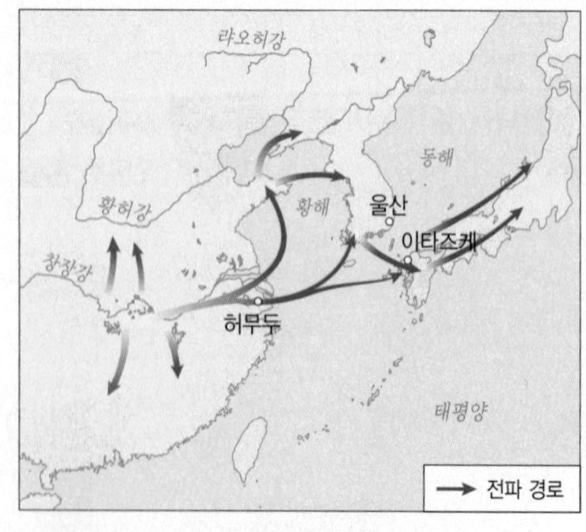


① 황허강 유역에서 시작되었다.
② 만주 일대에서 주로 행해진다.
③ 일본 열도에서 한반도로 전파되었다.
④ 연 강수량 400㎜ 미만인 곳에서 주로 이루어진다.
⑤ 중국의 화이허강 이남, 일본의 규슈 남부 등지에서는 이기작이 가능하다.

출제가능성 90%

## 06 다음은 톤유쿠크 비에 실린 내용이다. 밑줄 친 사람들의 생활에 대한 설명으로 옳은 것은?

성을 쌓고 사는 자는 반드시 망할 것이며, 끊임없이 이동하는 자만이 살아남을 것이다.

① 무역을 주된 생업으로 삼았다.
② 삼림 지대를 무대로 활동하였다.
③ 가축 사육이 생활의 중심을 이루었다.
④ 사회 조직의 발달이 비교적 지체되었다.
⑤ 농번기와 농한기가 구분되는 생활 양식이 나타났다.

## 07 다음과 같은 생활 방식을 영위한 민족에 대한 설명으로 옳은 것을 〈보기〉에서 고른 것은?

그림은 양털에 습기를 가하고 압축하여 가공한 천인 펠트를 만드는 모습을 표현한 것이다. 펠트는 게르를 만드는 재료로 사용되었다.

보기

ㄱ. 부족을 단위로 생활하였다.
ㄴ. 생필품을 가축으로부터 얻었다.
ㄷ. 경작지 근처에 마을을 이루었다.
ㄹ. 대규모 수리 시설을 만들고 관리하였다.

① ㄱ, ㄴ ② ㄱ, ㄷ ③ ㄴ, ㄷ
④ ㄴ, ㄹ ⑤ ㄷ, ㄹ

## 08 (가)~(다)에 들어갈 내용으로 옳지 않은 것은?

| 구분 | 농경 문화 | 유목 문화 |
|---|---|---|
| 지형 | 큰 강 유역의 평야 지대 | (가) |
| 생활 | (나) | 일정 지역을 이동하며 생활 |
| 주거 | 경작지 근처에 취락 형성 | (다) |

① (가) – 고원과 초원 지대
② (나) – 농경과 밀접한 하늘 숭배
③ (나) – 계절에 따라 정착과 이동 반복
④ (다) – 게르와 같은 이동식 가옥에 거주
⑤ (다) – 가축의 털과 가죽을 이용하여 가옥 제작

## 09 밑줄 친 상황이 가능했던 유목 사회의 특징으로 옳은 것은?

고사성어 풀이

**천고마비(天高馬肥)**

천고마비는 하늘이 높고 말이 살찐다는 뜻으로, 오늘날에는 화창한 가을날을 의미하는 말로 쓰인다. 하지만 이 말은 원래 북방 유목민에 대한 농경민의 두려움을 담고 있는 말이다. 가을이 되면 겨울철 양식을 구하기 위해 유목민이 쳐들어와 농경민을 약탈하였기 때문이다. 이에 농경민은 가을이 오면 언제 유목민의 침입이 있을지 몰라 걱정하였다고 한다.

① 인구가 압도적으로 많았다.
② 일찍부터 국가를 형성하였다.
③ 기마 전술에 능숙하여 전투력이 강하였다.
④ 법가를 기반으로 통치 체제를 정비하였다.
⑤ 대규모 인력을 동원하여 수리 시설과 제방을 건설하였다.

## 10 수업 시간에 배울 수 있는 내용으로 옳은 것을 〈보기〉에서 고른 것은?

- 수업 주제: 농경 사회와 유목 사회의 교류
- 수업 목표: 동아시아 지역의 농경민과 유목민 사이에 있었던 교역과 충돌에 대해 설명할 수 있다.

보기

ㄱ. 유목민의 약탈에 대응한 농경민의 공격이 있었다.
ㄴ. 농경민은 유목민에게서 곡물, 차, 비단 등의 물품을 얻었다.
ㄷ. 유목민은 농경민과의 교역을 통해 부족한 물품을 확보하였다.
ㄹ. 농경민과 유목민은 서로의 생활 방식 차이를 존중해 주었기 때문에 충돌하지 않았다.

① ㄱ, ㄴ ② ㄱ, ㄷ ③ ㄴ, ㄷ
④ ㄴ, ㄹ ⑤ ㄷ, ㄹ

## C 선사 문화

**11** 다음 인류의 생활 모습으로 적절하지 <u>않은</u> 것은?

- 중국의 베이징인
- 한국의 만달리인
- 일본의 미나토가와인

① 언어와 불을 사용하였다.
② 동굴이나 막집에 거주하였다.
③ 무리를 지어 이동 생활을 하였다.
④ 사냥, 채집, 어로로 식량을 확보하였다.
⑤ 자연 현상이나 자신들의 조상을 신으로 숭배하였다.

**12** 다음과 같은 생활 모습이 처음 등장한 시대에 볼 수 있었던 모습이 <u>아닌</u> 것은?

① 밭에서 수수 이삭을 따고 있는 여성
② 갈돌과 갈판으로 도토리를 가는 여성
③ 뼈바늘을 이용해 그물을 수리하고 있는 남성
④ 거대한 돌을 밀어서 지배층의 무덤을 만들고 있는 남성들
⑤ 풍성한 수확을 기원하면서 곰에게 제사를 지내는 부족원들

**13** 다음에서 설명하는 문화의 명칭을 쓰시오.

양사오 문화와 다원커우 문화를 아우른 문화로, 황허강 하류 지역에서 발달하였다. 흑도를 주로 제작하였고, 회전판을 사용한 토기와 제사용 토기로 짐작되는 세발 토기도 제작하였다.

**14** (가)에 들어갈 문화와 관련된 설명으로 옳은 것은?

이 토기는 창장강 유역에서 발달한 (가) 을/를 대표하는 유물이다. 표면의 무늬를 통해 이 지역에서 가축 사육이 이루어졌음을 짐작할 수 있다. 한편, (가) 의 유적에서 볍씨가 발견되면서 이 지역에서 일찍부터 벼농사가 시작되었음을 알 수 있다.

① 량주 문화로 발전하였다.
② 용 모양의 옥기를 특징으로 한다.
③ 빗살무늬 토기가 주로 사용되었다.
④ 이 문화의 유적에서 표면에 새끼줄 무늬를 낸 조몬 토기가 많이 출토된다.
⑤ 이 문화권의 사람들은 어로 생활을 하면서 강가나 해안가에 움집을 짓고 살았다.

출제가능성 90%

**15** (가), (나) 토기가 제작된 지역을 지도에서 골라 옳게 짝지은 것은?

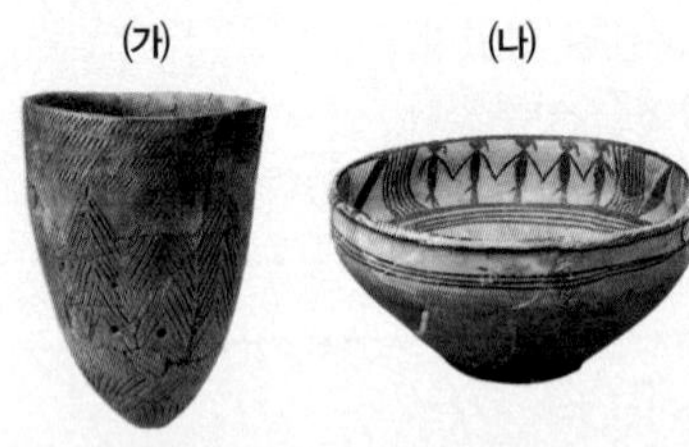


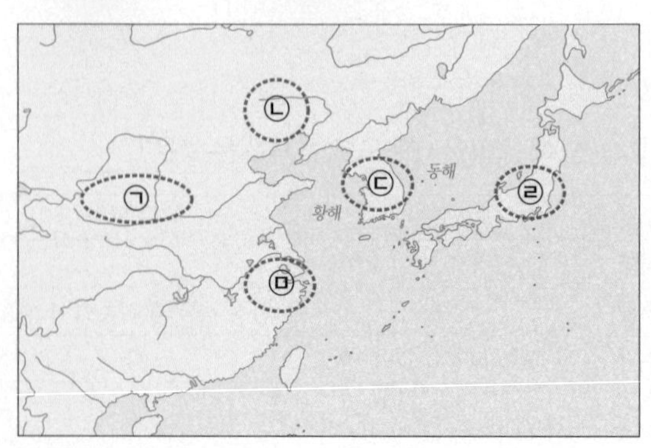


| | (가) | (나) | | (가) | (나) |
|---|---|---|---|---|---|
| ① | ㉠ | ㉡ | ② | ㉢ | ㉠ |
| ③ | ㉢ | ㉤ | ④ | ㉣ | ㉠ |
| ⑤ | ㉣ | ㉤ | | | |

# 3단계 등급 올리기

최고난도

**01** 다음 보고서에 포함될 내용으로 옳지 않은 것은?

> **수행 평가 보고서**
> 1. 주제: 동아시아의 자연환경
> 2. 조사 내용
>    - 서쪽에서 동쪽으로 갈수록 점차 낮아진다.
>    - 열대에서 한대까지 다양한 기후가 분포한다.

① 티베트고원은 평균 해발 고도가 4,500m 이상이다.
② 몽골 지역에는 주로 구릉과 평야 지대가 분포한다.
③ 일본 열도에서는 해안 지형과 산악 지형이 결합된 특징이 나타난다.
④ 대륙 내부로 갈수록 기온의 연교차가 큰 대륙성 기후가 뚜렷해진다.
⑤ 중국의 화중과 화남, 한반도 남부, 일본 열도 대부분은 온대 기후에 속한다.

**02** 다음과 같은 인식의 차이가 나타난 것에 대해 객관적인 시각에서 설명하고 있는 학생을 고른 것은?

> 한에서 온 사자가 말했다. "흉노는 아버지와 아들이 같은 막사에서 살며, 아버지가 죽으면 아들이 그 계모를 아내로 삼고 형제가 죽으면 남아 있는 형제가 그의 아내를 맞아 자기 아내로 삼소. 관을 쓰고 속대를 하는 꾸밈이나 조정에서의 예의도 없소." 중항열이 말했다. …… "(흉노의) 아버지, 아들, 형, 동생이 죽으면 그들의 아내를 맞아들여 자기 아내로 삼는 것은 대가 끊길까 염려하기 때문이오.
> – 사마천, 『사기』

① 갑: 문화마다 우열이 나타나기 때문이야.
② 을: 유목민은 야만적이고 호전적이기 때문이야.
③ 병: 농경민과 유목민이 교역하지 않았기 때문이야.
④ 정: 농경민은 땅에 얽매여 사는 부자유스러운 존재였기 때문이야.
⑤ 무: 생업의 차이에 따라 각자 주어진 환경에 효율적으로 적응하였기 때문이야.

2017 수능 응용

**03** (가)에 들어갈 유물로 옳은 것은?

> **동아시아의 ○○○ 문화**
> 1. 도구: 간석기 사용, 토기 제작
> 2. 경제: 채집과 사냥 활동, 농경과 목축 시작
> 3. 지역별 유물

황허강 하류

한반도

(가)
일본 열도

①

②

③

④

⑤
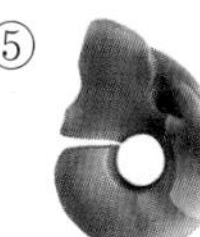

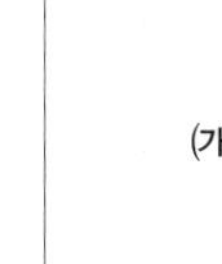

## 서술형 문제

**04** 다음을 읽고 물음에 답하시오.

> 사진은 유목 민족의 전통 가옥이다. 이 가옥은 나무로 뼈대를 세우고 그 위에 양털을 압축하여 가공한 천을 덮어 만들었으며, 조립과 분해가 쉬웠다.

(1) 밑줄 친 '전통 가옥'의 명칭을 쓰시오.

(2) 윗글을 토대로 유목민들이 (1)의 가옥을 만든 배경을 서술하시오.

# 02 국가의 성립과 발전

★ 표시는 시험 전에 확인해 주세요.

## A 청동기 문화

### 1. 청동기 시대의 변화

(1) 청동기의 사용: 지배층의 장신구, 무기, 제사용 도구로 사용

(2) 사회 변화: 농사 기술 발달로 생산력 증대 → 잉여 생산물 증가, 사유 재산제 확산 → 빈부 차이와 계급 분화 확대

(3) 국가 출현: 지배자가 등장하여 주변 집단을 통합

### ★ 2. 동아시아의 청동기 문화

중국 역사서에 등장하는 하 왕조와 관련된 유적으로 추정한다.

| | |
|---|---|
| 중원 지역 | 황허강 중류에서 기원전 2000년경 얼리터우 문화 발달(대규모 궁전 유적, 각종 청동기 발굴) |
| 몽골 지역 | 기원전 2000년경~기원전 1700년경 시작, 동물 모양 청동기·고리가 달린 단검·재갈·사슴돌·판석묘 등 제작 |
| 만주·한반도 | 기원전 2000년경~기원전 1000년경 시작, 비파형 동검·청동 거울 등 제작, 지배층의 무덤으로 고인돌 제작 |
| 일본 열도 | 기원전 3세기경 한반도로부터 청동기·철기와 벼농사 기술이 전래되면서 야요이 시대 시작 |

동탁을 비롯한 청동기와 야요이 토기 등을 제작하였다.

## B 국가의 성립

### ★ 1. 중원 지역의 국가

(1) 하·상·주의 성립

| | |
|---|---|
| 하 | 문헌상 전하는 중국 최초의 국가 |
| 상 | • 성립: 기원전 1600년경 여러 도시가 연맹하여 성립<br>• 발전: 신정 정치 실시, 국가의 중대사를 점을 쳐서 결정(갑골문으로 기록), 주변 소국을 정복하며 세력 확대<br>• 멸망: 기원전 11세기에 주에 의해 멸망 |
| 주 | • 발전: 혈연관계를 기반으로 한 종법적 봉건제 시행, 천명사상과 덕치주의 강조<br>• 쇠퇴: 점차 제후에 대한 왕의 통제력 및 왕실의 권위 약화 |

왕이 수도 부근을 다스리고 왕의 친족이나 공신을 제후로 임명하여 지방을 다스리게 하였다.

(2) 춘추·전국 시대의 전개

| | | |
|---|---|---|
| 전개 | 춘추 시대 | 기원전 8세기 견융족의 침략으로 주가 호경에서 낙읍(뤄양)으로 천도 → 춘추 5패가 정국 주도 |
| | 전국 시대 | 기원전 5세기에 전국 7웅 대두, 하극상과 전쟁이 계속된 약육강식의 시대 |
| 변화 | 우경과 철제 농기구 보급(→ 농업 생산력 증대), 철제 무기 도입, 상공업 발달, 군현제 실시, 제자백가 등장(→ 사 계층 성장) | |

(3) 진의 발전과 쇠퇴

① 진의 통일(기원전 221): 효공 때 법가 사상가인 상앙을 등용하여 개혁 추진 → 시황제 때 중원을 최초로 통일

② 시황제의 개혁: '황제' 칭호 사용, 군현제 시행, 3공 9경 설치, 도량형·화폐·문자 통일, 도로망 정비, 분서갱유 단행

③ 쇠퇴: 엄격한 법치와 대규모 토목 공사로 농민 봉기 빈번

사상을 통제하고 황제에게 반대하는 세력을 억누르려 실시하였다.

(4) 한의 발전과 쇠퇴

① 성립과 발전

| | |
|---|---|
| 고조 | 유방(고조)의 중원 재통일(기원전 202), 군국제 시행(군현제와 봉건제 절충) |
| 무제 | 고조선·남월(남비엣) 정복, 서역에 장건 파견, 군현제 실시, 유학 장려, 소금과 철의 전매제 실시(재정 확보 목적) |

② 신 건국: 1세기 초 외척인 왕망이 한을 멸망시키고 신 건국

③ 후한 성립: 광무제가 호족의 지지를 얻어 후한 건국

④ 멸망: 황건적의 난을 계기로 호족들이 독립 세력화함 → 후한 멸망 → 위·촉·오로 분열

장각이 이끄는 태평도 등의 종교 결사를 중심으로 일어난 반란이다.

### 2. 유목 지역의 흉노

왕들은 각자 영지와 기병을 보유하였고, 소왕·천장·백장·십장 등의 하위 조직을 거느렸다.

| | |
|---|---|
| 성립 | 기원전 3세기경 동아시아 최초의 유목 민족 국가 형성 |
| 발전 | • 전성기: 묵특 선우 때 동호 복속, 월지 축출, 한 고조를 굴복시킴<br>• 통치: 선우(최고 군주)와 좌현왕·우현왕이 분할 통치 |
| 쇠퇴 | 한 무제의 공격과 선우 계승을 둘러싼 내분으로 쇠퇴 |

### 3. 만주와 한반도, 일본 열도의 국가

| | | |
|---|---|---|
| 만주·한반도 | 고조선 | 제정일치 사회, 왕 밑에 상·경·대부 등의 관직 설치, 8조법 제정, 위만의 집권 이후 본격적으로 철기 문화 수용·중계 무역 주도(→ 한과 대립) |
| | 부여 | 예맥족이 건국, 연맹 국가로 발전, 사출도 존재 |
| | 삼한 | 제정 분리 사회(천군이 소도 지배) |
| 일본 열도 | 3세기경 30여 개의 소국 존재, 히미코 여왕의 야마타이국이 가장 강성함 | |

소국들 사이의 전쟁을 수습하고 종교적 권위를 이용하여 나라를 다스렸다.

## C 국가 간 교류와 전쟁

### 1. 중원 왕조와 흉노

(1) 진: 진의 시황제는 흉노를 북방 초원 지대로 축출 → 만리장성을 쌓아 흉노의 침입에 대비

(2) 한: 한 고조는 흉노에 포위되었다가 탈출(→ 흉노에 공물을 바침) → 한 무제는 장건을 서역에 파견해 흉노와의 전쟁 준비, 흉노를 공격하여 고비사막 이북으로 몰아냄

대월지와 동맹을 맺어 흉노를 협공하려 하였다.

### 2. 중원 왕조와 만주·한반도, 일본 열도의 국가

(1) 고조선: 연나라와 대립, 한 무제의 공격으로 왕검성 함락

(2) 부여: 한과 우호 관계 유지

(3) 삼한: 낙랑을 비롯한 한 군현과 교역(덩이쇠 수출)

(4) 일본 열도: 1세기경 왜의 노국왕이 후한 광무제에게 '한위노국왕'의 금인을 받음, 야마타이국의 히미코 여왕은 위에 사신을 보내 '친위왜왕'의 칭호를 받음

# 1단계 개념 짚어 보기

**01** 황허강 중류 지역의 청동기 문화인 (　　　　)의 유적에서는 궁전터와 성벽을 갖춘 도성이 발견되었다.

**02** 청동기 시대 만주와 한반도 지역의 대표적인 유적으로, 거대한 돌을 이용하여 만든 지배층의 무덤은?

**03** 일본 열도에서는 기원전 3세기경 한반도로부터 벼농사와 청동기·철기 기술이 전해지면서 (　　　　)가 시작되었다.

**04** 다음과 같은 특징을 지닌 왕조를 〈보기〉에서 골라 기호를 쓰시오.

보기
ㄱ. 상　　ㄴ. 주　　ㄷ. 하

(1) 문헌상 전하는 중국 최초의 국가이다. (　　)
(2) 혈연관계에 기반한 봉건제를 시행하였다. (　　)
(3) 국가의 중대사를 점을 쳐서 결정하고 점을 친 결과를 갑골문으로 기록하였다. (　　)

**05** 다음은 한의 고조와 무제의 업적을 정리한 표이다. ㉠, ㉡에 들어갈 내용을 각각 쓰시오.

| 고조 | 무제 |
|---|---|
| • 중원 재통일<br>• 지방 통치 제도로 군현제와 봉건제를 절충한 (㉠　　　　) 시행 | • 고조선과 남월 정복<br>• 군현제 실시<br>• 소금·철의 (㉡　　　　) 실시 |

**06** 흉노의 최고 군주를 일컫는 말로, '하늘의 아들'이라는 의미를 가진 것은?

**07** 고조선에서 사회 질서의 유지를 위해 제정한 법률을 일컫는 명칭은?

**08** 다음 설명이 맞으면 ○표, 틀리면 ×표를 하시오.

(1) 진 시황제는 흉노의 팽창과 남하에 대비해 만리장성을 쌓았다. (　　)
(2) 야마타이국의 히미코 여왕은 위에 사신을 보내 '한위노국왕'의 금인을 받았다. (　　)

# 2단계 내신 다지기

정답과 해설 4쪽

## A 청동기 문화

**01** 동아시아의 청동기 시대에 나타난 변화로 옳지 않은 것은?

① 농업 생산력이 증대되었다.
② 사유 재산제가 확산되었다.
③ 계급이 분화되기 시작하였다.
④ 사람들이 한곳에 정착하기 시작하였다.
⑤ 지배자가 주변 집단을 통합하면서 국가가 출현하였다.

출제 가능성 90%

**02** 다음에서 설명하는 문화의 특징으로 옳은 것은?

• 기원전 2000년경 황허강 중류 지역에서 발달하였다.
• 대규모 궁전 유적과 함께 청동으로 만든 도구와 무기, 제사 용기 등이 발굴되었다.

① 대표적인 신석기 문화이다.
② 표면에 빗살무늬를 낸 토기를 제작하였다.
③ 한반도로부터 청동기와 벼농사 기술을 수용하였다.
④ 사슴돌, 판석묘, 거대한 돌무지 제사 유적을 만들었다.
⑤ 중국 문헌에 기록된 하 왕조의 유적으로 추정하고 있다.

**03** 다음 유물을 활용하여 보고서를 작성할 때 그 주제로 적절한 것은?

주술적 의례에 사용된 동탁이다.

조몬 토기보다 얇고 단단하며, 주로 붉은빛을 띤다.

① 야요이 문화의 특징
② 상 왕조의 신정 정치
③ 얼리터우 문화의 발달
④ 허무두 문화의 주요 유물
⑤ 몽골 지역 청동기 문화의 발달

**04** 다음 전시회에서 볼 수 있는 유물로 가장 적절한 것은?

> **전시회 소개**
>
> 몽골의 초원 지대에서는 농경 국가와는 다른 특징을 지닌 청동기 문화가 발달하였습니다. 이번 전시회에서는 이 지역 청동기 문화를 살펴볼 수 있는 다양한 유물을 모아 관람할 수 있도록 하였습니다.

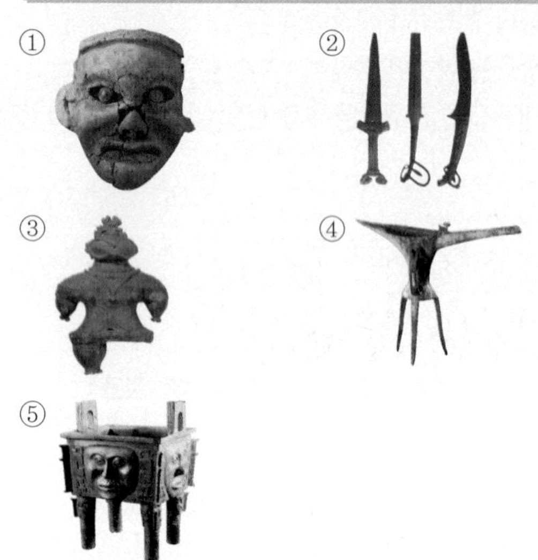

**05** (가), (나)에 들어갈 내용을 옳게 짝지은 것은?

> 만주 지역에서는 기원전 2000년경에서 기원전 1500년경에 청동기가 등장하여 이후 한반도로 전파되었다. 만주·한반도 지역에서는 청동제 무기와 의식용 도구 등이 만들어졌으며, 지배층의 무덤인 거대한 (가) 이/가 제작되었다. 한편, 일본 열도에서는 기원전 3세기경부터 한반도에서 금속기와 벼농사 기술이 전해지면서 (나) 이/가 시작되었다.

| | (가) | (나) |
|---|---|---|
| ① | 고인돌 | 조몬 시대 |
| ② | 고인돌 | 야요이 시대 |
| ③ | 사슴돌 | 조몬 시대 |
| ④ | 사슴돌 | 야요이 시대 |
| ⑤ | 판석묘 | 조몬 시대 |

## B 국가의 성립

**06** 밑줄 친 '이 문자'를 쓰시오.

> 상은 왕이 제사장을 겸하는 제정일치 사회로, 국가의 중요한 일을 점을 쳐서 결정하였다. 점을 친 내용은 거북의 배 껍질이나 동물의 어깨뼈 등에 <u>이 문자</u>로 기록하였다. <u>이 문자</u>는 오늘날 한자의 기원이 되었다.

**07** 다음은 중원 지역의 초기 국가 성립을 정리한 것이다. (가)에 들어갈 내용으로 옳은 것은?

| 기원전 2000년경 | → | 기원전 1600년경 | → | 기원전 11세기 |
|---|---|---|---|---|
| 문헌에 등장하는 중원 지역 최초의 국가이다. | | (가) | | 호경을 수도로 하여 성립하였다. |

① 봉건제를 실시하였다.
② 제자백가가 활약하였다.
③ 한 무제에 의해 멸망하였다.
④ 중원 지역을 최초로 통일하였다.
⑤ 도시 연맹 형태의 국가로 발전하였다.

출제가능성 90%

**08** 지도의 (가) 왕조에 대한 설명으로 옳은 것을 〈보기〉에서 고른 것은?

> **보기**
>
> ㄱ. 3공 9경의 관료를 두었다.
> ㄴ. 최고 군주를 선우라 하였다.
> ㄷ. 천명사상과 덕치주의를 내세웠다.
> ㄹ. 혈연관계에 바탕을 둔 봉건제를 시행하였다.

① ㄱ, ㄴ ② ㄱ, ㄷ ③ ㄴ, ㄷ
④ ㄴ, ㄹ ⑤ ㄷ, ㄹ

**09** 다음과 같은 정세가 나타났던 시대의 특징으로 옳지 않은 것은?

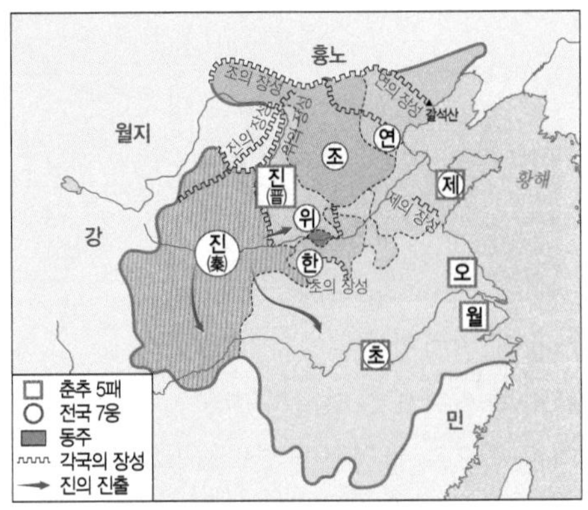


① 주 왕실의 권위가 인정되었다.
② 우경과 철제 농기구가 보급되었다.
③ 중앙 집권적인 군현제가 도입되었다.
④ 유가, 법가 등의 사상가가 활약하였다.
⑤ 제후국들이 철제 무기를 적극적으로 도입하였다.

출제가능성 90%

**10** (가)에 들어갈 내용으로 옳지 않은 것은?

① 고조선을 공격하여 멸망시켰어.
② 군현제를 전국으로 확대하였어.
③ 화폐, 도량형, 문자를 통일하였어.
④ 수도를 중심으로 도로망을 정비하였어.
⑤ 법가 이외의 사상을 강력하게 탄압하였어.

**11** 진 시황제가 다음의 사건을 일으킨 목적으로 가장 적절한 것은?

> "학술, 저서를 가지고 있는 자에게 이것을 거두어 들여 불태워야 합니다. 가져도 좋은 것은 의약과 복서, 농사에 관한 서적에 국한해야 합니다." …… 시황제는 시서와 백가의 저서를 몰수하여 불태우고 비판하는 자들을 구덩이를 파고 묻어 버렸다.

① 사상을 통제하고자 하였다.
② 흉노의 세력을 약화시키려 하였다.
③ 유학을 통치 이념으로 삼으려 하였다.
④ 분열되어 있던 중원 지역을 통일하려 하였다.
⑤ 독립 세력화한 호족 세력을 견제하려 하였다.

**12** 다음에서 설명하는 제도를 처음 시행한 인물의 업적으로 옳은 것은?

> 군현제와 봉건제를 절충하여 수도를 중심으로 서쪽에는 군현을 두고, 다른 지역은 제후 왕에게 맡겨 통치하도록 하였다.

① 동호를 복속하였다.
② 남월(남비엣)을 정복하였다.
③ '황제' 칭호를 처음으로 사용하였다.
④ 진 멸망 이후 중원을 재통일하였다.
⑤ 상앙, 이사의 법가 사상가를 등용하였다.

**13** 다음은 한 무제와의 가상 인터뷰 내용이다. 빈칸에 들어갈 답변으로 옳은 것은?

> • 기자: 오랜 전쟁으로 국가의 재정 상황이 악화되었는데요. 이를 극복하기 위해 어떤 정책을 시행하셨나요?
> • 무제: ______________________

① 군국제를 실시하였습니다.
② 분서갱유를 단행하였습니다.
③ 서역에 장건을 파견하였습니다.
④ 소금과 철의 전매제를 시행하였습니다.
⑤ 만리장성을 비롯한 대규모 토목 공사를 실시하였습니다.

**14** (가), (나) 사이 시기에 중원에서 일어난 일로 옳은 것은?

> (가) 외척 세력인 왕망이 신을 건국하였다.
> (나) 중원 지역이 위·촉·오의 삼국으로 분열하였다.

① 유방이 중원을 재통일하였다.
② 진 시황제가 만리장성을 쌓았다.
③ 한 무제가 전국에 군과 현을 설치하였다.
④ 주 왕실이 수도를 호경에서 낙읍으로 옮겼다.
⑤ 광무제가 호족의 지지를 얻어 후한을 건국하였다.

**15** 다음은 어느 민족의 발달 과정을 나타낸 것이다. 이 민족에 대한 설명으로 옳은 것은?

> 기원전 3세기경 북방의 초원 지대에서 성장하였다.
> ↓
> 진 시황제가 장군 몽염에게 대군을 주어 공격하게 하면서 세력이 위축되었다.
> ↓
> 묵특 선우 시기 전성기를 누리며 중원 왕조를 위협하는 강력한 세력을 형성하였다.

① 한 고조의 공격으로 쇠퇴하였다.
② 보병을 중심으로 군대를 운영하였다.
③ 동아시아 최초의 유목 민족 국가를 세웠다.
④ 국가의 중요한 일을 갑골에 점을 쳐서 결정하였다.
⑤ 사회 질서를 유지하기 위해 8조법을 제정하였다.

**16** 다음 통치 조직과 관련된 설명으로 옳은 것은?

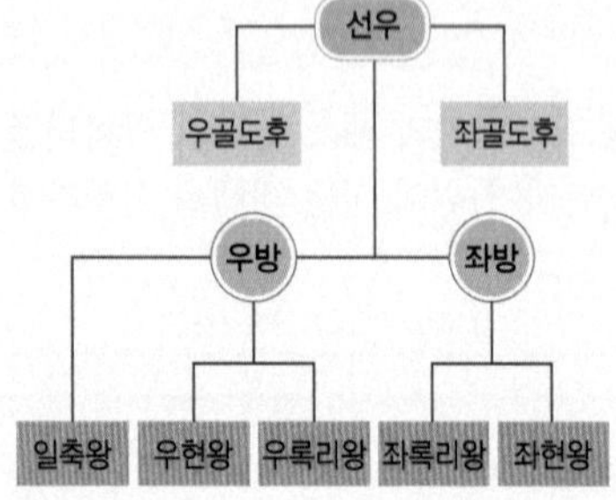


① 농경민의 통치에 유리하였다.
② 한 무제가 전국으로 확대하였다.
③ 상 왕조 시기에 처음으로 등장하였다.
④ 봉건제가 형성되는 데 영향을 주었다.
⑤ 여러 명의 왕이 각자의 군대를 거느렸다.

**17** 다음 유물·유적이 분포하는 지역에서 등장한 최초의 국가에 대한 설명으로 옳지 않은 것은?

① 왕이 제사장을 겸하였다.
② 청동기 문화를 기반으로 성립하였다.
③ 한 무제의 공격으로 왕검성이 함락되었다.
④ 부족장이 다스리는 구역을 사출도라고 하였다.
⑤ 위만이 집권한 이후에 본격적으로 철기 문화를 수용하였다.

## C 국가 간 교류와 전쟁

**18** 한 무제의 정복 활동과 관련된 설명으로 옳은 것을 〈보기〉에서 고른 것은?

> 보기
> ㄱ. 동호를 복속하고 월지를 축출하였다.
> ㄴ. 고조선과 남월(남비엣)을 정복하였다.
> ㄷ. 만리장성을 쌓아 흉노의 침입에 대비하였다.
> ㄹ. 장건을 서역으로 파견하여 비단길을 장악하였다.

① ㄱ, ㄴ　② ㄱ, ㄷ　③ ㄴ, ㄷ
④ ㄴ, ㄹ　⑤ ㄷ, ㄹ

**19** 밑줄 친 '이 국가'에 대한 설명으로 옳은 것은?

> 이 국가 또한 본래 남자가 왕으로 70~80년을 이어 오다 왜국에 난이 일어나 여러 해에 걸쳐 전쟁이 있었다. 이에 한 여인을 왕으로 세웠는데, 이름은 히미코라 한다. 기괴한 술법을 행하고 능히 백성을 미혹시켰는데, 나이가 들도록 남편이 없었다.
> – 『삼국지』 위서 왜인전

① 왕 밑에 상, 경, 대부 등의 관직을 두었다.
② 위에 사신을 보내 '친위왜왕'의 칭호를 받았다.
③ 선우 계승을 둘러싼 내분이 일어나 쇠퇴하였다.
④ 후한 광무제에게 '한위노국왕'이라는 금인을 받았다.
⑤ 한 무제의 공격을 받아 고비사막 이북으로 쫓겨났다.

# 3단계 등급 올리기

최고난도

**01** 다음 유물 카드를 통해 알 수 있는 초기 국가의 특징으로 가장 적절한 것은?

**청동 솥**

은허에서 발견되었으며, 높이 약 130cm, 무게 약 800kg에 이르는 청동기이다. 제사 의식에 사용된 것으로 추정된다.

**갑골문**

전쟁, 사냥, 제사 등 국가의 중요한 일을 점을 쳐서 결정하였다. 점을 친 내용을 거북의 배 껍질이나 동물의 뼈에 갑골문으로 기록하였다.

① 정복 전쟁을 활발하게 전개하였다.
② 유가 사상을 통치 이념으로 채택하였다.
③ 지방 통치 제도로 봉건제를 시행하였다.
④ 왕이 제사장의 역할을 겸하는 신정 정치가 행해졌다.
⑤ 한반도에서 이주한 사람들로부터 금속 제작 기술과 벼농사 기술을 받아들였다.

**02** 빈칸에 들어갈 내용으로 적절한 것은?

**진 시황제의 정책**

• 사례: 시황제는 전국의 문자를 전서체, 화폐를 반량전으로 통일하고, 도량형도 통일하였다.

전서체

반량전

되(곡식 양 측정)

• 탐구 활동: 진 시황제가 위와 같은 정책을 실시하게 된 배경을 설명하시오.
→ ____________

① 잦은 전쟁으로 국가 재정이 어려웠다.
② 흉노가 중원 지역으로 남하를 시도하였다.
③ 호족이 성장하면서 각종 사회 문제가 나타났다.
④ 왕과 제후의 혈연관계가 점차 멀어지기 시작하였다.
⑤ 중원 지역 통일 이후 단일한 통치 기준이 필요하였다.

2018 수능 응용

**03** (가)에 들어갈 국가에 대한 설명으로 옳은 것은?

이 유물에는 유목 국가와 농경 국가 사이의 전투 장면이 나타나 있다. 왼쪽 표시 부분을 보면 활을 쏘는 병사의 모습이 묘사되어 있는데, 이들이 (가) 의 병사이다. (가) 은/는 묵특 선우 때 전성기를 맞이하여 동호, 월지 등을 제압하였다.

① 호경에서 낙읍으로 수도를 옮겼다.
② 제정 분리 사회로 천군이 소도를 다스렸다.
③ 법가 사상을 기반으로 통치 제도를 정비하였다.
④ 봉건제와 군현제를 절충하여 전국을 통치하였다.
⑤ 한 무제의 군대와 전투를 벌였으나 패하여 북으로 밀려났다.

## 서술형 문제

**04** 다음은 중원 왕조의 지방 통치 방식을 나타낸 것이다. 이를 보고 물음에 답하시오.

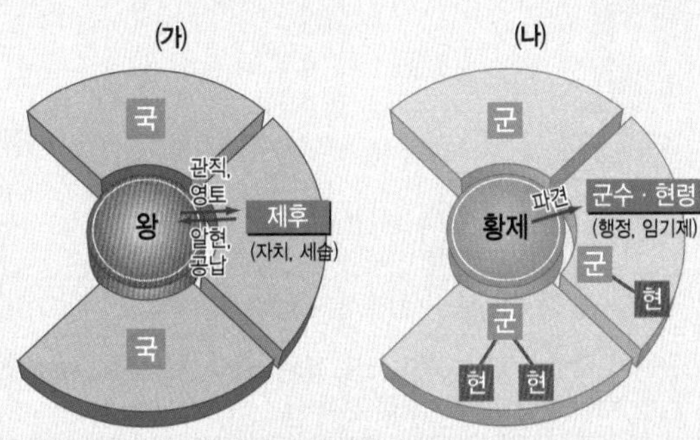


(1) (가), (나) 제도의 명칭을 각각 쓰시오.

(2) (가), (나) 제도의 특징을 비교하여 서술하시오.

# 01 인구 이동과 정치·사회 변동

★ 표시는 시험 전에 확인해 주세요.

## A 동아시아의 인구 이동

### 1. 인구 이동의 전개

(1) 원인: 기후 변화, 자연재해, 인구 증가, 전쟁 등

(2) 특징: 대체로 북에서 남으로 이동, 연쇄적인 인구 이동

(3) 영향: 새로운 정권이나 국가 성립, 문화 전파와 교류 촉진

### ★ 2. 지역별 인구 이동

(5호: 흉노, 선비, 갈, 저, 강족을 일컫는다.)

|  |  |
|---|---|
| 중원 | • 5호의 이동: 진(晉)의 내분을 틈타 5호가 화북 지역에 정권 수립(5호 16국 시대) → 북위가 화북 통일(북조)<br>• 한족의 이동: 화북을 빼앗긴 한족이 창장강 이남으로 이동해 동진 수립 → 강남에 한족 왕조 성립(남조) |
| 만주·한반도 | • 부여족의 이동: 부여족의 일부인 주몽 집단이 압록강 중류의 졸본 지역으로 남하하여 토착민과 함께 고구려 건국<br>• 고구려인의 이동: 고구려 내부의 갈등으로 지배층 일부가 한강 유역으로 남하하여 백제 건국<br>• 고조선 유민의 이동: 고조선 유민 일부가 한반도 남부로 이동하여 경주 토착 세력과 연합해 신라 건국의 토대 마련<br>• 낙랑군의 이동: 낙랑군 유민 일부가 한반도 남부로 이동하여 백제와 가야 연맹 발전에 기여 |
| 일본 열도 | • 도왜인의 이동: 삼국 항쟁기의 한반도 주민과 중국 남북조 시대의 한족이 일본 열도로 이주 → 야마토 정권의 성립과 발전에 이바지함<br>• 야마토 정권의 성립: 4세기경 유력 호족이 연합하여 성립 |

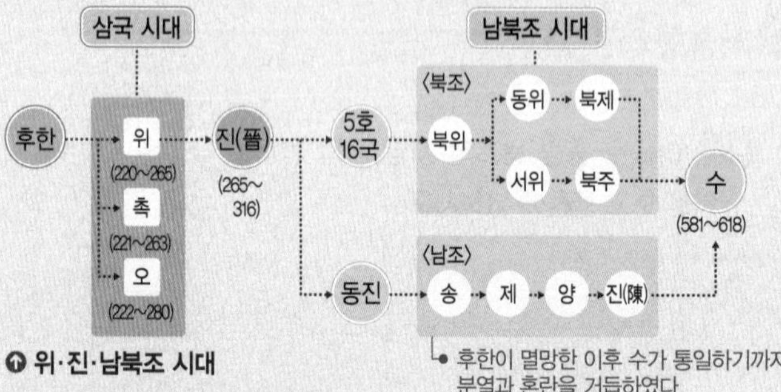


후한이 멸망한 이후 수가 통일하기까지 분열과 혼란을 거듭하였다.

⊙ 위·진·남북조 시대

### 3. 문물의 전파

(철이 많이 생산된 가야는 일본 열도에 철을 수출하였다.)

|  |  |
|---|---|
| 철기 | '중원 → 만주·한반도 → 일본 열도'의 순서로 전파 |
| 농업 기술 | 한족의 이주로 강남 지역 개발, 도왜인들이 일본 열도에 수전 농법·수리 기술·관개 기술을 전해 줌 |

## B 국가의 통합과 발전

### ★ 1. 남북조의 발전

(1) 북위의 한화 정책: 효문제가 호한 융합을 위해 추진

|  |  |
|---|---|
| 정치 | 뤄양으로 천도, 한족을 관리로 발탁 |
| 경제 | 농경지를 몰락 농민에게 분배하는 균전제 시행 |
| 문화 | 한족의 성씨 부여, 한족과의 결혼 장려, 한족의 언어·의복 사용 |

(2) 남조의 변화: 송·제·양·진의 한족 왕조가 북조와 대립, 강남 지역의 농업 발달

### 2. 삼국의 항쟁

|  |  |
|---|---|
| 백제 | 삼국 중 가장 이른 4세기에 주도권 잡음, 5세기에 고구려 장수왕에게 한강 유역 상실(→ 웅진 천도), 중국 남조 및 왜와 연계 |
| 고구려 | 5세기에 삼국의 주도권 장악(요동 차지, 한강 유역 확보), 백제·돌궐·왜와 연계, 중국의 남·북조와 각각 외교 관계 형성 |
| 신라 | 6세기에 한강 유역을 차지하면서 중국과 직접 교류, 대가야를 정복해 낙동강 유역 장악, 수·당 제국과 연계 |

### 3. 야마토 정권의 성장

(1) 세력 확대

① 씨성 제도 시행: 호족에게 성을 하사해 중앙 정치 체제에 편입시키려 함

② 전방후원분 제작: 지배자들이 대형 무덤을 만들어 자신의 권력 과시 (전방후원분: 앞쪽은 네모지고 뒤쪽은 둥근 형태의 무덤이다.)

(2) 아스카 문화 발전: 중국의 남조와 한반도의 삼국 및 가야의 선진 문물 수용 → 스에키 제작, 일본 최초의 불교문화인 아스카 문화 발전 (스에키: 가야인들은 일본 열도에 토기 제작 기술을 전하여 스에키 발달에 영향을 주었다.)

(3) 다이카 개신(645)

|  |  |
|---|---|
| 목적 | 당의 율령 체제를 도입하여 군주 중심의 중앙 집권적 통치 체제를 만들고자 함 |
| 내용 | 호족 세력 억제, 관료제 도입, 지방관 파견 등 |

### ★ 4. 지역 통일 국가의 등장

(1) 수·당의 발전

|  |  |
|---|---|
| 수 | 6세기 말 남북조 통일, 돌궐 공격, 고구려 침공, 대운하 완성, 과거제 도입, 토목 공사와 무리한 고구려 원정으로 멸망 |
| 당 | 7세기 중원 재통일, 팽창 정책 추진(돌궐 복속, 서역 정벌, 고구려 공격), 도호부를 설치하여 기미 정책 실시 |

(2) 통일 신라와 발해의 발전

|  |  |
|---|---|
| 통일 신라 | 나·당 연합 결성 → 백제 멸망(660) → 백강 전투에서 승리 → 고구려 멸망(668) → 나·당 전쟁 전개 → 당 세력 축출, 통일 완성(676) |
| 발해 | 대조영이 고구려 유민을 중심으로 말갈족의 일부와 발해 건국(698), 고구려 계승 의식 표방, 당·일본과 교류 |

(백강 전투: 백제 유민과 이를 지원하는 왜의 군대가 당과 신라의 연합군에게 패하였다.)

(3) 나라·헤이안 시대의 전개

|  |  |
|---|---|
| 7세기 말 | '일본' 국호와 '천황' 칭호 사용, 견당사·견신라사 파견 |
| 나라 시대 | 8세기 초 당의 장안성을 본뜬 헤이조쿄로 천도 |
| 헤이안 시대 | 8세기 말 헤이안쿄(교토)로 천도, 견당사 파견 중지, 중기 이후 율령 체제 동요, 귀족을 중심으로 일본 고유의 국풍 문화 발달(가나 문학 등) |

## 1단계 개념 짚어 보기

**01** 진(晉)의 쇠퇴 이후 흉노, 선비, 갈, 저, 강족의 북방 민족이 화북 지역에 독자적인 정권을 수립한 시기를 일컫는 말은?

**02** 부여족의 일부인 주몽 집단이 압록강 중류의 졸본 지역으로 남하하여 (　　　　)를 건국하였다.

**03** 삼국 항쟁기의 한반도 주민과 중국 남북조 시대의 한족 중 일본 열도로 이주한 사람들을 일컫는 말은?

**04** 뤄양으로 천도하고, 한족의 언어와 풍습을 받아들이는 등 적극적인 한화 정책을 실시한 북위의 황제는?

**05** 야마토 정권은 중국의 남조와 한반도의 삼국 및 가야의 선진 문물을 수용해 일본 최초의 불교문화인 (　　　　)를 꽃피웠다.

**06** 다음에서 설명하는 국가를 〈보기〉에서 골라 기호를 쓰시오.

보기
ㄱ. 수　　　ㄴ. 백제　　　ㄷ. 신라

(1) 고구려의 공격을 받아 웅진으로 천도하였다. (　　)
(2) 대가야를 정복해 낙동강 유역을 장악하였다. (　　)
(3) 과거제를 최초로 실시하고 화북과 강남을 잇는 대운하를 완성하였다. (　　)

**07** 고구려 멸망 이후 (　　　　)은 고구려 유민과 말갈족을 모아 발해를 건국하였다.

**08** 다음 설명이 맞으면 ○표, 틀리면 ×표를 하시오.

(1) 백제 유민과 왜의 연합 세력은 나·당 연합군과 백강에서 전투를 벌였다. (　　)
(2) 다이카 개신은 당의 율령 체제를 본떠 군주 중심의 중앙 집권 체제를 도모한 개혁이다. (　　)
(3) 나라 시대에는 견당사 파견이 중지되고 귀족을 중심으로 일본 고유의 국풍 문화가 발달하였다. (　　)

## 2단계 내신 다지기

정답과 해설 6쪽

### A 동아시아의 인구 이동

출제가능성 90%

**01** 선생님의 질문에 대한 학생의 답변으로 옳지 않은 것은?

선생님: 흉노, 선비, 갈, 저, 강족의 5호가 중국의 화북 지역으로 이동하면서 미친 영향은 무엇일까요?

① 5호 16국 시대가 전개되었어요.
② 강남 지역의 개발이 촉진되었어요.
③ 호족과 한족의 융합이 추진되었어요.
④ 한족이 창장강 이남으로 이동하였어요.
⑤ 귀족을 중심으로 국풍 문화가 발달하였어요.

**02** 밑줄 친 '이주민'에 대한 탐구 활동으로 적절한 것은?

중국의 창장강 하류 지역은 늪지대가 많아 농경에 불리하였다. 3세기경부터 이주민들은 농경지를 확보하기 위해 늪지대 한가운데에 제방을 쌓고, 물을 빼내 늪지대를 농경지로 만들었다.

① 고조선 유민의 이동이 미친 영향을 알아본다.
② 세토내해를 중심으로 한 인구 이동을 찾아본다.
③ 스에키의 제작에 영향을 준 이주민을 조사한다.
④ 5호의 침략에 따른 한족의 이동 경로를 살펴본다.
⑤ 부여족의 일부가 남하하면서 세운 나라를 검색한다.

**03** (가)에 들어갈 국가에 대한 설명으로 옳은 것은?

사진은 서울 석촌동에 있는 백제 초기의 대형 돌무지무덤이다. 이 고분의 모양과 축조 방식은 (가) 의 것과 유사하다.

① 종법적인 봉건제를 실시하였다.
② 6세기에 한강 유역을 장악하였다.
③ 경주 지역 토착 세력과 연합하였다.
④ 도왜인의 도움으로 국가 체제를 정비하였다.
⑤ 부여족인 주몽 집단이 압록강 졸본 지역에 세웠다.

출제가능성 90%

**04** 지도는 4~7세기경의 인구 이동을 나타낸 것이다. 이러한 인구 이동으로 일본 열도에서 나타난 변화로 옳은 것은?

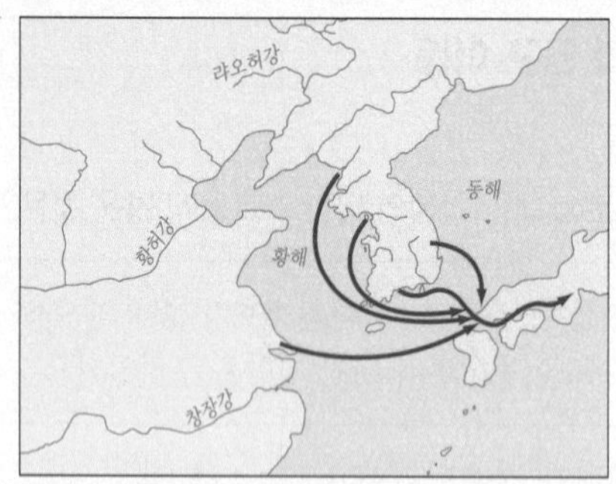


① 봉건제가 붕괴되었다.
② 헤이조쿄로 천도하였다.
③ 견당사의 파견이 중지되었다.
④ 야마토 정권의 체제가 정비되었다.
⑤ 조몬 토기가 제작되기 시작하였다.

**05** 다음 유물을 활용한 탐구 주제로 가장 적절한 것은?

가야의 갑옷 / 왜의 갑옷

① 북위의 한화 정책
② 야마토 정권의 확대
③ 얼리터우 문화의 발달
④ 한반도의 철기 문화 전파
⑤ 동아시아 청동기 문화의 발달

## B 국가의 통합과 발전

**06** 다음 칙령을 발표한 국가에 대한 설명으로 옳은 것은?

> 이제 북방의 언어를 금지하고, 오로지 올바른 중원의 언어만 사용하도록 한다. 만약 고의로 북방의 언어를 쓴다면 관직을 박탈할 것이다.

① 과거제를 도입하여 인재를 등용하였다.
② 당의 장안성을 본떠 헤이조쿄를 건설하였다.
③ 농민에게 토지를 분배하는 균전제를 실시하였다.
④ 호족에게 성씨를 내리는 씨성 제도를 시행하였다.
⑤ 광대한 변방을 통치하기 위해 도호부를 설치하였다.

출제가능성 90%

**07** (가) 시기 중원 지역의 상황으로 옳은 것을 〈보기〉에서 고른 것은?

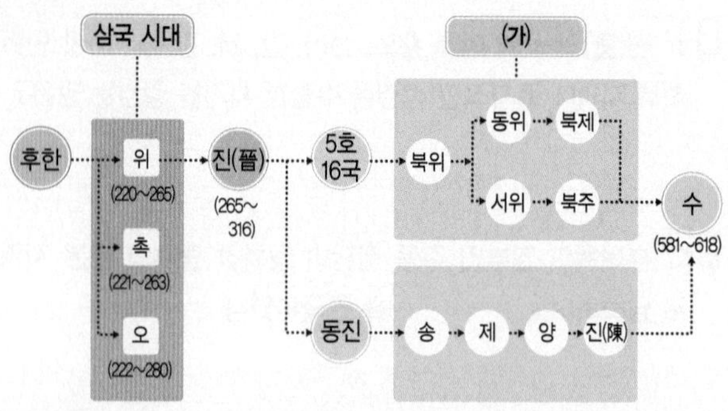


보기
ㄱ. 춘추 5패가 정국을 주도하였다.
ㄴ. 강남 지방의 농업 생산력이 증대되었다.
ㄷ. 북위가 수도를 평성에서 화북의 뤄양으로 옮겼다.
ㄹ. 대운하가 건설되면서 남북 간의 경제적 통합이 강화되었다.

① ㄱ, ㄴ　② ㄱ, ㄷ　③ ㄴ, ㄷ
④ ㄴ, ㄹ　⑤ ㄷ, ㄹ

**08** (가)에 들어갈 내용으로 옳은 것은?

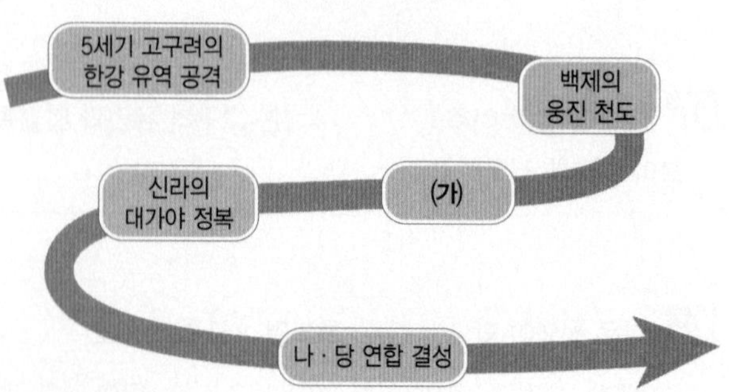


① 백강 전투
② 백제의 멸망
③ 고구려의 멸망
④ 신라의 삼국 통일
⑤ 신라의 한강 유역 차지

**09** 밑줄 친 '이 국가'에 대한 설명으로 옳은 것은?

> 고조선이 멸망한 후 유민 일부가 한반도 남부 지역으로 남하하였다. 이들은 경주 지역의 토착 세력과 연합하여 이 국가의 토대를 마련하였다. 이 국가는 사로국에서 출발하여 진한의 주도 세력이 되었다.

① 9세기에 견당사의 파견을 중지하였다.
② 호족에게 지위를 나타내는 성을 부여하였다.
③ 고구려 유민과 말갈족의 일부가 세운 국가이다.
④ 수·당과의 전쟁을 통해 민족의식이 발달하였다.
⑤ 한강 유역 장악 이후 중국과 직접 외교 관계를 맺었다.

**10** 다음 문화유산을 남긴 일본의 정권에 대한 설명으로 옳지 않은 것은?

> 이 무덤은 길이 약 480m, 폭 약 350m의 거대한 규모를 자랑하는 고대 일본의 무덤이다. 무덤의 앞쪽인 네모난 부분에서 제사와 같은 의식을 거행하였고, 뒤쪽의 둥근 부분에 시신을 묻었다.

① 유력 호족이 연합하여 세웠다.
② 이민족에게 기미 정책을 실시하였다.
③ 일본 최초의 불교문화를 발전시켰다.
④ 가야의 토기 제작 기술을 수용하였다.
⑤ 호족을 중앙에 복속시키기 위해 씨성 제도를 시행하였다.

**11** 다음에서 설명하는 개혁의 명칭을 쓰시오.

> 645년 일본에서 당 유학생을 중심으로 단행된 개혁이다. 백제계로 추정되는 권신 소가 씨를 몰아낸 이후 당의 율령 체제를 도입하여 군주 중심의 중앙 집권적 통치 체제를 확립하려 하였다.

**12** (가)에 들어갈 탐구 주제로 가장 적절한 것은?

**수행 평가 계획서**

- 탐구 주제: (가)
- 모둠별 활동 과제

| 모둠 | 활동 과제 |
|---|---|
| 1모둠 | 스에키의 발달 |
| 2모둠 | 아스카 문화의 발전 |
| 3모둠 | 야마토 정권의 체제 정비 |

① 도왜인의 이주와 역할
② 승려를 통한 문화 교류
③ 호한 융합과 문화의 발전
④ 부여족의 이주와 문화 전파
⑤ 5호의 침략과 한족의 강남 이주

**13** 다음 글에 기록된 전쟁이 동아시아에 미친 영향으로 가장 적절한 것은?

> 7월 살수에 이르러 군사가 반쯤 강을 건넜을 때, 우리 군사가 후방에서 적군의 후속 부대를 공격하였다. 이에 여러 부대가 한꺼번에 무너져 걷잡을 수 없게 되었다. 장수와 사졸들이 달아나 돌아가는데, 하룻낮 하룻밤에 압록수까지 450리를 행군하였다. …… 처음 9군이 요하에 이르렀을 때는 무릇 30만 5천 명이었는데, 요동성으로 돌아간 것은 겨우 2천 7백 명이었고, 수만을 헤아렸던 군량과 병장기가 모두 없어졌다. 황제는 크게 화가 나서 우문술 등을 쇠사슬로 묶어 계묘일에 돌아갔다.

① 헤이안쿄로의 천도가 이루어졌다.
② 5호가 화북 지방으로 이동하였다.
③ 한반도에서 남북국 시대가 전개되었다.
④ 신라가 당을 몰아내고 통일을 완성하였다.
⑤ 고구려 원정이 실패하면서 수가 멸망하는 원인이 되었다.

출제가능성 90%

**14** 지도에 표시된 영역을 차지하였던 중원 왕조에 대한 설명으로 옳은 것은?

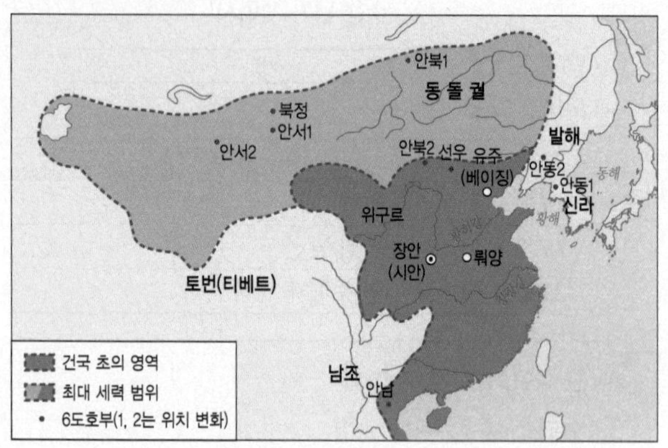


① 중국 최초로 통일을 이루었다.
② 사상을 통제하고자 분서갱유를 일으켰다.
③ 서역과 동맹을 맺기 위해 장건을 파견하였다.
④ 군현제와 봉건제를 절충한 군국제를 시행하였다.
⑤ 주변국이 선진 문물을 수용하고자 사절단인 견당사를 파견하였다.

**15** 다음 글에 기록된 전쟁에 대한 설명으로 옳은 것을 〈보기〉에서 고른 것은?

> 백제는 적이 계획한 바를 알고 여러 장수에게 "지금 일본에서 우리를 구원하러 장수 여원군신이 용사 1만여 명을 거느리고 바다를 건너오고 있다. 여러 장군은 미리 계획을 세우기 바란다." …… 당의 장군이 함선 170척을 이끌고 백강에 진을 쳤다. 일본의 수군 중 처음 도착한 배들이 당의 수군과 싸웠지만 불리하여 후퇴하였다. 당군은 좌우에서 수군을 출동시켜 협공하였다. -『일본서기』

**보기**

ㄱ. 백제가 웅진으로 수도를 옮기는 원인이 되었다.
ㄴ. 일본은 이 전쟁으로 견당사 파견을 중지하였다.
ㄷ. 삼국 통일 전쟁이 동아시아 국제전의 성격을 띠었음을 알 수 있다.
ㄹ. 이 전쟁에서 패배한 백제 유민이 일본 열도로 건너가 야마토 정권의 체제 정비에 영향을 주었다.

① ㄱ, ㄴ ② ㄱ, ㄷ ③ ㄴ, ㄷ
④ ㄴ, ㄹ ⑤ ㄷ, ㄹ

**16** (가) 시기 동아시아에서 일어난 일이 <u>아닌</u> 것은?

당의 건국 ➡ (가) ➡ 신라의 삼국 통일 완성

① 한국 – 고구려가 멸망하였다.
② 한국 – 백제 부흥 운동이 일어났다.
③ 중국 – 당이 정복지에 도호부를 설치하였다.
④ 일본 – 호족들이 연합하여 야마토 정권을 세웠다.
⑤ 일본 – 다이카 개신을 단행하여 국가 체제를 정비하였다.

**17** 밑줄 친 '이 국가'에 대한 설명으로 옳은 것은?

> **문화재 조사 카드**
>
> • 명칭: 일본에서 출토된 목간
> • 특징: 8세기에 일본이 <u>이 국가</u>에 보낸 사신을 '견고려사'라고 표현하였음이 기록되어 있다.

① '천황'이라는 칭호를 사용하였다.
② 당 세력을 축출하고 삼국을 통일하였다.
③ 국왕의 직속 부대로 9서당을 설치하였다.
④ 요동을 차지하고 한강 유역을 장악하였다.
⑤ 대조영이 고구려 유민을 중심으로 건국하였다.

**18** 다음 작품이 만들어진 시대에 있었던 일로 옳은 것은?

가나 문자로 쓰인 소설인 『겐지 이야기』에 수록된 그림이다. 『겐지 이야기』는 일본의 국풍 문화를 대표하는 작품이다.

① 견신라사와 견당사의 파견을 중지하였다.
② 중원 왕조로부터 '한위노국왕'의 칭호를 받았다.
③ 당의 수도 장안성을 본떠 헤이조쿄를 건설하였다.
④ 아스카 지역을 중심으로 불교 예술이 발달하였다.
⑤ 지배자들이 전방후원분을 만들어 권력을 과시하였다.

# 3단계 등급 올리기

2016 평가원 응용

**01** (가)~(라)의 인구 이동이 끼친 영향으로 보기 어려운 것은?

(가) 진승과 항우가 거병하여 천하가 어지러워지니 …… 연나라 사람 위만도 망명하여 …… 준왕에게 항복하였다. -『삼국지』 위서 동이전

(나) 천무 10년(682), 삼한(三韓)의 사람들에게 조를 내려 "…… 귀화한 첫해에 함께 온 자손도 아울러 역의 부과를 모두 면제한다."고 하였다. -『일본서기』

(다) 원제가 양쯔강(창장강)을 건너오고 나서 …… (동)진을 세운 것은 이로부터 시작되었다. …… 유민 대부분이 권세 있는 집에 의지하여 식객이 되었다. -『남제서』

(라) 주몽이 북부여에서 낳은 아들이 오자 태자로 삼으니 비류와 온조는 태자에게 용납되지 않을 것을 두려워하였다. 마침내 오간, 마려 등 신하들과 함께 남쪽으로 가니 백성 가운데 그를 따르는 이가 많았다. -『삼국사기』

① (가) - 한반도에서 철기 문화가 본격적으로 발달하였다.
② (나) - 일본 열도에서 야마타이국이 성립하였다.
③ (다) - 송·제·양·진의 한족 왕조가 차례로 수립되었다.
④ (다) - 강남 지방의 농업 생산력이 증대되기 시작하였다.
⑤ (라) - 고구려 세력의 일부가 한강 유역에 백제를 세웠다.

**02** 다음 대화에 나타난 사건이 일어난 시기를 연표에서 고른 것은?

| 648 | | 660 | | 668 | | 675 | | 676 | | 698 |
|---|---|---|---|---|---|---|---|---|---|---|
| | (가) | | (나) | | (다) | | (라) | | (마) | |
| 나·당 연합 | | 백제 멸망 | | 고구려 멸망 | | 매소성 전투 | | 신라의 삼국 통일 | | 발해 건국 |

① (가) ② (나) ③ (다) ④ (라) ⑤ (마)

최고난도

**03** 밑줄 친 '토기'가 제작된 시기 동아시아의 상황으로 옳은 것은?

이 시기 일본의 토기 제작 기술은 도왜인에 의해 새로운 단계로 발전하였다. 그전까지 일본에서 제작되던 토기는 비교적 단단하지 못하였다. 하지만 가야에서 이주한 토기 기술자들은 오름 가마를 만들고 고온으로 단단한 <u>토기</u>를 구워 냈다.

① 흉노의 묵특 선우가 동호를 복속하였다.
② 고조선의 유민이 한반도 남부로 이동하였다.
③ 중원 지역이 위·촉·오로 나뉘어 대립하였다.
④ 진의 시황제가 문자, 화폐, 도량형을 통일하였다.
⑤ 고구려의 장수왕이 한강 유역을 확보하여 삼국의 주도권을 장악하였다.

## 서술형 문제

**04** 다음은 중원 지역에 성립한 왕조를 배경으로 작성한 시나리오이다. 이를 읽고 물음에 답하시오.

**# 장면3 관리들의 대화**
• 관리1: 최근 <u>황제</u>께서 탁발씨의 성을 한족의 성씨인 원씨로 바꾸라고 하셨다더군.
• 관리2: 그뿐만이 아닐세. 조정에 있는 서른 살 이하의 사람은 선비어를 사용하지 말라 하셨다네.

(1) 밑줄 친 '황제'를 쓰시오.

(2) (1)의 황제가 위와 같은 정책을 실시한 이유를 서술하시오.

# 02 국제 관계의 다원화

## A 조공·책봉의 외교 형식

### 1. 조공·책봉 관계의 형성

(1) 의미: 조공은 제후가 황제에게 예물을 바치는 것, 책봉은 황제가 제후에게 벼슬을 내리거나 영토를 인정하는 행위

(2) 형성

| 주 | 조공·책봉 시작, 주 왕과 제후 사이의 상하 관계 규정 |
|---|---|
| 한 | • 고조: 흉노에 패한 후 흉노의 선우에게 공주를 시집보냄<br>• 무제: 주변국과 외교 관계를 맺을 때 조공과 책봉의 형식을 적용하며 국제 의례로 확장 |

(3) 특징: 형식적인 외교의 틀에 불과, 중원국은 권위를 세우고 조공을 하는 국가는 통치의 정당성 확보와 문화적·경제적 실리 추구

### 2. 남북조 시대의 실리 외교

유목 민족 최초로 고유한 문자를 사용하였다.

| 남북조 | • 북조와 남조가 사절 교환(상대국을 조공 사절로 취급)<br>• 북제와 북주가 돌궐의 공주를 황후로 맞으려고 경쟁 |
|---|---|
| 삼국 | • 고구려: 남·북조와 조공·책봉 관계 형성, 불교·율령 등 수용<br>• 백제: 주로 남조와 조공·책봉 관계 형성, 불교·유학·건축 기술 등 수용<br>• 신라: 백제의 중개로 남조와 조공·책봉 관계 형성, 한강 유역 장악 이후 남·북조와 직접 조공·책봉 관계를 맺음 |
| 왜 | 5세기에 남조와 책봉 관계 형성, 고구려·백제·신라와 교류 |

백제는 북위에 고구려를 공격해 달라고 요청하였으나 거부당하자 주로 남조 국가와 외교 관계를 맺었다.

### ★ 3. 당 대의 외교 관계

(1) 당과 주변 민족의 관계

| 돌궐·토번·위구르 | 당의 조공·책봉 관계 요구 거부, 당과 경제적 교류를 위한 조공 관계만 맺으려 함, 8세기 이후 당은 국력이 쇠퇴하자 화번공주를 파견하여 화친 도모 |
|---|---|
| 신라·발해 | 당 중심의 조공·책봉 관계 수용, 신라는 당의 산둥 지역에 신라방 형성, 발해는 건국 초 산둥반도 공격 → 당과 친선 관계 수립 후 문물 수용(당의 발해관 설치) |
| 일본 | 당과 조공 관계만 형성, 당이 쇠퇴하자 견당사 파견 중지 |

화번공주: 중원 왕조가 이민족 군주에게 출가시킨 황제 또는 황족의 딸이다.

(2) 일본과 남북국의 관계: 신라는 삼국 통일 이후 일본과 관계 개선, 발해는 신라 견제를 위해 일본과 교류

(3) 독자적 천하관 대두

| 고구려 | 영락 연호와 '태왕' 칭호 사용, 신라·백제의 복속국 취급 |
|---|---|
| 백제 | '대왕' 칭호 사용, 탐라로부터 조공받음, 남만의 용어 사용 |
| 신라 | 당에 조공하면서도 전쟁 전개, 황룡사 9층 목탑 건립 |
| 발해 | 당·신라 견제를 위해 돌궐과 연대하고 일본과 교류, 독자적인 연호 사용(인안, 대흥 등) |
| 일본 | 독자적인 연호 사용, 신라·발해를 속국으로 간주, 자국 군주를 하늘에 비유하는 국서를 수에 보내기도 함 |

황룡사 9층 목탑: 주변 아홉 나라의 침략으로부터 신라를 지키겠다는 의미를 담아 세웠다.

## B 북방 민족의 성장과 국제 관계의 다원화

### 1. 국제 질서의 재편

(1) 새로운 왕조 개창: 10세기 이후 중원에서는 송, 한반도에서는 고려, 일본에서는 가마쿠라 막부 등 성립

(2) 국제 관계의 다원화: 거란(요), 송, 고려, 대월, 서하, 여진(금)이 다원적인 국제 관계 형성, 군사적 대립과 충돌 발생

● 연운 16주는 연주와 운주를 중심으로 만리장성 이남의 허베이와 산시에 걸친 16개의 주를 말한다.

⊙ 11세기의 동아시아

### ★ 2. 북방 민족의 성장

| 거란(요) | • 성립: 야율아보기가 부족을 통합하여 거란 건국(916)<br>• 발전: 발해 멸망 → 만리장성 이남의 연운 16주 차지 → '요'로 국호 변경 → 송과 전연의 맹약 체결(송으로부터 막대한 세폐 받음)<br>• 통치 제도: 거란 문자 제작, 북면관제·남면관제라는 이원적 지배 체제 실시, 북방에 수도 유지, 불교 숭상 |
|---|---|
| 서하 | • 성립: 11세기에 탕구트족의 이원호가 수립<br>• 발전: 비단길을 장악하고 동서 교역을 중계하며 발전, 거란과 조공·책봉 관계 형성, 송과 책봉·교역을 둘러싸고 전쟁 전개 (→ 송이 매년 서하에 세폐 제공)<br>• 통치 제도: 서하 문자 제정, 과거제를 비롯한 중국식 제도 도입 |
| 여진(금) | • 성립: 아구다가 부족을 통합하여 금 건국(1115)<br>• 발전: 송과 연합하여 요 정복 → 송을 공격하여 화북 지역 차지(북송 멸망) → 남송과 강화 조약 체결, 고려와 서하가 금에 조공<br>• 통치 제도: 여진 문자 제작, 여진족은 맹안·모극제로 다스리고 농경민은 주현제로 통치 |

북면관제·남면관제: 유목민은 북면관제로 다스리고, 농경민은 남면관제로 다스렸다.

맹안·모극제: 300가구가 1모극, 10모극이 1맹안이다. 1모극에서 병사 100명을 징발하고 1맹안에서 병사 1,000명을 징발하였다.

### 3. 송의 성립과 발전

(1) 성립: 조광윤(태조)이 5대 10국을 통일하고 송 건국(960)

(2) 태조의 정책: 문치주의 정책 실시(절도사 세력 약화, 전시 도입) → 황제권 강화, 군사력 약화 초래

전시: 과거의 마지막 단계로 황제가 주관하였다.

(3) 왕안석의 신법 추진: 재정 수입 증가와 국방력 강화를 위해 왕안석이 신법 추진 → 당쟁이 격화되면서 국력 약화

(4) 남송의 성립: 금의 침입으로 북송 멸망 → 임안(항저우)을 수도로 남송 성립(1127) → 금과 군신 관계를 맺고 세폐 제공

(5) 해상 교역 발달: 조선술 발달, 나침반 이용, 시박사 설치 → 송의 취안저우가 동아시아 최대 무역항으로 성장

시박사: 무역세 징수, 상인의 체류 등 해상 무역과 관련된 사무를 담당하였다.

★ 표시는 시험 전에 확인해 주세요.

### 4. 고려의 실리 외교

고려는 발해를 멸망시킨 거란에 적대 정책을 취하였다.

| | |
|---|---|
| 거란(요) | 고려가 거란의 친선 요구 거절 → 거란의 고려 침공 → 서희가 외교 담판을 벌여 강동 6주 획득 → 거란의 2·3차 침략을 막은 후 거란과 친선 관계를 맺고 조공 |
| 여진(금) | 여진의 고려 위협 → 윤관이 별무반을 이끌고 여진을 정벌한 후 동북 9성 축조 → 여진이 금 건국 후 고려에 사대 요구 → 금과 군신 관계 체결 |
| 송 | 친선 관계 유지, 경제적·문화적으로 교류 |

### 5. 일본의 대외 관계

(1) 헤이안 말기: 10세기 이후 주변국과 공식적인 외교 관계 축소, 송·고려와 경제적·문화적 교류

(2) 가마쿠라 막부: 12세기 말 미나모토노 요리토모가 가마쿠라 막부 수립, 천황이 쇼군으로 임명 → 주변국과 외교 관계를 맺지 않고 민간 교류만 실시

쇼군: 본래 동북 지방에 파견된 군대의 대장을 의미하였으나 막부 시대에는 무사 정권의 최고 실권자를 뜻하게 되었다.

## C 몽골 제국의 등장과 교역망의 통합

### ★ 1. 몽골 제국의 성장

(1) 몽골 제국의 성립과 발전

| | |
|---|---|
| 칭기즈 칸 | • 13세기 초 테무친이 부족 통합 → 칭기즈 칸에 추대<br>• 천호·백호제와 친위대(케식)를 기반으로 대외 정복 실시 → 서하와 금 공격, 호라즘 왕국을 정복하고 비단길 장악 |
| 우구데이 칸(오고타이 칸) | 고려 침공, 금 정복, 바투를 서방으로 보내 러시아와 동유럽 장악 |
| 쿠빌라이 칸 | 고려 복속, 국호를 '원'으로 바꿈, 대도(베이징)로 천도, 남송 정복, 고려와 연합군을 조직하여 일본 침공 |

(2) 원의 중국 통치: 지방에 행성을 설치하고 다루가치 파견, 몽골 지상주의 정책 표방(몽골인·색목인·한인·남인으로 분류하여 차별적으로 통치)

색목인: 주로 재정과 행정을 담당하였다.

### 2. 대몽골 항쟁과 민족의식의 성장

송은 몽골에 저항하였으나 결국 정복당하였다.

| | |
|---|---|
| 각국의 항쟁 | • 고려: 몽골 사신 피살을 빌미로 고려 침략 → 고려 정부는 강화도로 천도하여 항전 → 최씨 무인 정권 붕괴 → 고려 정부가 몽골과 강화하고 개경으로 환도 → 삼별초의 항전·진압<br>• 대월(베트남): 몽골의 쩐 왕조 공격 → 쩐흥다오의 활약으로 몽골군 격퇴 → 몽골에 조공을 바치고 강화<br>• 일본: 여·몽 연합군의 일본 정벌 → 가마쿠라 막부의 저항과 태풍의 영향으로 원정 실패 |
| 민족의식 성장 | • 고려: 『삼국유사』·『제왕운기』 등 편찬, 단군을 시조로 하는 역사관 형성<br>• 대월(베트남): 『대월사기』 편찬<br>• 일본: 일본이 신의 가호를 받는다는 신국 의식 확산 |

### ★ 3. 몽골 제국 시기 교역망의 통합

(1) 역참 설치

| | |
|---|---|
| 목적 | 넓은 지역을 효율적으로 다스리기 위해 제국 전역에 설치 |
| 영향 | 중앙의 명령을 신속히 전달, 지역의 사정을 중앙에 빠르게 보고, 여행자·상인이 이용할 수 있어 교역에 도움을 줌 |

(2) 시박사 설치: 원이 시박사를 설치해 무역선 관리 → 고려·일본·대월·동남아시아를 잇는 동아시아 교역망 형성

(3) 교초 발행: 교역의 발달로 교초 발행, 제국 전역에서 유통

(4) 동서 문물 교류

동아시아 지역 내에서도 교류가 이루어져 만권당에서 고려와 원의 학자들이 교류하였다.

① 외래 종교 발달: 원에서 이슬람교, 경교 등 발달

② 중국의 발명품 전파: 화약·나침반·인쇄술의 유럽 전파

③ 서아시아의 천문학·역법·수학 전래: 서아시아 학문의 영향으로 원에서 수시력 제작, 조선에서 『칠정산』 제작

④ 인적 왕래: 마르코 폴로와 이븐 바투타가 원 방문

## D 명 시기의 국제 질서

### 1. 명의 성립과 발전

(1) 명의 성립: 원의 쇠퇴 → 주원장이 난징을 수도로 명 건국(1368) → 반란 세력을 통합하고 대도 점령

(2) 명 태조(홍무제)의 정책: 몽골 풍습 금지, 육유 제정, 황제권 강화(재상제 폐지), 과거제 정비, 이갑제 실시

(3) 영락제의 정책: 적극적인 대외 정책 추진(몽골 원정, 대월 일시 점령), 자금성 설립, 베이징(대도) 천도

이갑제: 110호를 1리로 편성하여 부유한 10호는 이장호로 하고 나머지 100호는 갑수호로 하였다.

### 2. 한반도와 일본 열도의 변화

| | |
|---|---|
| 한반도 | • 공민왕의 반원 개혁: 원의 쇠퇴를 틈타 개혁 단행<br>• 조선 건국: 이성계가 혁명파 사대부의 지원을 받아 건국(1392) |
| 일본 열도 | • 무로마치 막부의 수립: 아시카가 다카우지가 가마쿠라 막부를 무너뜨리고 무로마치 막부 수립(1336)<br>• 남북조 시대 전개: 두 명의 천황이 대립하는 남북조 시대 전개 → 3대 쇼군 아시카가 요시미쓰가 통일 |

### 3. 명의 조공 질서 확립

(1) 명의 조공 요구: 명이 동아시아 각지에 사신을 보내 조공 요구 → 조선·일본·대월·류큐 등과 조공·책봉 관계 수립

(2) 명 대의 조공·책봉 체제: 각국 사정과 시대 상황에 따라 변동

| | |
|---|---|
| 조선 | 사대교린 추구, 태종 때에 명과 안정적인 조공·책봉 관계 형성, 일본·여진·류큐와 교류 |
| 일본 | 아시카가 요시미쓰가 명으로부터 일본 국왕으로 책봉 → 조공 질서(감합 무역)에 참여 |
| 대월 | 레 왕조가 명과 조공·책봉 관계를 맺고 명의 문물 도입 |

레 왕조: 레 러이가 명의 군대를 물리치고 레 왕조를 세웠다.

**01** (㉠            )은 제후가 황제에게 사절을 보내 예물을 바치는 것이고, (㉡            )은 황제가 제후에게 벼슬을 내리거나 영토를 인정하는 행위이다.

**02** 북조의 북제와 북주는 유목 민족 최초로 고유한 문자를 사용한 (            )의 공주를 황후로 맞으려고 경쟁하였다.

**03** 영락이라는 독자적인 연호와 '태왕'이라는 칭호를 사용하는 등 독자적인 천하관을 드러낸 국가는?

**04** 11세기 초 송은 요와 형제 관계를 맺고 매년 막대한 양의 비단과 은을 제공하는 조건으로 (            )을 체결하였다.

**05** 12세기 말 미나모토노 요리토모가 수립한 일본 최초의 무사 정권은?

**06** 북방 민족 국가의 통치 정책과 관련된 용어를 〈보기〉에서 골라 기호를 쓰시오.

보기
ㄱ. 다루가치　　ㄴ. 북면관제　　ㄷ. 맹안·모극제

(1) 금: (　　)　(2) 요: (　　)　(3) 원: (　　)

**07** 다음 설명이 맞으면 ○표, 틀리면 ×표를 하시오.

(1) 원은 남인을 중용하여 주로 재정과 행정을 담당하게 하였다. (　　)
(2) 쩐 왕조는 몽골과의 항전 과정에서 『대월사기』라는 역사서를 편찬하였다. (　　)

**08** 몽골 제국 전역에서 널리 유통되어 교역의 발달에 기여한 화폐는?

**09** 무로마치 막부의 (            )는 명으로부터 일본 국왕으로 책봉되어 조공 무역에 참여하였다.

## 2단계 내신 다지기

### A 조공·책봉의 외교 형식

출제가능성 90%

**01** 다음에 나타난 외교 형식과 관련된 설명으로 옳지 않은 것은?

사진은 '한위노국왕'이라는 칭호가 새겨진 인장이다. 『후한서』에는 "건무 중원 2년, 왜 노국의 사신이 공물을 가지고 와서 스스로 신하라 칭하였고, 광무제는 관직을 하사하였다."라는 기록이 있다.

① 한 대에 국제적인 관계로 확대되었다.
② 중원국은 이를 통해 권위를 세울 수 있었다.
③ 강대국의 직접적인 지배와 실질적인 간섭이 일어났다.
④ 외교 관계를 맺은 양국의 대내외적인 상황이 변하면 중단되기도 하였다.
⑤ 중원을 둘러싼 주변국 군주는 이를 이용해 통치의 정당성을 확보하기도 하였다.

**02** (가) 시기의 동아시아 외교 관계에 대한 설명으로 옳은 것을 〈보기〉에서 고른 것은?

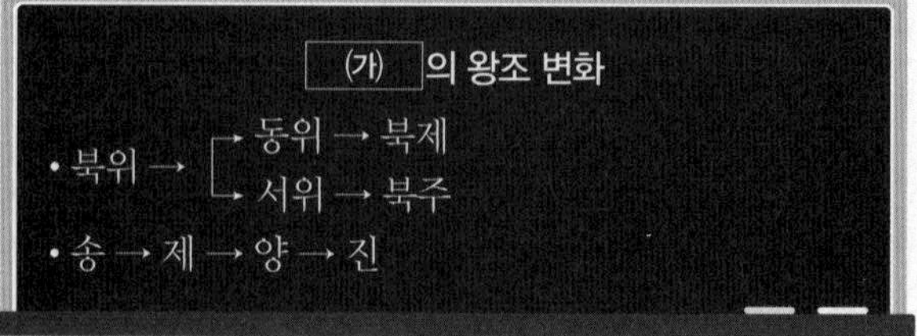


보기
ㄱ. 고구려는 북위와만 외교 관계를 맺었다.
ㄴ. 백제는 남조와 외교 관계를 맺고 문물을 받아들였다.
ㄷ. 북조와 남조는 상대국의 사신을 조공 사절로 취급하였다.
ㄹ. 일본의 아시카가 요시미쓰가 중원 왕조로부터 일본 국왕으로 책봉받았다.

① ㄱ, ㄴ　② ㄱ, ㄷ　③ ㄴ, ㄷ
④ ㄴ, ㄹ　⑤ ㄷ, ㄹ

**03** 밑줄 친 '이 국가'에 대한 설명으로 옳은 것은?

> 북주와 북제는 이 국가에게 해마다 많은 재물을 주었다. 기록에 따르면 이 국가는 이를 두고 "남쪽에 있는 두 아이가 효성을 바치기만 하면 어찌 물자가 없음을 걱정할 필요가 있겠는가?"라고 말했다고 한다.

① 자국의 군주를 선우라고 칭하였다.
② 유목 민족 최초로 문자를 제작하였다.
③ 선비족과 한족의 융합 정책을 실시하였다.
④ 만리장성 이남의 연운 16주를 차지하였다.
⑤ 백제로부터 고구려를 공격할 것을 요청받았다.

**04** 다음에서 설명하는 용어를 쓰시오.

> • 중원 왕조가 주변국의 왕에게 시집보낸 황족 또는 황제의 딸을 일컫는다.
> • 당 대에는 돌궐, 위구르, 토번 등의 유목 민족 군주에게 총 18명을 파견하였다.

출제가능성 90%

**05** 다음에 나타난 국제 관계 인식을 탐구하기 위한 활동으로 적절하지 않은 것은?

> • 백제의 동성왕 20년(498) 8월, 탐라에서 공납과 조세를 바치지 않으므로 직접 치려고 무진주에 이르렀다. 탐라에서 소문을 듣고 사신을 보내 사죄하므로 중지하였다. –「삼국사기」 백제 본기
> • 왜 사신의 국서에 "해 뜨는 곳의 천자가 해지는 곳의 천자에게 글을 보내는데, 평안하신지?"라고 하였다. 수 황제가 불쾌히 여겨 신하에게 "오랑캐의 글 중 무례한 것은 보고하지 마라."라고 하였다. –「수서」 왜국전

① 발해가 사용한 독자적 연호를 찾아본다.
② 신라가 황룡사 9층 목탑을 제작한 이유를 알아본다.
③ 고구려가 5세기경에 사용한 군주의 칭호를 조사한다.
④ 북위가 호족과 한족의 융합을 도모한 이유를 살펴본다.
⑤ 백제가 마한의 소국 일부를 부르던 명칭인 남만의 뜻을 검색한다.

## B 북방 민족의 성장과 국제 관계의 다원화

**06** (가) 국가의 정복 활동에 대한 설명으로 옳은 것을 〈보기〉에서 고른 것은?

> 보기
> ㄱ. 발해를 멸망시키고 세력을 확장하였다.
> ㄴ. 흉노를 공격하여 고비사막 이북으로 몰아냈다.
> ㄷ. 송과 전쟁을 벌여 전연의 맹약을 맺고 세폐를 받았다.
> ㄹ. 바투를 서방으로 파견하여 러시아와 동유럽을 장악하였다.

① ㄱ, ㄴ　② ㄱ, ㄷ　③ ㄴ, ㄷ
④ ㄴ, ㄹ　⑤ ㄷ, ㄹ

**07** 빈칸에 들어갈 내용으로 옳은 것은?

> 
> 사진은 티베트 계통의 탕구트족이 사용한 고유의 문자가 새겨진 비석이다. 독자적인 문자를 제정한 것을 통해 이 민족 고유의 문화가 발달하였음을 짐작할 수 있다. 탕구트족은 11세기경 국가를 수립하였는데, 이 국가는 ____________________

① 고려를 세 차례 침략하였다.
② 송과 연합하여 요를 정벌하였다.
③ 북면관제와 남면관제를 실시하였다.
④ 비단길을 장악하고 동서 무역을 주도하였다.
⑤ 도호부를 설치하여 기미 정책을 실시하였다.

## 08 (가), (나) 사이 시기에 있었던 일로 옳은 것은?

> (가) 요가 금과 송의 연합군에 패하여 멸망하였다.
> (나) 남송이 금의 황제에게 신하의 예를 취하고 매년 세폐를 바친다는 내용의 강화 조약을 체결하였다.

① 고려의 왕건이 후삼국을 통일하였다.
② 일본에서 무로마치 막부가 수립되었다.
③ 금이 송을 공격하여 화북 지방을 차지하였다.
④ 일본은 견당사를 파견하고 체제를 정비하였다.
⑤ 베트남은 쩐흥다오의 활약으로 몽골군을 물리쳤다.

## 09 자료를 보고 학생들이 나눈 대화 내용으로 옳지 않은 것은?

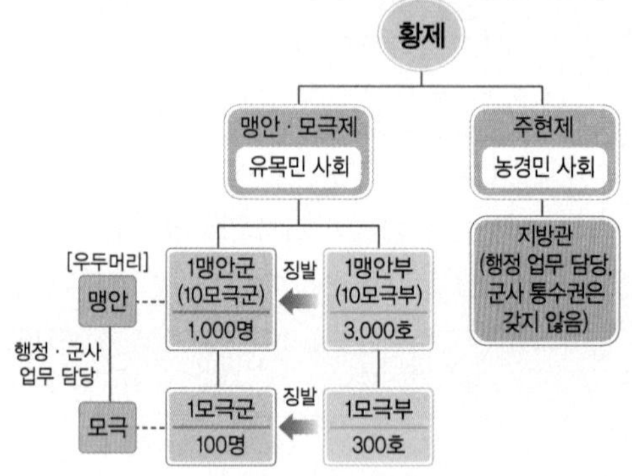


① 갑: 유목민은 맹안과 모극의 통제를 받았어.
② 을: 요의 이원적 지배 체제에 영향을 주었어.
③ 병: 한인 사회에는 주와 현을 설치하여 통치하였어.
④ 정: 여진족 고유의 사회·군사적인 조직을 활용하였어.
⑤ 무: 금이 여진 문자를 만든 것과 동일한 목적에서 실시되었어.

## 10 다음에서 설명하는 인물의 업적으로 옳은 것은?

> ○○○
> • 송을 건국한 후 절도사의 권한을 축소하고 문치주의를 채택하였다.
> • 과거제를 강화하고 전시 제도를 도입하였다.

① 5대 10국의 분열을 통일하였다.
② 쇼군의 칭호를 받고 정권을 장악하였다.
③ 이갑제를 실시하여 향촌 질서를 재건하였다.
④ 자금성을 설립하고, 베이징으로 천도하였다.
⑤ 친위대인 케식을 조직하여 정복 활동을 하였다.

출제가능성 90%

## 11 다음과 같은 상황을 해결하기 위해 시행된 정책으로 옳은 것은?

> 송 대에 문치주의 정책이 실시되면서 관료 수가 증가하고, 유목 민족에게 바치는 세폐로 인해 재정난이 심화되었다.

① 왕안석을 등용하여 신법을 시행하였다.
② 견신라사와 견당사 파견을 중지하였다.
③ 색목인에게 재정과 행정 업무를 맡겼다.
④ 제자백가로 하여금 다양한 해결책을 제시하도록 하였다.
⑤ 대운하를 건설하여 강남 지역과 화북 지역의 경제를 연결하였어요.

## 12 고려의 대외 관계에 관한 신문 기사를 작성하려 한다. 신문 기사의 제목으로 적절한 것은?

① 백강 전투, 그 치열한 전쟁의 현장으로
② 금의 침략으로 황제가 포로로 잡혀가다
③ 태풍의 영향으로 몽골의 침략을 막아 내다
④ 서희의 외교 담판으로 강동 6주를 획득하다
⑤ 유목 민족의 군주에게 시집간 화번공주, 그들의 삶

## 13 (가) 시기 일본에서 일어난 일로 옳은 것은?

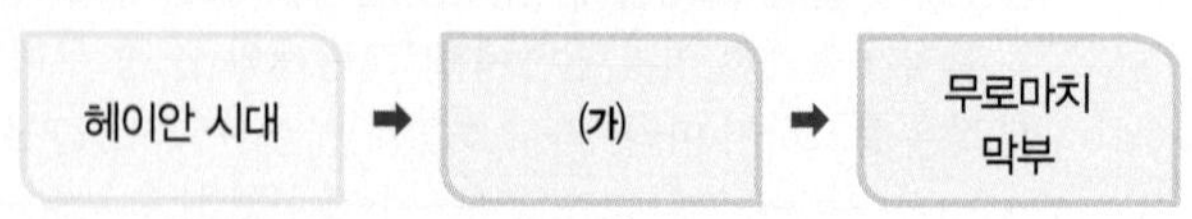


① 히미코 여왕이 위에 조공하였다.
② 두 명의 천황이 공존하며 대립하였다.
③ 미나모토노 요리토모가 쇼군에 임명되었다.
④ 다이카 개신을 단행하여 관료제를 도입하였다.
⑤ 아시카가 요시미쓰가 명으로부터 일본 국왕으로 책봉되었다.

## C 몽골 제국의 등장과 교역망의 통합

출제가능성 90%

**14** 다음은 인물 평전의 차례이다. (가)~(라)에 대한 설명으로 옳지 않은 것은?

> **차 례**
> 1. 테무친, 칸이 되다 ······ (가)
>    • 군사 조직을 편성하다 ······ (나)
>    • 통치 체제를 정비하다 ······ (다)
>    • 정복 전쟁으로 국제 관계를 확장하다 ······ (라)

① (가) – 쿠릴타이에서 칸에 추대되었다.
② (나) – 천호·백호제, 케식을 조직하였다.
③ (다) – 카라코룸에서 대도로 천도하였다.
④ (라) – 서하와 금을 공격하여 굴복시켰다.
⑤ (라) – 중앙아시아의 호라즘 왕국을 정벌하였다.

**15** 밑줄 친 '이 국가'가 실시한 정책으로 옳은 것은?

> 쿠빌라이 이래 이 국가는 주변 각국과 왕래하며 교역할 때 상품의 10%를 상세로 징수하였다. 시박사의 관리가 징수를 담당하였다. 선박이 나갈 때나 들어올 때는 반드시 행선지를 기록하고 교역 물품을 조사하였다. 그다음 공문을 지급하여 왕래 기일을 규정해 주었다.

① 과거에 전시를 도입하여 황제권을 강화하였다.
② 북면관제·남면관제라는 이원적 지배 체제를 실시하였다.
③ 지방에 행성을 설치하고 다루가치를 파견하여 감독하였다.
④ 유목민은 맹안·모극제로 다스리고 농경민은 주현제로 통치하였다.
⑤ 북방의 언어와 의복을 금지하고 한족의 언어와 의복을 사용하게 하였다.

**16** (가)에 들어갈 계층에 대한 설명으로 옳은 것은?

> **원의 인구 구성**
> • 몽골인: 정치와 군사 담당
> • (가): 이란, 아라비아 등 서역인으로 구성
> • 한인: 하급 관리로도 임명
> • 남인: 주로 생산 활동에 종사

① 피지배층이었다.
② 소수였으나 가장 우대되었다.
③ 금의 지배를 받았던 사람들이다.
④ 주로 재정과 행정을 담당하였다.
⑤ 원의 지배에 저항하여 차별받았다.

**17** 몽골의 침략에 따른 동아시아 각국의 대응 과정에서 있었던 일로 옳지 않은 것은?

① 송은 몽골에 저항하였으나 결국 정복당하였다.
② 고려의 삼별초는 지역을 옮겨가며 항전하였다.
③ 쩐 왕조는 항전 과정에서 『대월사기』를 편찬하였다.
④ 베트남은 레 러이를 중심으로 끈질기게 항쟁하였다.
⑤ 고려는 단군을 시조로 하는 역사책을 만들어 민족의식을 높였다.

**18** 밑줄 친 '침략'이 끼친 영향으로 옳은 것을 〈보기〉에서 고른 것은?

> **# 장면7 백성들의 대화**
> • 백성1: 고려와 몽골의 연합군이 바다를 건너 우리에 대한 침략을 단행하고 있다는 소식 들었나?
> • 백성2: 걱정이 많네. 우리 쇼군께서 결사항전으로 전 지역의 무사들에게 소집령을 내렸다는군!

> **보기**
> ㄱ. 신국 의식이 확산되었다.
> ㄴ. 가마쿠라 막부가 약화되었다.
> ㄷ. 남북조로 분열된 상황이 끝났다.
> ㄹ. 일본 고유의 국풍 문화가 발달하기 시작하였다.

① ㄱ, ㄴ ② ㄱ, ㄷ ③ ㄴ, ㄷ
④ ㄴ, ㄹ ⑤ ㄷ, ㄹ

출제가능성 90%

**19** 다음과 같이 운영된 제도에 대한 설명으로 옳지 않은 것은?

제국 전역에 설치된 역참에 도착하여 관리인에게 역참을 이용할 수 있는 증명패를 제출한다. 증명패를 가진 사람들은 역참에서 말과 마차, 식량, 숙소 등을 제공받으며 자유롭게 통행할 수 있었다.

증명패

① 동서 간 교류의 증대에 기여하였다.
② 여행자와 상인의 이용은 금지되었다.
③ 중앙의 명령을 지방에 신속히 전달하였다.
④ 주요 도로에 일정한 간격으로 설치하여 운영하였다.
⑤ 넓은 지역을 효율적으로 다스리기 위해 실시되었다.

**20** 다음 여행기가 기록된 시기에 동아시아에서 있었던 일로 옳은 것은?

조폐창에서 지폐를 대량으로 제조하여 대칸이 관할하는 전 지역에서 통용하는데, 백성들은 필요한 물건들을 이 지폐로 사고팔 수 있다. 대칸의 군대는 이 지폐로 군량미를 받는다. 대칸의 경제적 지배권은 세계의 어떤 군주보다 폭넓다고 할 수 있다. -『동방견문록』

① 한국 - 황룡사 9층 목탑을 건립하였다.
② 한국 - 거란과 친선 관계를 맺고 조공하였다.
③ 중국 - 자금성을 설립하고 수도를 베이징으로 옮겼다.
④ 중국 - 태양과 달의 궤도를 분석해 수시력을 만들었다.
⑤ 일본 - '일본'의 국호와 '천황'의 칭호를 사용하기 시작하였다.

**21** (가)에 들어갈 주제로 가장 적절한 것은?

주제: (가)

- 중국의 화약, 나침반, 인쇄술이 유럽에 전파되었다.
- 서아시아의 천문학, 역법, 수학이 원에 소개되었다.
- 마르코 폴로와 이븐 바투타가 원을 방문하고 여행기를 남겼다.

① 신국 의식의 확산
② 원 대 색목인의 역할
③ 만권당을 통한 학자들의 교류
④ 몽골 제국 시기 동서 문물 교류
⑤ 대몽 항쟁 과정에서의 민족의식 성장

## D 명 시기의 국제 질서

**22** 밑줄 친 '이 인물'에 대한 설명으로 옳은 것은?

이 인물은 원이 만성적인 재정 부족과 자연재해 등으로 국력이 약해진 틈을 타 난징을 수도로 정하고 새 나라를 세웠다.

① 재상제를 확립하였다.
② 베이징에 자금성을 건설하였다.
③ 육유를 제정하여 유교적 통치를 시행하였다.
④ 적극적인 대외 정책으로 대월을 일시 점령하였다.
⑤ 바투를 서방으로 보내 러시아와 동유럽을 장악하였다.

**23** 다음 상황이 일어난 시기를 연표에서 고른 것은?

일본에서는 아시카가 요시미쓰가 남북조의 분열을 통일하고 전국적인 지배권을 확립하였다. 그는 명으로부터 일본 국왕으로 책봉되었고 이를 계기로 명의 조공 질서에 참여하였다.

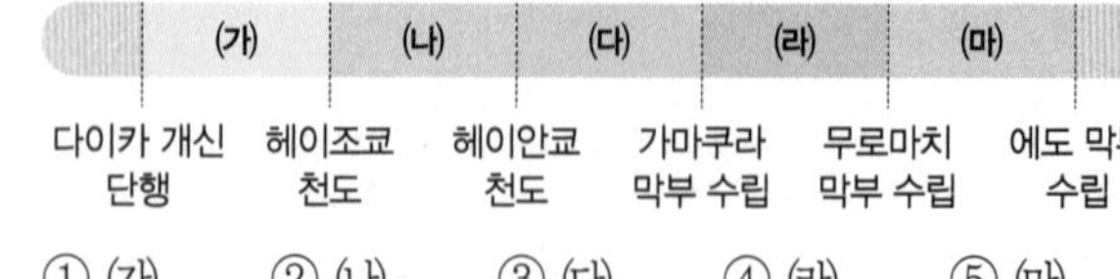


① (가) ② (나) ③ (다) ④ (라) ⑤ (마)

**24** 다음 학습 목표에 대해 학생들이 나눈 대화 내용으로 옳지 않은 것은?

학습 목표: 명이 건국된 이후 동아시아에서 전개된 새로운 국제 질서에 대해 알아본다.

① 갑: 명은 동아시아 각국에 조공할 것을 요구하였어.
② 을: 명은 레 러이의 항쟁 이후 대월과 조공·책봉 관계를 맺었어.
③ 병: 아시카가 요시미쓰 때 일본은 명과 감합 무역을 실시하였어.
④ 정: 제국 전역에 역참이 설치되면서 동서 문물 교류가 활발하였어.
⑤ 무: 조선은 명에는 사대 정책을 펴고 여진과 일본에 대해서는 교린 정책을 펼쳤어.

# 3단계 등급 올리기

정답과 해설 10쪽

최고난도

**01** 밑줄 친 '이 국가'와 동아시아 각국의 대외 관계에 대한 설명으로 옳은 것은?

① 신라가 조공·책봉을 거부하자 교류하지 않았다.
② 북방 유목 민족의 군주에게 화번공주를 파견하였다.
③ 일본의 쇼군을 일본 국왕으로 책봉하고 감합 무역을 허용하였다.
④ 고구려와의 관계를 고려하여 백제의 고구려 공격 요청을 거부하였다.
⑤ 문치주의 정책 실시로 군사력이 약화되면서 거란과 서하에게 막대한 세폐를 제공하였다.

**02** 다음은 11세기경의 형세를 나타낸 지도이다. (가)~(다)에 대한 설명으로 옳지 않은 것은?

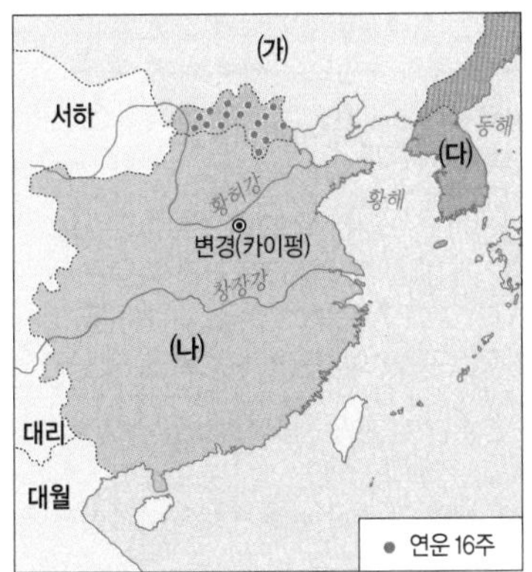


① (가)는 (나)로부터 매년 비단과 은을 받았다.
② (나)는 문신을 우대하는 문치주의 정책을 펼쳤다.
③ (다)는 (가)의 침략을 막은 후 친선 관계를 맺었다.
④ (가)는 (다)에 행성을 설치하고 다루가치를 파견하였다.
⑤ (나)에서는 조선술이 발달하고 항해에 나침반을 이용하면서 해상 교역이 활발하였다.

2017 평가원 응용

**03** 다음 격문이 발표되었던 당시 동아시아의 상황으로 옳은 것은?

> 송의 기력이 쇠하면서 북방 오랑캐가 중국의 주인이 되어 온 천하를 신하로 삼았다. …… 나는 군대를 일으켜 양쯔강을 건너 난징을 차지하고 남쪽 지역을 모조리 점령하였다. 이제 군대를 파견하여 오랑캐를 북으로 몰아내고자 한다. 이로써 도탄에 빠진 백성을 구하고 중화의 제도를 회복하려 한다.

① 한국 – 동북 지역에 9성을 쌓았다.
② 한국 – 대조영이 발해를 건국하였다.
③ 중국 – 왕안석이 신법을 추진하였다.
④ 일본 – 두 명의 천황이 대립하는 분열기가 전개되었다.
⑤ 베트남 – 쩐흥다오 장군이 몽골군의 침입을 격퇴하였다.

## 서술형 문제

**04** 다음을 읽고 물음에 답하시오.

> 전국의 (가) 에 숙소가 있는데, 관리자가 숙소에 와 전체 투숙객의 이름을 등록하고 확인 도장을 찍은 다음 숙소 문을 잠근다. 다음 날, 관리자가 투숙객을 점호하고 상황을 기록한 후 사람을 파견하여 다음 (가) 까지 안내한다. 안내자는 다음 (가) 의 관리자로부터 전원이 도착했다는 확인서를 받아 온다.
>
> – 이븐 바투타, 『여행기』

(1) (가)에 공통으로 들어갈 용어를 쓰시오.

(2) 몽골이 제국 전역에 (1)을 설치하면서 나타난 결과를 세 가지 서술하시오.

# 03 유학과 불교

## A 율령과 유교

### 1. 율령의 정비

율(律)은 범죄 행위와 처벌을 규정한 것이고, 영(令)은 국가·사회를 운영하기 위한 법률이다.

(1) 전국 시대: 법가를 등용하여 율령 제정 시작

(2) 진: 상앙·이사를 중용하여 법치 시행, 율을 중심으로 정비

(3) 한: 한 무제가 동중서의 건의를 받아들여 유교를 통치 이념으로 삼음 → 유가와 법가적 원리가 결합하여 율령에 반영

(4) 서진 시대: 형벌 위주의 율과 행정 법률인 영으로 구분

(5) 남북조 시대: 격과 식이라는 보완 법규 존재

(6) 수·당

태학과 오경박사를 설치하고, 유교적 지식인을 관리로 선발하였다.

① 율령 체제 완성: 격과 식 추가 → 율령격식 완성

② 율의 적용: 형벌 정비(태·장·도·유·사형), 신분에 따라 차등 적용, 유교적 가족 윤리 반영

부모·자식 간, 친족 간, 부부간, 나이 차가 나는 구성원 간 범죄의 처벌이 달랐다.

③ 영의 적용: 국가의 제도와 규범 정비

### ★ 2. 당의 통치 제도

|  |  |
|---|---|
| 중앙 제도 | 3성 6부제: 중서성·문하성·상서성의 3성이 황제 보좌, 6부는 행정 실무 담당 |
| 지방 제도 | 주현제: 주·현을 설치하고 관리 파견 |
| 토지 제도 | 균전제: 호적을 근거로 남성에게 일정한 토지 지급 |
| 조세 제도 | 조용조제: 토지를 받은 농민이 조용조 납부 |
| 군사 제도 | 부병제: 농민의 병역 의무를 바탕으로 한 상비군 제도 |

### 3. 유교 통치 이념과 제도 정비

|  |  |
|---|---|
| 한 | 중앙에 태학과 오경박사 설치, 지방에서 추천을 받은 유교적 지식인을 관리로 선발 |
| 수 | 최초로 과거제 실시 |
| 당 | 과거제를 제도적으로 정비(명경과, 진사과 등 실시), 중앙에 국자감 설립, 지방에 문묘 설립 |
| 송 | 과거제 정비(전시 도입, 3년 주기로 정례화) |
| 명·청 | 학교와 과거제를 연계하여 운영 |

### ★ 4. 율령과 유교의 동아시아 전파

(1) 만주와 한반도

|  |  |
|---|---|
| 삼국 | 중앙 집권적 국가 체제 정비를 위해 율령 반포, 고구려의 태학 설립, 백제의 오경박사 제도 도입 |
| 통일 신라 | 집사부 중심으로 행정 체계 정비, 골품제를 바탕으로 관직 체계에서 고유성 유지, 신라 촌락 문서 작성, 국학 설립, 관리 선발 제도로 독서삼품과 실시 |
| 발해 | 당의 3성 6부제를 독자적으로 수용(정당성 아래 6부를 이원적으로 운영, 6부 명칭을 유교식으로 함), 주자감 설립 |
| 고려 | 2성 6부제로 운영, 국자감 설립, 광종 때 과거제 시행 |
| 조선 | 성균관 설립, 과거제가 중요한 관리 선발 제도로 정착 |

국학 학생들의 유교 경전 이해 능력을 시험하여 3등급으로 나누어 관리 임용에 참고하였다.

(2) 일본과 베트남

농민에게 구분전을 지급하고 이를 바탕으로 조세를 징수한 제도이다.

|  |  |
|---|---|
| 일본 | • 다이호 율령 반포(701): 당의 율령을 수용한 다이호 율령 반포 → 통치 제도 정비<br>• 통치 제도: 2관 8성제 실시(신기관은 제사, 태정관은 행정 담당), 지방에 국·군·리 설치, 균전제를 모방한 반전수수법 시행, 신기관을 중시하고 군에 지방 호족을 임명하는 등 독자성 유지<br>• 유학 교육: 백제를 통해 유교 경전 수용 → 다이카 개신 이후 대학(료)를 설립하여 유학 교육<br>• 한계: 씨족제적 전통이 강해 수·당의 율령을 그대로 적용하지는 못함 |
| 베트남 | 11세기에 율령(형서) 반포, 리 왕조 때 문묘 설립, 과거제 도입(부정기적 시행, 선발 인원이 적음) |

## B 불교의 전파와 수용

### 1. 불교의 등장과 대승 불교의 성립

(1) 불교의 등장: 기원전 6세기경 인도에서 석가모니가 불교 창시 → 카스트제 반대, 인간 평등과 수행을 통한 해탈 등을 내세우며 확산

(2) 대승 불교의 성립: 기원전 1세기경 부처와 보살의 자비를 통한 중생의 구제를 주장하는 대승 불교 성립, 종래의 불교를 소승(상좌부 불교)이라 칭함 → 중앙아시아를 거쳐 동아시아에 주로 전파

개인의 해탈을 추구하는 불교의 한 갈래로, 주로 동남아시아로 전파되었다.

### ★ 2. 불교의 전파와 수용

삼국은 중앙 집권 체제를 정비하는 과정에서 불교를 적극적으로 이용하였다.

|  | |  |
|---|---|---|
| 중국 | | • 한: 기원 전후 비단길을 통해 전래 → 후한 말부터 확산<br>• 5호 16국 시대: 유목 민족 국가들의 후원을 받아 발달, 인도나 중앙아시아에서 온 승려들이 한자로 불경 번역<br>• 남북조 시대: 국가 권력의 후원으로 세력 확대, 북조의 황제들은 '황제가 곧 부처'라는 사상으로 지배 정당화(윈강·룽먼 석굴 사원 등 제작) |
| 만주·한반도 | 삼국 | • 고구려: 4세기 소수림왕 때 전진으로부터 수용<br>• 백제: 4세기 침류왕 때 동진으로부터 수용<br>• 신라: 5세기 고구려를 통해 수용 → 귀족들의 반발로 6세기 법흥왕 때 이차돈의 순교로 불교 공인 |
| | 통일 신라 | • 대중화: 원효·의상 등의 활약으로 일반 민중에게까지 확산<br>• 선종 유행: 신라 말 지방 호족의 지원으로 선종 유행 |
| 일본 | | • 야마토 시대: 6세기경 백제로부터 불교 수용<br>• 아스카 시대: 쇼토쿠 태자의 적극적인 후원으로 불교 확산, 아스카 지역을 중심으로 대규모 사찰 건립<br>• 나라 시대: 전국에 천황의 사찰인 고쿠분사 건립, 도다이사를 지어 이들을 통제함<br>• 가마쿠라 막부: 신란이 정토 사상의 체계화와 확산에 기여 |
| 베트남 | | 인도와 중앙아시아 승려들에 의해 불교 전래 → 각 왕조의 보호를 받으며 융성 |

★ 표시는 시험 전에 확인해 주세요.

### 3. 동아시아 불교의 특징

(1) 국가 불교(호국 불교) 발달

① 역할: 군주를 중심으로 수용 → 왕권 강화와 사회 안정 도모

② 사례: 군주의 얼굴을 본뜬 윈강·룽먼 석굴 사원 제작, 대장경 간행, 국가의 승려와 교단 통제, 승려가 국가의 평안을 기원하는 의례 주관, 국사·왕사 제도 실시 등

(2) 전통 사상·토착 신앙과 결합

| | |
|---|---|
| 중국 | 당에서는 유교의 효를 강조한 『부모은중경』 편찬 → 한반도와 일본 등지에 보급 |
| 한반도 | • 고려: 토속 신앙과 불교를 결합한 팔관회 개최<br>• 조선: 사찰에 산신각·칠성각 건립 |
| 일본 | 고유의 신앙인 신토와 결합(하지만 신상 제작) → 신불습합 발달 |

신불습합: 신토의 신들이 부처나 보살의 모습을 하고 나타난 것이라 주장하였다.

(3) 정토 사상의 유행: 귀족과 민중 사이에 널리 유행

(4) 선종 발달: 달마가 선종 창시(깨달음과 참선 중시) → 신라 말 호족 세력과 가마쿠라 막부 시대 무사들 사이에 유행

### 4. 불교문화의 확산

(1) 불교 미술의 전파: 불상, 탑, 회화 등이 중국에서 한반도의 삼국을 거쳐 일본으로 전파

탑: 중국에서는 전탑, 일본에서는 목탑, 한반도에서는 석탑이 주로 세워졌다.

(2) 불경 제작: 신라의 『무구정광대다라니경』, 일본의 『백만탑다라니경』, 송·요·금의 대장경 간행 등

### ★ 5. 인적·물적 교류

| | | |
|---|---|---|
| 중국 | 동진 | 법현: 인도에 다녀와 『불국기』 저술 |
| | 당 | • 현장: 인도에 유학한 후 『대당서역기』 저술, 대안탑을 세워 인도에서 가져온 불경 보관<br>• 감진: 일본에 계율 전파(→ 수계 제도 정착) |
| 만주·한반도 | 고구려 | • 담징: 일본에 종이·먹 제조법 전수<br>• 혜자: 일본 쇼토쿠 태자의 스승으로 활약 |
| | 신라 | • 원효: 당과 일본 불교에 영향 줌<br>• 의상: 당에 유학한 후 신라 화엄종 개창<br>• 혜초: 인도 순례 후 『왕오천축국전』 저술 |
| 일본 | 엔닌: 당에 유학하고 『입당구법순례행기』 저술, 당에 머물 당시 신라인 장보고의 도움을 받음 | |

### 6. 동아시아 문화권의 성립

(1) 당의 국제적 문화 교류: 수도 장안에 세계 각국의 사신·상인·예술가 체류, 당은 빈공과를 실시해 외국인 관리 선발, 장안성을 본뜬 발해 상경성과 일본의 헤이조쿄 건설

장안성: 중앙에 주작대로가 펼쳐졌으며, 주작대로를 중심으로 바둑판처럼 질서 정연하게 구획되어 있다.

(2) 동아시아 문화권의 형성: 당 대 한자를 매개로 불교, 유교, 율령 등을 공유하는 동아시아 문화권 형성

(3) 국제인의 활약: 신라의 최치원(빈공과 합격)·장보고(청해진 설치), 일본의 아베노 나카마로(당의 과거 합격) 등

## C 성리학의 성립과 확산

### 1. 송 대 이전의 유학 변화

| | |
|---|---|
| 한 대 | 유학이 관학으로 자리 잡음 |
| 남북조 시대 | 불교와 도교의 융성으로 유학 침체 |
| 당 대 | 『오경정의』 편찬 → 훈고학 집대성 |

### 2. 송 대 성리학의 발달

(1) 성립: 우주 원리와 인간의 본질을 탐구하는 성리학 등장

(2) 특징: 사서 중시(주희의 『사서집주』 저술), 맹자의 성인 추앙, 명분론과 화이관 강조, 사대부들이 주로 탐구

(3) 주희의 성리학 집대성

① 이기론: 만물이 보편적인 법칙인 이(理)와 가변적 현상인 기(氣)로 이루어져 있다고 파악

② 수행론: 거경궁리와 격물치지의 수행을 통한 본성 회복 주장

격물치지: 사물의 이치를 끝까지 탐구하여 깨달음에 이르는 것이다.

거경궁리: 잡념을 끊은 상태에서 마음에 본래 갖추어져 있는 이(理)를 밝히는 것이다.

(4) 성리학의 보급: 성현 제사와 후학 양성을 위해 세워진 서원과 향촌의 자치 규약인 향약을 통해 보급

### 3. 명 대 성리학과 양명학 발달

(1) 성리학 발달: 『성리대전』이 과거 교재로 널리 사용됨, 신사가 향촌 사회에 유교 의례와 이념을 확산함

신사: 명·청 대의 지배층으로, 과거 응시 자격이 있거나 과거에 합격한 자, 관직 경력자들을 지칭한다.

(2) 양명학 발달

① 성립: 성리학이 관학화하고 사회 모순에 대응하지 못하자 이에 반발하여 실천을 강조하는 양명학 등장

② 특징: 왕수인이 마음이 곧 만물의 원리라는 심즉리 강조, 지행합일 추구 → 일부 사대부 및 서민의 환영

### ★ 4. 성리학의 전파

| | | |
|---|---|---|
| 한반도 | 고려 | • 수용: 13세기 말 원으로부터 수용<br>• 확산: 신진 사대부들의 사상적 기반이 됨 |
| | 조선 | • 국가 이념화: 조선 건국과 통치의 이념적 기반이 됨<br>• 성리학적 이해 심화: 이황(수신과 도덕 강조)과 이이(사회 개혁 방안 제시) 사이에 철학적인 논쟁 전개, 학파 형성 등<br>• 성리학적 질서 확산: 사림에 의해 향촌 사회에 확산 → 중기 이후 친영제 실시, 가묘·사당 설립, 장자 중심의 제사와 재산 상속 시행, 양자 제도 보편화 |
| 일본 | • 수용: 가마쿠라 막부 시대 후기에 성리학 수용<br>• 후지와라 세이카: 조선인 강항의 도움을 받아 일본 최초의 사서오경 주석본인 『사서오경왜훈』 간행<br>• 하야시 라잔: 성리학을 바탕으로 에도 막부의 제도·의례 정비<br>• 야마자키 안사이: 일본 성리학 집대성, 신토와 유교 결합<br>• 한계: 무사들이 지배층을 이루었고, 불교와 신토의 영향력이 강하여 성리학이 사회 전반에 뿌리내리지 못함 | |

성리학이 사회 전반에 뿌리내리지 못함: 유교적 가묘가 만들어지지 않았으며, 관혼상제도 신토나 불교에 따라 이루어졌다.

## 1단계 개념 짚어 보기

**01** 한 무제는 (　　　　　)의 건의를 받아들여 유교를 통치 이념으로 삼고 태학과 오경박사를 설치하였다.

**02** 성인 남성을 교대로 징집하여 병사로 복무하게 한 당의 국가 상비군 제도는?

**03** 일본에서 당의 균전제를 모방하여 농민에게 구분전을 지급하고 이를 바탕으로 조세를 징수한 제도는?

**04** 기원전 1세기경 성립하였으며, 부처와 보살의 자비를 통한 중생의 구제를 강조한 불교 종파는?

**05** 신라는 6세기 법흥왕 때 (　　　　　)의 순교를 계기로 불교를 공인하였다.

**06** 일본에서는 불교가 고유의 토착 신앙인 (　　　　　)와 결합하면서 발전하였다.

**07** 다음과 같이 활약한 인물을 〈보기〉에서 골라 기호를 쓰시오.

보기

ㄱ. 엔닌　　　ㄴ. 현장　　　ㄷ. 장보고

(1) 완도에 청해진을 설치하였다. (　　)
(2) 인도에 다녀와 『대당서역기』를 저술하였다. (　　)
(3) 당에 유학 후 『입당구법순례행기』를 남겼다. (　　)

**08** 다음 설명이 맞으면 ○표, 틀리면 ×표를 하시오.

(1) 남송의 주희가 성리학을 집대성하였다. (　　)
(2) 양명학을 집대성한 왕수인은 마음이 곧 만물의 원리라는 심즉리를 강조하였다. (　　)
(3) 일본에서는 성리학이 향촌까지 확산되어 관혼상제의 의례를 『주자가례』에 따라 행하였다. (　　)

## 2단계 내신 다지기

### A 율령과 유교

**01** 다음 질문에 대한 추가적인 답변으로 옳지 않은 것은?

▶ 지식 Q&A

동아시아의 율령과 그 정비 과정에 대해 알려 주세요.

▶ 답변하기

↳ 전국 시대에 각 국가들은 법가를 등용하여 율령을 제정하였어요.
↳ 한 대에는 유가적 원리와 법가적 원리가 결합하여 율령에 반영되었어요.

① 서진 시대에 율과 영이 구분되었어요.
② 동아시아 문화권을 형성하는 한 요소지요.
③ 진의 법률은 형법인 율을 중심으로 정비되었어요.
④ 명 대에 이르러서 율령격식의 율령 체제가 완성되었어요.
⑤ 율령 체제는 한반도와 일본 열도에 전파되어 영향을 주었어요.

**02** 빈칸에 들어갈 내용으로 적절한 것은?

- 황제: 우리 선조께서 나라를 세우신 지도 한참이 지났는데 아직도 국가 체제가 잡히지 않았다. 무슨 좋은 방도가 없겠는가?
- 동중서: 폐하! 효와 인, 예를 강조하는 유가 사상으로 천하를 다스리십시오. 그리하면 황제권은 강화되고 향촌의 질서가 바로 세워질 것입니다.
- 황제: 이제부터 유가를 국가의 통치 이념으로 삼겠다. 이에 따라 ______________________

① 태학과 오경박사를 설치하여 유학을 장려하라.
② 율령격식을 완성하여 국가 제도를 바로 잡아라.
③ 『오경정의』를 편찬하고 전국의 학교에서 교육하라.
④ 공자를 성인으로 추앙하여 문묘에서 해마다 제사를 지내라.
⑤ 유교적 지식인을 관리로 선발하기 위해 이제부터 과거제를 실시하여라.

출제가능성 90%

**03** 당에서 시행된 (가)~(다) 제도에 대한 설명으로 옳은 것을 〈보기〉에서 고른 것은?

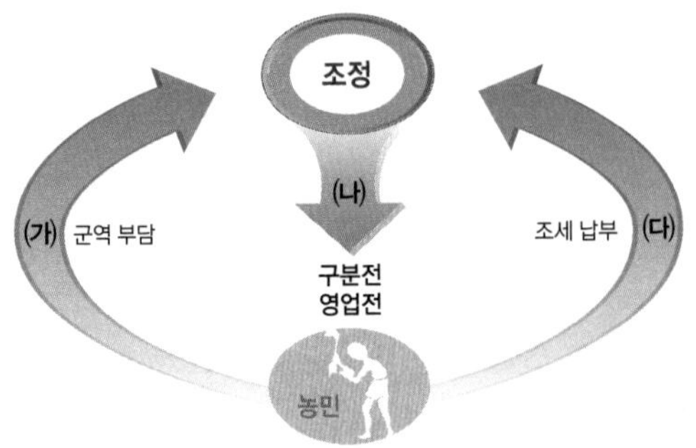


보기

ㄱ. (가) – 직업 군인을 모집하였다.
ㄴ. (나) – 일본의 반전수수법을 모방하여 실시하였다.
ㄷ. (다) – 토지를 받은 농민이 그 대가로 조용조를 바쳤다.
ㄹ. (가), (나), (다) – 3년마다 작성하는 호적을 근거로 하였다.

① ㄱ, ㄴ ② ㄱ, ㄷ ③ ㄴ, ㄷ
④ ㄴ, ㄹ ⑤ ㄷ, ㄹ

**04** 다음에서 설명하는 제도를 쓰시오.

통일 신라에서 실시한 관리 선발 제도이다. 국학 학생들의 경전 이해 정도를 시험하여 시험 결과에 따라 3등급으로 나누어 관리 임용에 참고하였다.

**05** 다음은 과거제의 정비 과정을 정리한 것이다. (가)에 들어갈 내용으로 옳은 것은?

| 수 | 관리를 등용하는 제도로 과거제가 처음 실시되었다. |
|---|---|
| ⬇ | |
| 당 | (가) |
| ⬇ | |
| 송 | 황제가 직접 시험을 주관하는 전시가 시행되었다. |

① 학교와 과거제를 연계하여 운영하였다.
② 과거 시험 교재로 『성리대전』이 활용되었다.
③ 3년에 한 번씩 치르는 것으로 정례화되었다.
④ 명경과, 진사과 등 제도적인 정비가 이루어졌다.
⑤ 지방관이 유교적 덕목을 실천한 인물을 추천하였다.

**06** 다음 문서를 작성한 국가의 통치 체제에 대한 설명으로 옳은 것은?

• 일본 도다이사에 소장되어 있다.
• 서원경 부근 촌을 포함한 네 개 촌의 인구, 호수, 전답의 종류와 면적, 가축과 과일나무의 수 등을 파악하여 기록하였다.

① 제사를 담당하는 신기관을 중시하였다.
② 정당성 아래 6부를 이원적으로 운영하였다.
③ 교육 기관으로 중앙에 국자감을 설립하였다.
④ 집사부를 중심으로 행정 조직을 확대하였다.
⑤ 다이호 율령을 반포하고 체제를 정비하였다.

**07** 빈칸에 들어갈 내용으로 옳은 것은?

• 학습 과제: 발해가 당의 율령 체제를 수용하였으나 독자적으로 운영한 사례를 두 가지 쓰시오.
– 정당성 아래 6부를 이원적으로 운영하였다.
– ______________________

① 신기관에서 제사를 담당하게 하였다.
② 관위, 관등의 운영을 골품제와 연계하였다.
③ 6부의 명칭에 유교적인 용어를 사용하였다.
④ 관리 선발 제도로 독서삼품과를 실시하였다.
⑤ 최고 교육 기관으로 중앙에 성균관을 설립하였다.

**08** 다음에서 설명하는 사상이 동아시아에 확산되는 과정에서 나타난 일로 옳지 않은 것은?

춘추 시대 노나라에서 활약한 공자는 '인'과 '예'로써 혼란스러운 세상을 바로잡고자 하였다. 그는 모든 사람이 평등하게 교육받아야 한다고 주장하였다.

① 한국 – 고구려는 태학을 설립하였다.
② 중국 – 맹자와 순자가 사상적 체계를 정립하였다.
③ 중국 – 한 무제가 국가 통치 이념으로 채택하였다.
④ 일본 – 중앙의 최고 교육 기관으로 국학을 세웠다.
⑤ 베트남 – 리 왕조는 문묘를 설립하고 학교를 부설하였다.

**09** 다음 중앙 관제를 운영한 국가의 통치 체제에 대한 설명으로 옳은 것은?

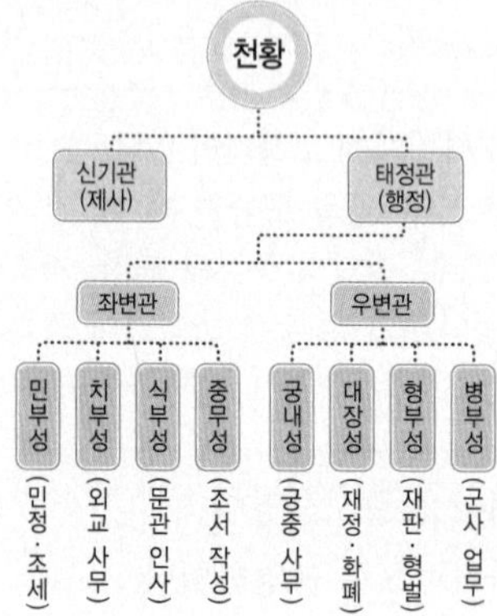


① 정기적으로 과거제를 시행하였다.
② 독서삼품과를 실시하여 하급 관리를 뽑았다.
③ 다이호 율령에 따라 통치 제도를 정비하였다.
④ 중앙에 태학, 지방에 경당이라는 학교를 세웠다.
⑤ 균전제를 중심으로 조용조제와 부병제를 운영하였다.

**10** 일본에서 다음 제도를 시행한 목적으로 적절한 것은?

> 무릇 구분전을 지급할 때 남자는 2단, 여자는 그 3분의 1을 감액하여 1단 120보를 준다. …… 해를 걸러 경작해야 하는 토지는 두 배를 지급하라. －『영의해』

① 씨족제적 전통을 지키려 하였다.
② 성리학적 질서를 확립하려 하였다.
③ 지방 호족의 독자성을 인정하려 하였다.
④ 당과 구별되는 고유의 제도를 운영하려 하였다.
⑤ 국가가 토지와 백성에 대한 지배권을 강화하려 하였다.

## B 불교의 전파와 수용

**11** 불교의 동아시아 전파와 관련해 학생들이 나눈 대화 내용 중 옳지 않은 것은?

① 갑: 군주를 중심으로 상좌부 불교를 수용하였어.
② 을: 기원 전후 비단길을 통해 중원에 전래되었어.
③ 병: 일본은 6세기경 백제로부터 불교를 수용하였어.
④ 정: 고구려, 백제, 신라는 중앙 집권 체제를 정비하는 과정에서 불교를 받아들였어.
⑤ 무: 중원의 북조 군주들은 윈강·룽먼 등에 자신의 모습은 본뜬 불상을 만들기도 하였어.

출제가능성 90%

**12** 지도에 표시된 경로를 통해 전파된 불교에 대한 설명으로 옳은 것을 〈보기〉에서 고른 것은?

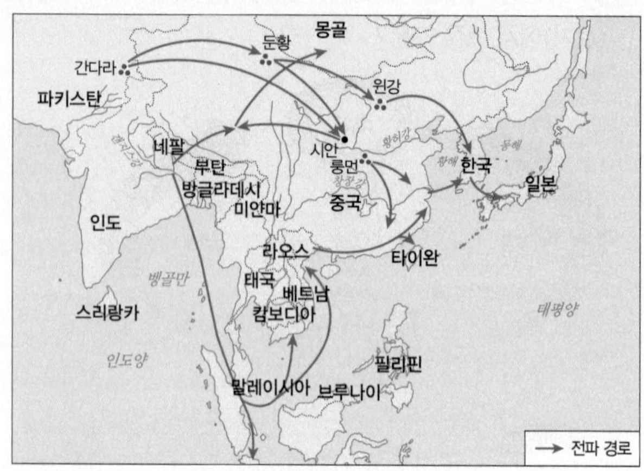


보기
ㄱ. 개인의 해탈을 추구하였다.
ㄴ. 중생의 구제를 목표로 하였다.
ㄷ. 부처와 보살의 자비를 강조하였다.
ㄹ. 출가한 수행자의 깨달음을 중시하였다.

① ㄱ, ㄴ ② ㄱ, ㄷ ③ ㄴ, ㄷ
④ ㄴ, ㄹ ⑤ ㄷ, ㄹ

**13** 밑줄 친 '이 국가'의 불교 발달에 대한 설명으로 옳은 것은?

사진은 이차돈 순교비이다. 이차돈은 법흥왕 때 불교를 공인하는 과정에서 귀족들의 반발로 희생되었다. 그가 참수형을 당할 때 목에서는 흰 피가 솟고 그 주위로 꽃송이가 날렸다고 전한다. 이차돈의 순교를 계기로 이 국가는 불교를 공인하였다.

① 백제로부터 불교를 받아들였다.
② 『백만탑다라니경』을 간행하였다.
③ 사찰에 산신각, 칠성각을 건립하였다.
④ 국가를 지키는 사찰인 도다이사를 지었다.
⑤ 통일 이후 원효가 아미타 신앙을 보급하였다.

출제가능성 90%

**14** 자료를 통해 알 수 있는 동아시아 불교의 특징으로 옳은 것은?

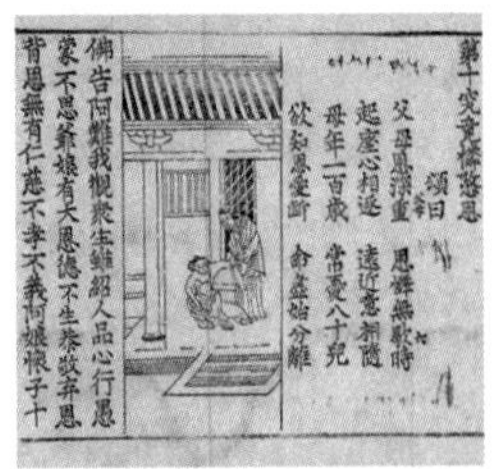
부모은중경 유교의 중요 덕목인 효를 강조한 불교 경전이다.

하치만 신상 신토의 신인 하치만은 나라 시대에 하치만 대보살이라 불렸다.

① 호국 불교의 성격이 나타났다.
② 중생의 구제보다 개인의 해탈을 강조하였다.
③ 승려들에 의해 문화 교류가 활발히 이루어졌다.
④ 군주와 부처를 동일시하여 왕권 강화에 기여하였다.
⑤ 발전 과정에서 전통 사상이나 토착 신앙과 융합하였다.

**15** (가)에 들어갈 탑의 사진으로 옳은 것은?

• 갑: 혹시 수업 시간에 배웠던 탑 기억나? 벽돌로 만들어진 탑이라고 했어.
• 을: 잘 모르겠어. 더 생각나는 것 없어?
• 갑: 아! 당의 승려 현장이 인도에서 가져온 불경과 불상을 보관하기 위해 세운 탑이라고 했어.
• 을: 알겠다. (가) 을/를 말하는 것이구나.

① 
② 
③ 
④ 
⑤ 

**16** 밑줄 친 '이 시기'에 동아시아에서 활약한 승려의 활동으로 옳은 것은?

도다이사 대불

쇼무 천황은 반란과 질병 등으로 사회가 혼란하던 <u>이 시기</u>에 "천하의 부와 세력을 가진 자는 짐이니라."라고 하며 도다이사의 금당에 거대한 불상을 만들라는 조칙을 내렸다.

① 감진이 일본에 계율을 전수하였다.
② 법현이 인도 순례 후 『불국기』를 남겼다.
③ 엔닌이 『입당구법순례행기』를 저술하였다.
④ 혜자는 일본 쇼토쿠 태자의 스승으로 활약하였다.
⑤ 달마는 직관적인 깨달음을 중시하는 선종을 세웠다.

**17** 다음 편지를 쓴 승려에 대한 설명으로 옳은 것은?

장보고 대사의 높은 이름을 흠모하는 마음 깊어만 갑니다. 부족한 이 사람은 대사께서 세우신 적산 법화원에 머물 수 있었던 것에 대해 감사하게 생각합니다.

① 『입당구법순례행기』를 남겼다.
② 일본에 수계 제도를 정착시켰다.
③ 쇼토쿠 태자의 스승으로 활동하였다.
④ 당에서 귀국한 후 신라 화엄종을 개창하였다.
⑤ 다섯 천축국을 순례하고 여행기를 저술하였다.

**18** 다음과 같은 중원 왕조의 수도에서 볼 수 있었던 모습으로 적절하지 <u>않은</u> 것은?

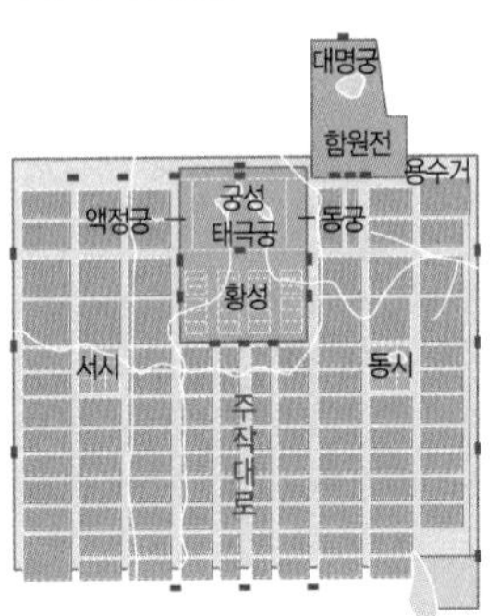


① 빈공과에 합격하여 관료가 된 외국인
② 황제를 알현하고 있는 야마타이국의 사신
③ 산둥반도의 신라방에 머물고 있는 신라인
④ 이슬람교 사원에서 예배를 드리고 있는 신도들
⑤ 유학 서적을 구하기 위해 노력하는 견당사 일행

## C 성리학의 성립과 확산

**19** 다음과 같이 주장한 인물에 대한 설명으로 옳은 것은?

① 성리학을 집대성하였다.
② 개인 수양과 구체적 실천을 중시하였다.
③ 깨달음과 참선을 중시하는 선종을 창시하였다.
④ 마음이 곧 만물의 원리라는 심즉리를 강조하였다.
⑤ 『오경정의』를 편찬해 유학 해석의 표준을 마련하였다.

**20** 다음 글에 나타난 사상의 특징으로 옳은 것은?

> 이치란 것은 모두 마음속에 있는 것이며 마음이 곧 이(理)이다. 마음이 사욕으로 가려지지 않으면 그것이 바로 천리(天理)이니 …… 마음에서 사람의 사사로운 욕심을 제거하고 천리를 보존토록 노력하기만 하면 그것으로 족한 것이다. -『전습록』

① 양지와 지행합일을 중시하였다.
② 신토와 성리학의 결합을 추구하였다.
③ 수행 방법으로 거경궁리와 격물치지를 제시하였다.
④ 명 대 관학으로 채택되어 사회의 기본 이념이 되었다.
⑤ 형이상학적 학문 경향을 비판하고 고증을 중시하였다.

**21** 동아시아에서 다음 풍습이 나타난 배경으로 옳은 것은?

> • 명 대 복건성에는 아이가 없는 과부가 여러 사람들 앞에서 공개적으로 자살하는 풍습이 있었다.
> • 조선 중기 이후 아들이 집안의 대를 잇는다는 관념이 강해지면서 아들이 없으면 동족 중에서 양자를 들이는 일이 보편화되었다.

① 무인들이 정권을 장악하였다.
② 신불습합 사상이 유행하였다.
③ 성리학적 규범이 확산되었다.
④ 국가의 전통 의례가 중시되었다.
⑤ 참선을 중시하는 종교가 유행하였다.

**22** 밑줄 친 '이 국가'의 성리학 발달과 관련된 설명으로 옳지 않은 것은?

> 이 국가는 경복궁의 정문을 세운 뒤 '왕의 큰 덕이 온 나라를 비춘다.'라는 의미에서 광화문이라는 명칭을 지었다. 여기에는 군주가 백성의 교화에 앞장서는 것을 제일의 덕목으로 하는 성리학의 이념이 반영되어 있다.

① 이황은 수신과 도덕을 강조하였다.
② 이이는 사회의 개혁 방안을 제시하였다.
③ 신사가 향촌 사회에 유교 의례를 확산하였다.
④ 성현 제사와 후학 양성을 위해 서원을 세웠다.
⑤ 『주자가례』에 따른 관혼상제의 의례가 확산되었다.

**23** 다음 내용을 뒷받침하는 사례로 옳은 것을 <보기>에서 고른 것은?

> 불교와 신토의 영향력이 강한 일본에서는 성리학이 사회 전반에 깊게 뿌리내리지 못하였다.

보기
ㄱ. 유교적 가묘가 만들어지지 않았다.
ㄴ. 사찰에 산신각, 칠성각을 건립하였다.
ㄷ. 관혼상제의 의례를 신토나 불교에 따라 행하였다.
ㄹ. 제사와 재산 분배가 맏아들 중심으로 이루어졌다.

① ㄱ, ㄴ ② ㄱ, ㄷ ③ ㄴ, ㄷ
④ ㄴ, ㄹ ⑤ ㄷ, ㄹ

**24** 빈칸에 들어갈 내용으로 적절한 것은?

> • 갑: 일본 성리학을 발전시킨 인물로 누가 있을까?
> • 을: 후지와라 세이카는 정유재란 때 포로로 잡혀온 강항과 교류하며 성리학에 대한 이해를 높였어.
> • 병: 맞아, 그는 ________________

① 『사서오경왜훈』을 간행하였어.
② 일본의 성리학을 집대성하였어.
③ 신토와 유교의 결합을 추구하였어.
④ 도쿠가와 이에야스에게 중용되었어.
⑤ 에도 막부의 제도와 의례를 정비하였어.

# 3단계 등급 올리기

정답과 해설 12쪽

2018 평가원 응용

**01** 밑줄 친 '이 국가'의 통치 체제에 대한 설명으로 옳은 것은?

> 얼마 전 교역을 위해 이 국가에 다녀왔다. 물품을 검사받고, 수도의 주작대로 동쪽에 있는 좌경의 동시에서 물품을 사고팔았다. 거래를 마치고 도다이사에 들렀는데 마침 이곳에서 계율을 전하고 있는 승려 감진을 만났다. 귀국할 때에도 이 국가의 법령에 따라 물품을 검사받았다.

① 중서성에서 정책을 입안하였다.
② 유목민을 맹안·모극제로 다스렸다.
③ 제사를 담당하는 신기관을 중시하였다.
④ 좌현왕과 우현왕이 자신의 영지를 다스렸다.
⑤ 집사부를 중심으로 행정 체제를 정비하였다.

최고난도

**02** 지도는 동아시아 승려의 여행로를 나타낸 것이다. (가), (나) 승려에 대한 설명으로 옳은 것은?

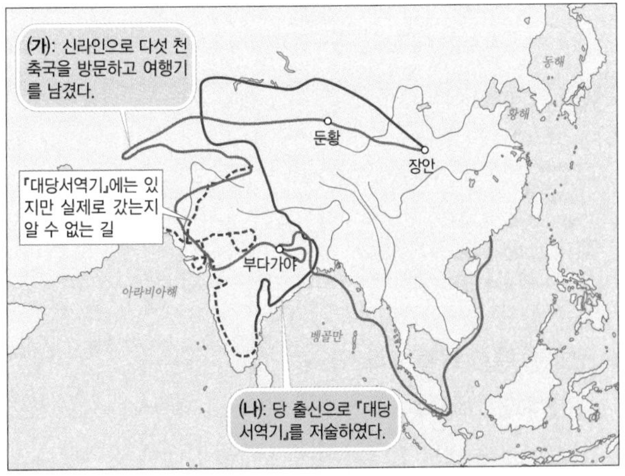


① (가) – 일본 쇼토쿠 태자의 스승으로 활약하였다.
② (가) – 『불국기』를 저술하여 순례의 어려움을 남겼다.
③ (나) – 일본 불교에 수계 제도를 전파하여 정착시켰다.
④ (나) – 신라인 장보고의 도움을 받아 성지를 순례하였다.
⑤ (나) – 대안탑에 인도에서 가져온 불경과 불상을 보관하였다.

**03** 모둠별로 조사한 내용 중 옳지 않은 것은?

> **성리학의 성립과 확산**
> - 학습 목표: 성리학의 성립과 동아시아 각 지역으로의 전파 양상을 설명할 수 있다.
> - 모둠별 탐구 활동
>   - 1모둠: 중국의 성리학 발달
>   - 2모둠: 고려의 성리학 수용
>   - 3모둠: 조선의 성리학 보급
>   - 4모둠: 일본의 성리학 발달

① 1모둠: 송의 유학자들은 오경보다 사서를 중시하였다.
② 1모둠: 명 대에 『성리대전』이 과거 교재로 활용되었다.
③ 2모둠: 13세기 말에 원으로부터 성리학을 받아들였다.
④ 3모둠: 불교와 신토의 영향력이 강해 성리학이 사회에 깊게 뿌리내리지 못하였다.
⑤ 4모둠: 하야시 라잔이 성리학을 바탕으로 에도 막부의 각종 제도와 의례를 정비하였다.

## 서술형 문제

**04** 다음을 읽고 물음에 답하시오.

> 동아시아에 전파된 불교는 각국의 사상이나 토착 신앙과 융합하여 발전하였다. 중원 지역에서는 불교가 효와 조상 숭배를 강조하는 유교적 관습을 받아들였다. 이에 따라 당 대에는 효를 강조한 [ (가) ]이/가 편찬되었다. 한반도에서는 조선 시대에 사찰의 대웅전 뒤쪽에 산신각·칠성각 등을 세웠으며, 일본에서는
> ________________________

(1) (가)에 들어갈 경전의 명칭을 쓰시오.

(2) 빈칸에 들어갈 내용을 서술하시오.

# 17세기 전후의 동아시아 전쟁

★ 표시는 시험 전에 확인해 주세요.

## A 16세기 동아시아의 정세

### 1. 명의 정세

(1) 대외 상황: 북로남왜로 명의 국력 소모
- 북로남왜: 북쪽의 몽골과 동남쪽의 왜구를 일컫는다.

① 몽골의 침략: 몽골이 남하하여 명 황제 생포(토목보의 변), 한때 수도인 베이징 포위

② 왜구의 약탈: 명의 동남 해안 지역에 왜구의 약탈 심화

(2) 대내 상황: 환관 세력의 득세, 향촌 질서 해체로 사회 동요

(3) 장거정의 개혁

| 정책 | 몽골과 강화, 일조편법의 전국적 시행, 관료들의 업적 평가, 토지 조사 실시, 왜구 단속 강화 |
|---|---|
| 결과 | 관료들의 기강 확립, 국가 재정 호전 → 장거정 사후 관료와 신사층의 반발, 환관 세력의 전횡으로 혼란 가중 |

- 일조편법: 잡다한 항목의 세금을 토지세와 인두세로 단순화하여 이를 은으로 내게 한 방식이다.

### 2. 조선의 정세

(1) 사림의 성장: 16세기 후반 사림이 중앙 정계 장악 → 붕당을 형성하여 대립

(2) 국방력 약화: 장기간의 평화 지속, 군역 제도 운용 과정에서의 폐단(→ 전쟁에 동원 가능한 군인 감소)
- 군역 제도 운용 과정에서의 폐단: 조선 정부는 농민에게 군역을 지게 하는 대신 군포를 받아 군인을 고용하고자 하였다.

(3) 대외 정책: 사대교린의 외교 정책 실시

| 명 | 정기적으로 사신을 보내 조공 실시 |
|---|---|
| 일본 | 계해약조(1443)를 맺고 3포에서 교역 → 삼포 왜란 발발(1510) |

- 삼포 왜란: 부산포, 염포(울산), 내이포(진해)의 왜관에 거주하던 일본인들이 조선과의 교역이 원만하지 않자 난을 일으켰다.

### 3. 일본의 정세

(1) 센고쿠 시대의 전개: 오닌의 난 이후 센고쿠 다이묘들이 항쟁 전개 → 오다 노부나가가 조총을 활용하여 통일의 기초 마련 → 도요토미 히데요시가 센고쿠 시대 통일(1590)
- 오닌의 난: 무로마치 막부 쇼군의 후계자 선정을 둘러싸고 일어난 반란이다.

(2) 도요토미 히데요시의 정책: 전국적인 토지 조사 시행, 도량형 통일, 도검몰수령 시행(농민의 무기 몰수), 신분의 이동 금지 → 하극상 풍조 소멸, 병농 분리의 사회 질서 확립
- 조총: 16세기경 포르투갈 상인을 통해 일본에 전해졌다. 오다 노부나가는 나가시노 전투에서 조총 부대를 활용해 상대편을 물리쳤다.

## B 17세기 전후의 동아시아 전쟁

### ★ 1. 임진왜란과 정유재란

| 배경 | 도요토미 히데요시가 무역 확대, 다이묘들의 군사력 소진, 영토 확장 등을 위해 적극적인 대외 진출 도모 |
|---|---|
| 전개 | • 임진왜란: 일본의 부산포 침략(1592) → 일본이 한성 함락, 함경도까지 진격 → 이순신이 이끄는 수군과 의병의 활약, 조·명 연합군의 평양 탈환 → 명의 벽제관 전투 패배(전쟁이 교착 상태에 빠짐) → 명과 일본의 강화 협상 → 일본의 과도한 요구로 협상 결렬<br>• 정유재란: 명과의 강화를 거부하며 일본군 재침입(1597) → 도요토미 히데요시가 사망하자 일본군 철수(1598) |

- 조·명 연합군: 명은 조선의 요청과 랴오둥을 방어하기 위해 참전하였다.
- 일본의 과도한 요구: 명과의 무역 재개, 조선 남부 4도의 할양 등을 요구하였다.

### 2. 왜란 이후 동아시아의 상황

| 조선 | 인구 감소, 재정 궁핍, 문화재 소실, 명에 대한 숭상('재조지은' 강조), 양반 사대부의 지배 체제 강화 |
|---|---|
| 일본 | 왜란 중 과도한 병사 징발과 세금 징수로 무사와 농민의 반발 초래, 도쿠가와 이에야스가 에도 막부 수립(1603) |
| 명 | 무리한 세금 징수로 농민 봉기가 일어나며 점차 쇠퇴 |

- 재조지은: '망해 가던 나라를 다시 세워 준 은혜'라는 뜻이다.

### ★ 3. 정묘호란과 병자호란

| 배경 | • 여진의 팽창: 누르하치가 팔기제 완성 → 후금 건국(1616)<br>• 조선의 대외 정책 변화: 광해군은 후금과 명 사이에서 중립 유지 → 인조반정(1623) 이후 서인 세력이 친명배금 정책 실시 |
|---|---|
| 전개 | • 정묘호란: 후금의 조선 침략(1627) → 조선과 후금의 강화 체결(조선과 후금이 형제의 맹약 체결)<br>• 병자호란: 후금이 국호를 '청'으로 변경, 조선에 군신 관계 요구 → 조선에서 주화론과 척화론 대립 → 조선은 척화론에 따라 청의 요구 거부 → 홍타이지의 조선 침략(1636) → 한성 함락 → 인조가 남한산성에서 저항 → 인조가 삼전도에서 항복(조선과 청이 군신 관계 체결) |

- 팔기제: 누르하치가 조직한 군대로, 군사 단위이자 행정과 과세 단위였다.
- 친명배금 정책 실시: 평안도 가도에 주둔해 있던 명의 장군 모문룡을 지원하여 후금을 자극하였다.

## C 국제 질서의 재편과 문물 교류

### ★ 1. 동아시아 질서의 재편

| 중국 | • 명·청 교체: 이자성 주도의 농민 반란으로 명 멸망(1644) → 명 장수 오삼계의 항복 → 청의 베이징 점령 → 강희제 때 삼번의 난과 타이완의 정성공 세력 진압 → 건륭제 때 티베트·신장·몽골까지 포함하는 영토 확보<br>• 청 중심의 동아시아 질서 확립: 청이 새로운 중화 자처 → 만주족의 중원 지배 합리화 |
|---|---|
| 조선 | • 청과의 관계: 청과 군신 관계 체결(명과 국교 단절) → 북벌론 대두, 조선 중화주의 등장(중화 문명의 유일한 후계자 자처)<br>• 일본과의 관계: 일본과 국교 재개 후 기유약조 체결<br>• 정치·사회의 변화: 비변사의 기능 강화, 5군영과 속오군 설치, 영정법·대동법·균역법 시행, 신분제 동요 |
| 일본 | • 대외 관계: 에도 막부가 조선에 통신사 파견 요청, 청과는 조공·책봉 관계를 맺지 않음<br>• 대내 변화: 막번 체제 시행, 자국 중심의 화이사상 대두 |

### 2. 전쟁을 통한 문물 교류

(1) 일본: 조선에서 서적·문화재 약탈, 학자와 기술자를 포로로 끌고 감 → 에도 시대의 학문과 기술 발전에 기여
- 기술자: 정유재란 때 일본으로 끌려간 조선인 이삼평은 아리타 자기의 시조로 칭송받는다.

(2) 조선: 항왜를 통해 조총 기술 연마, 일본으로부터 담배·고추 등 신작물 전래, 청에 끌려갔던 소현 세자가 귀국하면서 천문학과 천주교 서적 유입, 명에서 관우 숭배 사상 유입
- 항왜: 임진왜란 중 조선에 투항한 일본인을 일컫는다. 이들은 조선에 조총과 사격 기술을 전해 주었다.

(3) 조선의 사절단 파견: 일본에 통신사 파견 → 학문과 문물 교류 촉진, 청에 연행사 파견 → 청의 문물을 접하면서 북학 운동 전개

# 1단계 개념 짚어 보기

**01** 16세기 무렵 명은 북쪽의 (　　　　　)과 동남쪽의 왜구, 이른바 북로남왜에 시달리며 어려움을 겪었다.

**02** 조선에서 향촌을 기반으로 성장하여 16세기 후반 훈구를 대신하여 중앙 정계를 장악한 세력은?

**03** 센고쿠 시대를 통일한 이후 전국적인 토지 조사를 실시하고, 도검몰수령을 시행한 인물은?

**04** 후금과 명 사이에서 중립을 유지하는 대외 정책을 펼친 조선의 왕은?

**05** 병자호란이 일어나자 인조는 (　　　　　)에서 항전하였으나 결국 삼전도에서 청에 항복하였다.

**06** 다음은 왜란과 호란 이후 동아시아의 정세 변화를 정리한 표이다. ㉠~㉢에 들어갈 내용을 각각 쓰시오.

| 구분 | 왜란 | 호란 |
|---|---|---|
| 중국 | 명 약화, 여진족이 성장하여 (㉠　　　　) 건국 | 명 멸망, 청 중심의 국제 질서 수립 |
| 조선 | 명에 대한 숭상, 서인의 친명배금 정책 실시 | 청과 군신 관계 체결 → 청에 대한 정벌을 주장하는 (㉡　　　　) 대두 |
| 일본 | 도쿠가와 이에야스가 (㉢　　　　) 수립 | |

**07** 명 멸망 이후 조선에서는 조선이 중화 문명의 유일한 후계자라고 자부하는 (　　　　　)가 나타났다.

**08** 다음 설명이 맞으면 ○표, 틀리면 ×표를 하시오.

(1) 왜란 중 일본에 끌려간 조선인 학자와 기술자는 에도 막부의 문화 발전에 기여하였다. (　　)

(2) 조선은 청과 조공·책봉 관계를 맺은 후 청의 수도에 정기적으로 통신사를 파견하였다. (　　)

# 2단계 내신 다지기

정답과 해설 13쪽

## A 16세기 동아시아의 정세

**01** 다음의 정세가 나타난 시기의 동아시아 상황으로 옳은 것은?

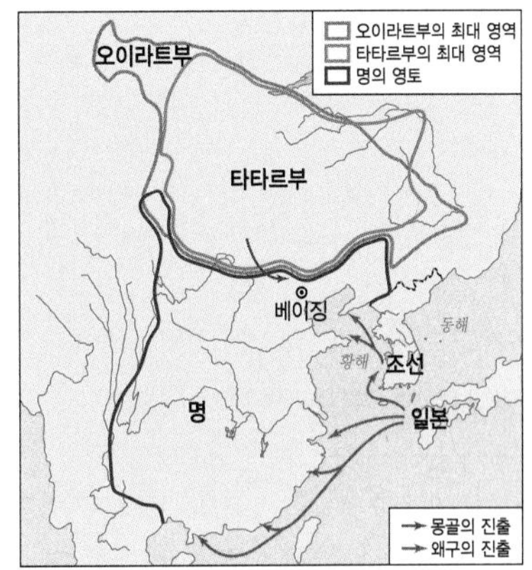


① 한국 – 영정법이 실시되었다.
② 한국 – 효종이 북벌을 계획하였다.
③ 중국 – 절도사들이 권력을 장악하였다.
④ 중국 – 주희가 성리학을 집대성하였다.
⑤ 일본 – 포르투갈 상인에 의해 조총이 전래되었다.

출제가능성 90%

**02** 밑줄 친 '정책'의 사례로 옳은 것은?

> 환관의 득세로 정치가 부패하고 향촌 질서가 해체되어 사회가 동요하자 장거정은 국정을 쇄신하기 위한 정책을 펼쳤다. 그는 몽골과 강화를 맺고, 부패하거나 무능한 관료를 축출하여 명을 안정시키려 하였다.

① 농민들의 무기를 몰수하였다.
② 일조편법을 전국적으로 확대하였다.
③ 팔기제를 시행하여 사회·군사 조직을 정비하였다.
④ 균전제를 실시하여 백성들에게 토지를 지급하였다.
⑤ 공물을 쌀, 동전 등으로 납부하는 대동법을 실시하였다.

**03** 다음에서 설명하는 사건을 쓰시오.

> 1510년 부산포, 염포(울산), 내이포(진해)의 왜관에 거주하던 일본인들이 조선과의 교역이 원만하지 않자 이에 불만을 품고 난을 일으켰다.

**04** 16세기경 조선에서 일어난 일이 아닌 것은?

① 청으로부터 천주교 서적이 유입되었다.
② 명에 정기적으로 사신을 보내 조공하였다.
③ 3포의 왜관에서 일본인들이 난을 일으켰다.
④ 농민이 군역을 지는 대신 군포를 납부하였다.
⑤ 사림이 붕당을 형성하여 공론 정치를 펼쳤다.

**05** 다음 상황이 전개된 시기를 연표에서 고른 것은?

조총이라는 신무기는 센고쿠 시대 일본의 세력 판도를 크게 바꾸어 놓았다. 오다 노부나가는 휘하의 조총 부대를 활용하여 통일의 기초를 마련하였고, 그의 후계자가 된 도요토미 히데요시가 마침내 센고쿠 시대를 통일하였다.

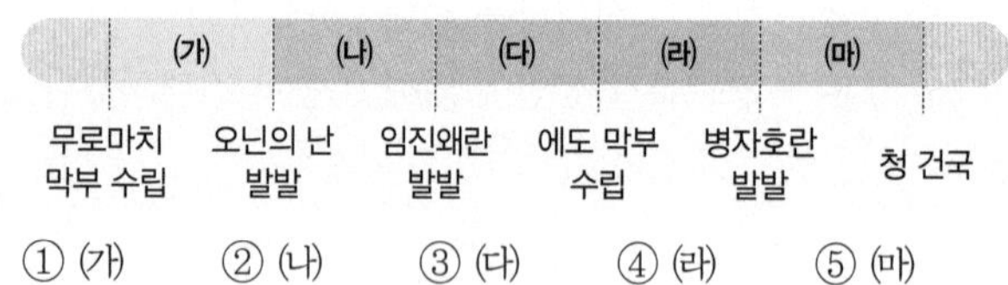


① (가) ② (나) ③ (다) ④ (라) ⑤ (마)

출제가능성 90%

**06** 다음의 정책을 시행한 인물에 대한 설명으로 옳은 것을 〈보기〉에서 고른 것은?

지방의 백성들이 칼, 단도, 창, 조총, 기타 무기류를 소지하는 것을 금지한다. 불필요한 도구류를 쌓아 두고 봉기를 꾸미거나 영주의 가신에게 불법 행위를 하는 자들은 당연히 처벌해야 한다. …… 다이묘와 가신, 대관들은 무기류를 모두 모아서 바치도록 하라.

보기
ㄱ. 나가시노 전투를 총지휘하였다.
ㄴ. 병농 분리의 사회 질서를 확립하였다.
ㄷ. 영토 확장과 무역 확대를 위해 조선을 침략하였다.
ㄹ. 기유약조를 체결하여 조선과의 관계를 개선하였다.

① ㄱ, ㄴ ② ㄱ, ㄷ ③ ㄴ, ㄷ
④ ㄴ, ㄹ ⑤ ㄷ, ㄹ

## B 17세기 전후의 동아시아 전쟁

출제가능성 90%

**07** 밑줄 친 '전쟁'에 대한 설명으로 옳지 않은 것은?

신이 근심하는 것은 조선이 아니라 우리나라 국경입니다. 랴오둥은 베이징의 팔 같은 것이고, 조선은 랴오둥의 울타리 같은 것입니다. 200년 동안 푸젠성과 저장성이 항상 왜의 화를 입었으나, 랴오양과 톈진에 왜가 없었던 것은 조선이 울타리처럼 막았기 때문입니다. 이번 전쟁은 우리에게도 큰 위기가 될 수 있으니, 파병하지 않을 수 없습니다.

① 명의 쇠퇴와 여진족의 성장에 영향을 주었다.
② 일본의 도자기 문화가 발달하는 계기가 되었다.
③ 서인의 친명배금 정책이 전쟁의 원인이 되었다.
④ 명이 참전하면서 동아시아 삼국의 국제전으로 확대되었다.
⑤ 이순신이 이끄는 수군이 남해안에서 일본군에 승리하면서 일본군의 보급로를 차단하였다.

**08** (가)에 들어갈 전쟁이 동아시아에 끼친 영향으로 옳은 것은?

**초대장**

본 박물관에서는 16세기 말 동아시아의 국제전으로 전개된 (가) 에서 실제 사용한 무기를 전시하는 행사를 개최합니다. 이번 전시회에서는 동아시아 삼국의 무기를 통해 (가) 을/를 생생하게 경험해 볼 수 있습니다.

- 전시 기간: ○월 ○일 ~ ○월 ○일
- 전시 장소: 특별 전시실
- 대표 전시 유물

현자총통(조선) 홍이포(명) 조총(일본)

① 명이 해금 정책을 실시하였다.
② 몽골이 대도를 수도로 선포하였다.
③ 여진의 아구타가 금을 건국하였다.
④ 일본에서 무로마치 막부가 수립되었다.
⑤ 조선에서 명을 숭상하는 분위기가 고조되었다.

**09** 다음 협상이 결렬된 직후에 일어난 일로 옳은 것은?

> [명의 주요 요구 사항]
> • 왜군의 점령지를 반환할 것
> • 침략 행위에 대해 사죄할 것
>
> [일본의 주요 요구 사항]
> • 일본과 명의 무역을 재개할 것
> • 조선의 남부 4도를 일본에 할양할 것
> • 명 황제의 딸을 일본 천황과 결혼시킬 것

① 정유재란이 발발하였다.
② 선조가 의주로 피란하였다.
③ 인조가 삼전도에서 항복하였다.
④ 조선과 일본이 계해약조를 맺었다.
⑤ 조·명 연합군이 평양을 탈환하였다.

**10** ㉠, ㉡ 사이 시기에 동아시아에서 볼 수 있었던 모습으로 적절한 것은?

> • 명은 우리나라에 부모의 나라입니다. ㉠ 임진년의 일은 아주 작은 것조차도 황제의 힘입니다. …… 차마 이런 시기에 어찌 다시 화의를 제창할 수 있겠습니까?
> • ㉡ 정묘년 때 후금과 맺은 맹약을 지켜서 몇 년이라도 화를 늦춰야 합니다. 그 사이 어진 정치를 베풀어 민심을 수습하고 성을 쌓고 군량을 저축해야 합니다.

① 남한산성을 포위하고 있는 청군
② 청의 수도로 향하는 연행사 일행
③ 베이징에 입성하는 이자성의 군대
④ 균역법 시행을 알리는 조선인 관리
⑤ 에도 막부 수립에 기뻐하는 일본 무사

**11** 다음에서 설명하는 전쟁이 발발한 배경으로 옳은 것은?

> 후금이 조선을 공격하여 황해도까지 진출하였다. 후금은 조선과 형제의 맹약을 맺고 세폐를 받는 조건으로 곧 철수하였다.

① 조선에서 북벌론이 대두되었다.
② 도요토미 히데요시가 사망하였다.
③ 조선에서 광해군이 왕으로 집권하였다.
④ 조선이 모문룡을 지원하는 등 친명배금 정책을 펼쳤다.
⑤ 명 침략에 협조하라는 일본의 요구를 조선이 거부하였다.

출제가능성 90%

**12** 빈칸에 들어갈 내용으로 옳은 것은?

① 인조가 남한산성에서 항전하였어.
② 명이 조선을 지원하여 파병하였어.
③ 서인 세력이 인조를 왕으로 추대하였어.
④ 후금이 조선과 형제 관계를 맺고 철수하였어.
⑤ 강홍립이 이끄는 조선군이 후금에 투항하였어.

## C 국제 질서의 재편과 문물 교류

**13** 비문에 기록된 전쟁 이후 조선의 대외 관계 변화로 옳은 것은?

> **문화재 소개**
>
> 
>
> • 명칭: 삼전도비
> • 건립 목적: 홍타이지가 자신의 공덕을 알리기 위해 세웠다.
> • 기록 내용: "황제께서 정벌에 나서 동쪽으로 향하니, …… 우리 임금은 남한산성에 피신하여 있으면서 …… 황제가 대병으로 남한산성을 포위하고 ……"라는 내용이 새겨져 있다.

① 명과 조공·책봉 관계를 맺었다.
② 청의 군신 관계 요구를 거부하였다.
③ 청에 정기적으로 연행사를 파견하였다.
④ 평안도 가도를 점령한 모문룡을 지원하였다.
⑤ 후금과 명 사이에서 중립을 유지하는 정책을 펼쳤다.

**14** 왜란과 호란을 겪으면서 조선에 나타난 변화로 옳지 않은 것은?

① 상설 기구였던 비변사가 폐지되었다.
② 국방력 강화를 위해 5군영과 속오군을 설치하였다.
③ 노비의 도망, 납속책 등으로 신분제가 동요하였다.
④ 수취 제도의 개편이 이루어져 영정법, 대동법, 균역법이 시행되었다.
⑤ 중화 문명의 유일한 후계자를 자부하는 조선 중화주의가 대두하였다.

출제가능성 90%

**15** 다음 글을 쓴 목적으로 가장 적절한 것은?

> 중원에 태어났다고 하여 중화가 되는 것이 아니며, 변방에 태어났다고 하여 중화가 될 수 없는 것도 아니다. …… 중화인은 인의를 아는 것이고, 오랑캐는 윤리를 모르는 것이다. 그러하니 어찌 태어난 곳이 중원이냐 아니냐를 가지고 중화인과 오랑캐를 구별할 수 있겠는가.
> – 「대의각미록」

① 북로남왜의 위기를 극복하기 위하여
② 성리학적 윤리 사상을 보급하기 위하여
③ 만주족의 중국 통치를 합리화하기 위하여
④ 청이 조선과 군신 관계를 체결하기 위하여
⑤ 크리스트교를 탄압하고 포교를 금지하기 위하여

**16** 다음 사절단에 대한 설명으로 옳은 것은?

⊙ 에도에 입성한 사절단 일행

사절단의 규모는 300~500여 명이었으며, 한성에서 에도까지 오가는 데 4~5개월이 걸렸다. 사절단이 에도에 입성하였을 때에는 구경하려는 일본인들로 인산인해를 이루었다.

① 감합을 발급받아 활동하였다.
② 명과 일본 사이에서 중계 무역을 하였다.
③ 일본에 선진 문물을 전달하는 역할을 하였다.
④ 조선에서 북학파가 형성되는 데 영향을 주었다.
⑤ 조선이 개항 이후 근대 문물을 수용하고자 파견하였다.

**17** (가)에 들어갈 인물에 대한 탐구 활동으로 가장 적절한 것은?

① 예수회 선교사의 활약상을 살펴본다.
② 항왜의 규모와 활약에 대해 파악한다.
③ 정유재란 당시 일본에 끌려간 조선인 포로를 검색한다.
④ 왜관을 통해 일본 상인과 교역한 조선 상인을 조사한다.
⑤ 조선 정부가 일본에 파견한 통신사의 구성에 대해 알아본다.

**18** 빈칸에 들어갈 내용으로 옳지 않은 것은?

⊙ 일본의 귀무덤

센고쿠 시대에 일본 무사들은 적의 코와 귀를 베어 전공을 자랑하였다. 사진은 이 전쟁 당시 일본군이 베어 갔던 조선인의 코와 귀를 묻은 무덤이다. 이처럼 전쟁은 사람들에게 큰 피해와 고통을 주었다. 그러나 이 전쟁 기간에 인구가 이동하면서 동아시아 지역 내 문물 교류가 이루어지기도 하였다. 그 사례로 ______________

① 일본에서 조선으로 담배, 고추 등이 전래되었다.
② 조선의 학자들이 일본 성리학 발달에 기여하였다.
③ 서양의 천문 서적과 천구의 등이 조선에 들어왔다.
④ 관우를 섬기는 신앙이 명에서 조선으로 유입되었다.
⑤ 조선에 투항한 일본인을 통해 조총과 사격 기술이 조선에 전해졌다.

# 3단계 등급 올리기

정답과 해설 14쪽

최고난도

**01** 밑줄 친 물건과 관련된 설명으로 옳지 않은 것은?

> 1543년 2명의 포르투갈인을 태우고 표류하던 중국 배가 일본 규슈 남쪽의 섬 다네가시마에 도착하였다. …… 다네가시마의 다이묘는 포르투갈인이 보여 준 불을 내뿜는 신기한 막대기 두 자루를 샀다. 다이묘는 자신의 부하에게 이와 똑같이 만들 것을 지시하였으나 총신이 폭발하는 등 제작에 많은 어려움을 겪었다. －『뎃포기』

① 임진왜란 당시 일본군이 사용하였다.
② 센고쿠 시대의 패권 다툼에 영향을 주었다.
③ 오다 노부나가가 나가시노 전투에 활용하였다.
④ 조선인 포로에 의해 제작 기술이 일본에 전해졌다.
⑤ 도요토미 히데요시가 추진한 도검몰수령의 대상이 되었다.

**02** 다음 인물들과 관련된 동아시아의 문물 교류에 대한 탐구 활동으로 옳은 것을 〈보기〉에서 고른 것은?

**주제 발표: 전쟁과 문물의 교류**

• 주제1: 김충선을 비롯한 항왜의 문화 전파

**김충선의 초상** 사야가는 조선에 투항하여 여러 전투에서 공을 세워 조선 정부로부터 김충선이라는 이름을 받았다.

• 주제2: 도조로 칭송받는 이삼평

**이삼평 기념비** 이삼평은 조선의 도공으로 일본에 끌려가 아리타 자기를 만들었다.

보기

ㄱ. 연행사의 규모와 이동 경로를 찾아본다.
ㄴ. 일본의 도자기 산업 발달 과정을 살펴본다.
ㄷ. 『왕오천축국전』이 간행되는 배경을 조사한다.
ㄹ. 조총 제조 기술의 조선 전파 경로를 알아본다.

① ㄱ, ㄴ ② ㄱ, ㄷ ③ ㄴ, ㄷ
④ ㄴ, ㄹ ⑤ ㄷ, ㄹ

2015 평가원 응용

**03** 다음에서 묻고 있는 전쟁이 동아시아 각국에 미친 영향으로 옳은 것은?

> **도전, 역사왕을 찾아라!**
>
> Q 다음 전쟁은 무엇일까요?
> 청의 홍타이지가 조선에 군신 관계를 요구하였으나 조선 정부는 이를 거부하였습니다. 청이 이를 빌미로 조선을 침략하면서 이 전쟁이 시작되었습니다. 전쟁이 발발하자 조선은 청에 맞서 천혜의 요새인 남한산성으로 들어가 항전하였습니다.

① 한국 – 북벌 운동이 추진되었다.
② 한국 – 광해군이 중립 외교 정책을 펼쳤다.
③ 중국 – 정복지에 행성을 설치하고 다루가치를 보냈다.
④ 일본 – 100여 년간 분열된 센고쿠 시대가 통일되었다.
⑤ 일본 – 도요토미 히데요시가 농민의 무기를 몰수하였다.

## 서술형 문제

**04** 다음을 읽고 물음에 답하시오.

> 짐은 ㉠ 야만적인 도당에게 귀국이 수도를 빼앗기고 평양마저 점령당해 양민들이 사방으로 흩어졌다는 소식을 듣고 무척 안타까웠다. 짐은 이 소식을 듣자마자 ㉡ 귀국을 돕기 위한 군대를 모집하라고 변경의 관리들에게 명하였다. 짐은 또한 문무 중신들을 파견할 것이다. 이들은 랴오양 주변의 여러 수비대에서 일단 우리의 정예병을 규합하여 귀국의 군사들과 힘을 합칠 것이다.

(1) 밑줄 친 ㉠, ㉡에 해당하는 국가를 각각 쓰시오.

(2) 위에 나타난 전쟁에 명이 참전한 실질적인 목적을 서술하시오.

# 02 교역망의 발달과 은 유통

★ 표시는 시험 전에 확인해 주세요.

## A 동아시아 각국의 교역 관계

### ★ 1. 명·청의 무역

명은 일련번호를 매긴 장부의 반쪽을 보관해 두고 나머지 반쪽을 조공국이 명의 항구에 들어올 때 제출하게 하였다.

| | |
|---|---|
| 명 | • 조공 무역: 조선·류큐·대월은 정기적으로 명에 조공, 일본은 무역 허가증인 감합을 발급받아 교역, 영락제 때 정화의 원정을 통해 조공국 확대<br>• 해금 정책: 조공 무역 유지를 위해 바다를 통한 사무역 금지 → 밀무역 성행, 왜구 출몰 → 16세기 후반 해금 완화(동남아시아 방면의 도항과 무역 허용) → 중국인이 동남아시아에 진출하면서 화교 사회 형성 |
| 청 | • 해금 정책: 건국 초 천계령 반포 → 17세기 타이완의 정성공 세력 복속 후 해제<br>• 공행 무역: 18세기경 대외 무역항을 광저우로 제한, 공행을 통한 무역만 허용 |

반청 운동을 전개하던 타이완의 정성공 세력을 막고자 푸젠, 광둥 등의 연해 주민을 내지로 이주시킨 정책이다.

### 2. 조선의 무역

| | |
|---|---|
| 명·청 | • 교역 물품: 종이·붓·화문석·인삼 등 수출, 생사·비단·약재·서적 등 수입<br>• 조공 무역: 정기적으로 사절 파견 → 명에 특산물 조공, 명·청은 답례 형식으로 회사품 지급<br>• 사무역: 사절단을 따라간 역관·상인 등이 중계 무역을 통해 일본산 은과 명·청의 비단 교환<br>• 개시(공무역)·후시(사무역): 조선의 송상, 만상 등이 참여 |
| 일본 | • 교역 물품: 쌀·인삼·목면·서적 등 수출, 구리·유황·향신료 등 수입<br>• 15~16세기: 세종 때 쓰시마섬 토벌 → 3포 개방, 왜관에서의 무역 허용 → 삼포 왜란(1510) → 일본과의 무역 쇠퇴<br>• 17세기 이후: 임진왜란 이후 국교 단절 → 에도 막부 수립 이후 쓰시마번과 부산의 왜관을 통해 교역 |

### ★ 3. 일본의 무역

명의 물건을 구하기 위해 밀무역에 나서는 왜구가 늘어났다.

(1) 15~16세기의 교역: 무로마치 막부가 명과 조공(감합) 무역 실시 → 16세기 중반 이후 중단, 밀무역 성행

(2) 17세기 이후의 교역

에도 막부가 배를 타고 나가 무역할 수 있음을 허가한 증명서로, 막부의 인장이 찍혀 있다.

| | |
|---|---|
| 유럽 | 에도 막부가 슈인장을 발급하여 교역 통제 → 다이묘의 성장을 막고 크리스트교 포교를 금지하고자 해금 실시(네덜란드 상인에게만 나가사키 개방) |
| 청 | 청과 조공 관계를 맺지 않음, 청 상인의 나가사키 교역 허용 → 청과의 무역량 증가로 은 유출 심화 → 에도 막부가 무역 허가증인 신패를 발급해 무역량 규제 |

에도 막부는 나가사키에 인공 섬인 데지마를 조성해 포르투갈인을 수용하였다. 그러나 포르투갈인의 포교 사실이 드러나자 네덜란드인의 상관을 이곳으로 옮겼다.

### 4. 류큐의 중계 무역

(1) 무역 발달: 명의 해금 정책으로 중국 상인의 활동 위축 → 14~16세기경 명과 일본·동남아시아를 잇는 중계 무역으로 성장(명의 도자기·생사를 일본과 동남아시아에 판매, 명과 조선에 류큐산 조개껍데기·일본산 칼 등 수출)

(2) 무역 쇠퇴: 16세기 후반 명의 해금 완화로 사무역 발달 → 류큐의 중계 무역 쇠퇴

## B 유럽인의 진출과 교역망의 확대

### 1. 유럽 상인의 아시아 진출

| | |
|---|---|
| 포르투갈 | 믈라카 점령, 일본에 조총과 명의 생사·비단 판매, 일본에게 받은 은으로 명의 비단과 도자기를 사서 유럽에 판매 |
| 에스파냐 | 필리핀의 마닐라를 중심으로 갈레온 무역 실시 → 멕시코 아카풀코에서 가져온 은으로 명의 비단·도자기를 사서 유럽에 판매 |
| 네덜란드 | 말루쿠 제도와 타이완 점령, 나가사키와 바타비아 진출 → 17세기 중반 동남아시아 섬 대부분 장악 |
| 영국 | 청에서 차·비단 수입 → 차 수요 증가로 무역 적자 → 인도산 아편을 청에 파는 삼각 무역 실시 → 청의 은 유출 |

### 2. 동서 문물 교류

아메리카가 원산지인 감자, 고구마, 옥수수 등이 동아시아에 전파되었다.

(1) 서양 문물의 전래

「곤여만국전도」를 제작하여 중국인의 중화적 세계관 변화에 영향을 주었고, 『기하원본』을 번역하였다.

| | |
|---|---|
| 명·청 | • 예수회 선교사의 활동: 마테오 리치의 「곤여만국전도」 제작·『천주실의』 저술, 아담 샬의 시헌력 제작, 페르비스트의 「곤여전도」 제작, 카스틸리오네의 원명원 건물 설계 등<br>• 서양 기술 수용 축소: 중화사상의 한계, 전례 문제 등 |
| 조선 | • 표류 외국인과의 접촉: 벨테브레이(박연), 하멜 등<br>• 청으로부터 문물 유입: 정두원이 자명종·천리경 등 유입, 홍대용의 『의산문답』 저술, 「곤여만국전도」 유입, 소현 세자가 아담 샬로부터 지구의·천주교 서적 등을 받아 옴 |
| 일본 | 프랜시스코 하비에르가 크리스트교 포교, 네덜란드인을 통해 서양 문물 수용 |

(2) 동아시아 문물의 유럽 전래: 중국·일본산 도자기 유입으로 유럽에서 도자기 복제술 발달, 중국산 차 문화 유행 등

## C 은 유통의 활성화

### ★ 1. 중국의 은 유통

(1) 은 유통의 증가: 보초(지폐)의 가치 하락, 세금의 은납화, 상공업 발달, 은의 가치가 유럽보다 높음 → 은의 중국 유입

중국은 아메리카 대륙과 일본의 은으로 증가하는 은 수요를 메웠다.

(2) 은 본위 경제 체제 확립: 명 대 일조편법, 청 대 지정은제를 실시하여 은으로 세금 징수

인두세를 고정시키고 이를 토지세에 합산하여 부과하였다.

### 2. 조선과 일본의 은 유통

광석 등을 태워서 재로 만들고 그 과정에서 금, 은 등을 추출하는 제련법이다.

| | |
|---|---|
| 조선 | • 16세기 이전: 은을 화폐로 이용하지 않아 은 유통 부진<br>• 16세기 이후: 중국과의 교역에 은 사용, 명이 은을 공물로 요구 → 단천 은광을 비롯한 은광 개발(잠채 성행), 임진왜란을 거치면서 다량의 은 유입, 일본과의 무역을 통해 은 확보 |
| 일본 | • 은 생산 증가: 16세기 전반 조선에서 연은 분리법(회취법) 도입, 이와미 은광 개발 → 16세기 말 전 세계 은 산출량의 3분의 1가량 생산<br>• 은의 국제 유통로 형성: 17세기경 일본 은이 조선을 거쳐 중국으로 유입 → 18세기 이후 에도 막부의 은 유출 억제 정책 실시 |

에도 막부는 조선 인삼을 구입하기 위해 인삼대왕고은이라는 은화를 주조하였다.

# 1단계 개념 짚어 보기

**01** 명은 조공 무역을 유지하기 위해 바다를 통한 사무역을 금지하는 (                )을 펼쳤다.

**02** 청 정부가 타이완의 정성공 세력을 막고자 푸젠, 광둥 등의 연해 주민을 내지로 이주시킨 정책은?

**03** 다음에서 설명하는 도시를 <보기>에서 골라 기호를 쓰시오.

보기
ㄱ. 부산　　ㄴ. 광저우　　ㄷ. 나가사키

(1) 왜관이 설치되어 일본 상인이 체류하였다. (　　)
(2) 네덜란드인의 대일 무역 근거지가 되었다. (　　)
(3) 공행을 설치하여 서양 상인과의 대외 무역을 담당하게 하였다. (　　)

**04** (                )는 명의 해금 정책으로 중국 상인의 활동이 위축되자 명과 일본 및 동남아시아를 잇는 중계 무역으로 성장하였다.

**05** 에스파냐가 대형 선박을 이용하여 멕시코 아카풀코에서 가져온 은으로 중국의 비단, 도자기 등을 사서 유럽에 판매한 무역 형태를 일컫는 말은?

**06** 예수회 선교사인 (                )는 「곤여만국전도」를 제작하여 중국인의 중화적 세계관에 영향을 주었다.

**07** 청 대 인두세를 고정시키고 이를 토지세에 합산하여 은으로 납부하게 한 조세 제도는?

**08** 다음 설명이 맞으면 ○표, 틀리면 ×표를 하시오.
(1) 조선은 일본으로부터 연은 분리법(회취법)을 도입하여 은 생산을 크게 늘렸다. (　　)
(2) 17세기경 일본 은이 조선으로 유입되었다가 다시 중국으로 유입되는 현상이 나타났다. (　　)

# 2단계 내신 다지기

정답과 해설 15쪽

## A 동아시아 각국의 교역 관계

출제가능성 90%

**01** 다음 함대를 파견한 국가의 대외 교역과 관련된 설명으로 옳지 않은 것은?

> 정화가 이끄는 함대는 1405년부터 1433년까지 일곱 차례 항해에 나서 인도, 동남아시아를 지나 아라비아반도와 아프리카 동부 해안까지 진출하였다. 이는 콜럼버스가 아메리카 대륙을 발견한 것보다 70여 년이나 앞선 것이었다.

① 무로마치 막부에게 감합을 발급하였다.
② 천계령을 발표하여 무역을 통제하였다.
③ 조선, 류큐, 대월에게 조공 형태의 무역을 허용하였다.
④ 건국 초 해금 정책을 실시하여 민간인의 사무역을 금지하였다.
⑤ 16세기 후반부터 동남아시아 방면의 도항과 무역을 허용하였다.

**02** 다음 주장에서 비판하고 있는 내용으로 적절한 것은?

> 바다는 푸젠 사람들에게 밭이나 마찬가지입니다. 가난한 자들은 생계를 위해 항상 무리 지어 바다로 나갑니다. 조정에서 이를 엄격히 하면 식량을 구할 길이 없어서 해안을 약탈할 수밖에 없습니다. 연해민들은 가만히 앉은 채 속수무책으로 모든 재산을 빼앗깁니다.

① 임진왜란 이후의 재정 악화
② 조정의 해금 정책에 따른 생활 기반 파탄
③ 아편 밀수입과 은 유출로 인한 사회적 문제
④ 서양 상인의 약탈 무역에 대한 정부의 대응 부족
⑤ 몽골 원정에 드는 비용 부과에 따른 농민 경제 악화

**03** 밑줄 친 '이 조합'의 명칭을 쓰시오.

> 청은 18세기 중반 이후 대외 무역 장소를 광저우 한 곳으로 제한하였다. 또한 유럽 국가들이 이 조합을 통해서만 무역을 할 수 있도록 하였다.

**04** 청이 천계령을 내린 목적으로 가장 적절한 것은?

① 반청 운동을 막으려 하였다.
② 은 유출을 억제하려 하였다.
③ 조공 무역을 강화하려 하였다.
④ 크리스트교 포교를 금지하려 하였다.
⑤ 영국인의 아편 판매를 막고자 하였다.

**05** (가) 시기에 동아시아에서 있었던 일로 옳은 것은?

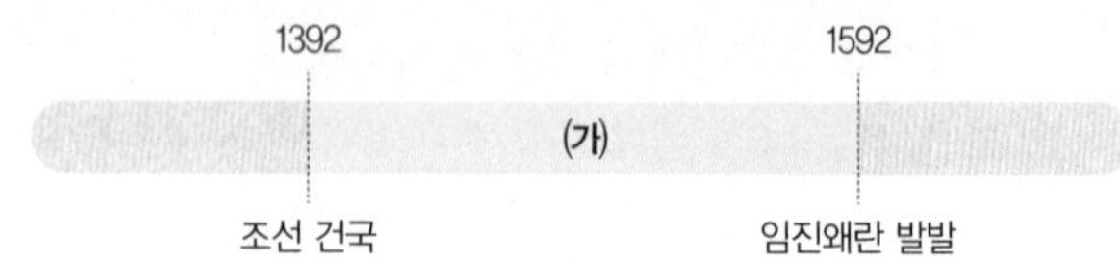


① 조선이 일본에 통신사를 파견하였다.
② 청이 대외 무역항을 광저우로 제한하였다.
③ 에도 막부가 청 상인에게 신패를 발급하였다.
④ 나가사키에 인공 섬인 데지마를 조성하였다.
⑤ 조선은 세 곳의 항구에 왜관을 설치하여 일본과 교역하였다.

**06** 그림이 나타내고 있는 무역이 중단되면서 일본에서 나타난 일로 옳은 것은?

① 막부가 슈인장을 발급하였다.
② 일본인이 삼포 왜란을 일으켰다.
③ 일본에 중국의 은이 대량 유입되었다.
④ 막부가 네덜란드 상인에게 나가사키를 개방하였다.
⑤ 명의 물건을 구하기 위한 밀무역에 나서는 왜구가 늘어났다.

출제가능성 90%

**07** 밑줄 친 '막부'의 무역 정책으로 옳은 것은?

역사 신문

신패 없이는 나가사키에 입항할 수 없어

막부가 신패를 발급하여 무역량을 규제하기로 하였다. 이는 중국과의 교역량이 증가하면서 일본의 은 유출이 심해지자, 막부가 내린 조치이다. 이에 따라 앞으로 신패를 지니지 않은 청 상인의 나가사키 입항이 어려워질 것으로 예상된다.

① 조선으로부터 은을 수입하였다.
② 중국에 인삼, 화문석을 수출하였다.
③ 정화의 원정을 통해 조공국을 확대하였다.
④ 서양 여러 나라와 적극적으로 교역하였다.
⑤ 슈인장을 발급하여 대외 교역을 통제하였다.

**08** (가)에 들어갈 지역에 대한 설명으로 옳지 않은 것은?

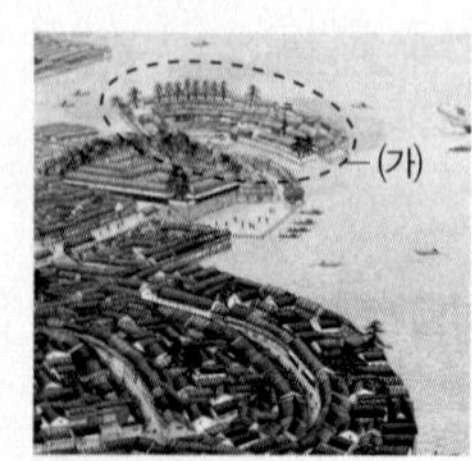


사진에 표시된 (가) 은/는 에도 막부가 1636년 나가사키에 건설한 부채꼴 모양의 인공 섬이다. 이곳에는 관리, 상인 등 허가를 받은 일본인만 들어갈 수 있었다.

① 청의 상인이 들어와 교역하였다.
② 서양 문물이 유입되는 창구로 활용되었다.
③ 네덜란드인의 대일 무역 근거지가 되었다.
④ 막부가 포르투갈인을 수용하기 위해 건설하였다.
⑤ 유럽 상인과의 교역을 공식적으로 허가 받은 공행이 있었다.

**09** 밑줄 친 '나라'가 중계 무역으로 성장한 배경을 조사하려 한다. 이때 조사할 내용으로 가장 적절한 것은?

> 나라는 남해(동중국해) 가운데 있는데, 남북으로는 길고 동서로는 짧다. 그 땅에 유황이 산출되는데, …… 해마다 중국에 사신을 보내고 유황 6만 근과 말 40필을 바친다. …… 해상 무역을 업으로 삼는다. 서쪽으로 남만과 중국에 교통하고, 동쪽으로 일본과 우리나라에 교통한다. 일본과 남만의 상선이 국도와 해변 포구에 모이므로, 백성들이 포구에 술집을 설치하여 서로 교역한다.
>
> –『해동제국기』

① 명의 해금 정책과 무역 통제
② 통신사의 파견과 문물의 교류
③ 임진왜란 이후의 동아시아 정세
④ 포르투갈 상인의 동아시아 진출
⑤ 고구마, 옥수수 등 새로운 작물의 전래

## B 유럽인의 진출과 교역망의 확대

출제가능성 90%

**10** 지도는 16~17세기의 교역망을 나타낸 것이다. 이에 대한 학생들의 대화 내용 중 옳지 않은 것은?

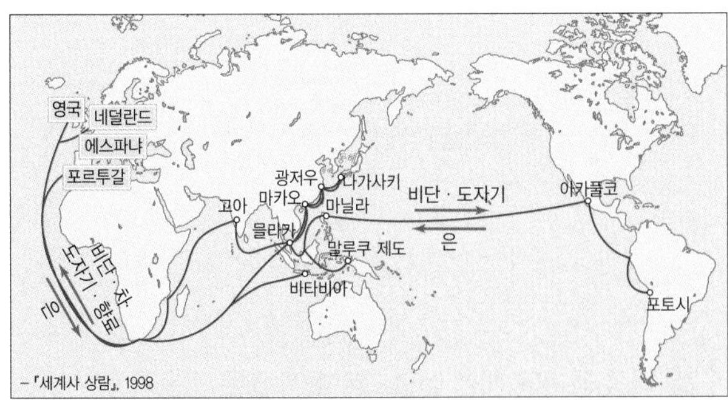


① 갑: 중국의 은이 대규모로 유럽으로 흘러들어 갔어.
② 을: 유럽에 중국산 차가 소개되어 중국식 차 문화가 유행하였어.
③ 병: 마닐라와 바타비아 등이 국제 무역의 중심지로 성장하였어.
④ 정: 유럽 상인들은 중국의 물품을 구입해 유럽에 팔아 무역 이익을 남겼어.
⑤ 무: 동서 교역이 확대되면서 이 시기 감자, 고구마, 옥수수가 동아시아에 전해졌어.

**11** 가상 인터뷰의 빈칸에 들어갈 내용으로 적절한 것은?

> • 기자: 당신이 타고 온 선박에 대해 소개해 주십시오.
> • 상인: 대포를 갖춘 대형 선박인 갈레온입니다. 조금 더 말하면 이 배는 ______________________

① 나가사키 전투에서 그 위력을 발휘하였지요.
② 정화가 해외 원정을 할 때 이용한 선박이랍니다.
③ 인도양에서 아랍인들이 이용하는 전통 범선입니다.
④ 임진왜란에서 조선 수군이 승리하는 데 기여하였지요.
⑤ 에스파냐가 멕시코에서 가져온 은으로 중국 상품을 구매하는 무역 활동에 활용되고 있지요.

**12** 밑줄 친 ㉠~㉢ 상인에 대한 설명으로 옳은 것은?

> 14세기 이후 유럽 상인들이 아시아에 진출하기 시작하였다. 처음 아시아에 무역 거점을 마련한 것은 ㉠ 포르투갈 상인이었고, 뒤를 이어 ㉡ 에스파냐의 상인이 진출하였다. 16세기 말 이후에는 ㉢ 네덜란드 상인이 점차 주도권을 장악하였다.

① ㉠ – 인도산 아편을 청에 판매하였다.
② ㉠ – 필리핀 마닐라에 기지를 건설하였다.
③ ㉡ – 믈라카를 점령한 후 중국에 진출하였다.
④ ㉡ – 타이완을 점령하여 무역 거점으로 삼았다.
⑤ ㉢ – 일본과의 무역을 독점적으로 장악하였다.

**13** 다음 대화가 이루어진 시기의 동아시아 상황으로 옳은 것은?

서광계, 당신과 함께한 덕분에 『기하원본』의 번역을 완성할 수 있었습니다.

별말씀을요. 마테오 리치 당신을 통해 제가 배운 서양의 지식이 더 많습니다.

① 불교가 동아시아 각국에 전파되었다.
② 일본에서 가마쿠라 막부가 수립되었다.
③ 조선에서 세종이 쓰시마섬을 토벌하였다.
④ 몽골 제국에 의해 동서를 잇는 교역망이 형성되었다.
⑤ 서양 선교사들이 중국 궁전에 머물며 천문, 역법, 의학 방면에서 활약하였다.

**14** 다음은 한 학생이 치른 시험의 답안이다. 학생의 점수로 옳은 것은?

> **형성 평가**
>
> ○반 ○번 이름 ○○○
>
> • 문항 당 배점은 5점씩입니다.
>
> 1. 아담 샬은『곤여만국전도』를 제작하였다. ( ○ )
> 2. 마테오 리치는『천주실의』를 번역하였다. ( ○ )
> 3. 조선의 정두원은 지구 자전설을 담은『의산문답』을 저술하였다. ( × )
> 4. 일본에서는 예수회 선교사 프랜시스코 하비에르가 크리스트교를 포교하였다. ( ○ )
> 5. 청에 볼모로 잡혀간 소현 세자는 아담 샬과 교류하였으며, 조선에 들어올 때 지구의, 천주교 서적 등을 가져왔다. ( ○ )

① 5점 ② 10점 ③ 15점
④ 20점 ⑤ 25점

## C 은 유통의 활성화

출제가능성 90%

**15** 중국에서 다음 화폐가 본격적으로 유통된 배경을 〈보기〉에서 고른 것은?

> 이 화폐는 말발굽처럼 생겨서 마제은(말굽은)이라 불렸다. 모양이 독특하였기 때문에 유럽인들도 호기심을 가졌는데, 유럽인들은 이 화폐를 '사이시'(sycee)라고 불렀다. 실질 가치를 지닌 금속 화폐인 마제은은 명·청 대에 주로 유통되었다.

보기

ㄱ. 정부가 세금을 은으로 납부하도록 하였다.
ㄴ. 상공업의 발달로 은에 대한 수요가 늘어났다.
ㄷ. 중국이 국제적인 은 생산의 중심지로 부상하였다.
ㄹ. 서양과의 무역에서 중국의 은이 대량으로 유출되기 시작하였다.

① ㄱ, ㄴ ② ㄱ, ㄷ ③ ㄴ, ㄷ
④ ㄴ, ㄹ ⑤ ㄷ, ㄹ

**16** 조선에서 다음 현상이 나타나면서 생긴 변화로 옳은 것은?

> 호조가 아뢰기를, "근래에 와서 술과 고기, 소금, 간장 등의 소소한 값들은 모두 은을 사용하고 있는데, 나라의 백성들이 오히려 그 덕으로 생계를 꾸려 간다고 합니다.

① 천계령을 해제하였다.
② 지정은제가 실시되었다.
③ 지폐인 보초의 가치가 하락하였다.
④ 은광의 개발이 본격화되고 잠채가 성행하였다.
⑤ 정부가 신패를 발급하여 무역량을 규제하였다.

**17** 16~18세기경 밑줄 친 '이 국가'의 은 유통과 관련된 설명으로 옳지 않은 것은?

> 2007년 이 국가의 '이와미 은광 유적 및 문화 경관'이 유네스코 세계문화유산으로 지정되었다. 이와미 은광은 은을 대량으로 생산하여 동아시아와 유럽 국가 사이의 교류 활성화에 기여하였다.

이와미 은광의 갱도 입구

① 인삼대왕고은이라는 은화가 주조되었다.
② 생산한 은이 조선을 거쳐 중국으로 유입되었다.
③ 은 유출을 통제하면서 대외 무역이 중단되었다.
④ 16세기 말 전 세계 은 산출량의 3분의 1가량을 생산하였다.
⑤ 조선에서 연은 분리법(회취법)을 도입한 이후 은 생산이 크게 증대되었다.

**18** 다음 용어에 대한 설명으로 옳지 않은 것은?

① 보초: 명 대에 발행한 지폐이다.
② 슈인장: 에도 막부가 배를 타고 나가 무역할 수 있음을 허가한 증명서이다.
③ 인삼대왕고은: 에도 막부가 조선의 인삼을 구입하기 위해 특별히 주조한 은화이다.
④ 연은 분리법: 광석 등을 태워서 재로 만들고 그 과정에서 금, 은 등을 추출하는 제련법이다.
⑤ 지정은제: 여러 항목의 세금을 토지세와 인두세로 단순화하여 은으로 납부한 명의 제도이다.

**01** 지도에 표시된 세 지역의 공통점을 〈보기〉에서 고른 것은?

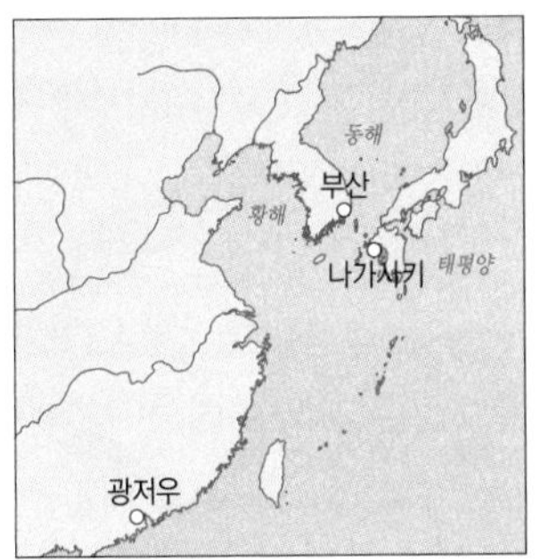


보기
ㄱ. 유럽의 상인들이 자유롭게 왕래하였다.
ㄴ. 무로마치 막부의 요청에 의해서 개항되었다.
ㄷ. 은이 유통되는 국제적인 통로 역할을 하였다.
ㄹ. 동아시아 삼국의 교역 창구로, 들어올 수 있는 국가가 한정되었다.

① ㄱ, ㄴ ② ㄱ, ㄷ ③ ㄴ, ㄷ
④ ㄴ, ㄹ ⑤ ㄷ, ㄹ

2018 평가원 응용

**02** 밑줄 친 조치가 동아시아 사회에 미친 영향으로 옳은 것은?

그동안 역적들을 고립시키기 위하여 해안 지역을 봉쇄하고 상선이 해외로 나가는 것을 금지하였던 것이다. 이제 역적들이 모두 진압되고 역적의 소굴인 타이완도 우리에게 복속되었다. 이에 짐은 해금령을 해제하고 해외로 출항하는 것을 허락하는 바이다.

① 한국 – 청에 연행사를 파견하였다.
② 한국 – 왜관이 폐쇄되고 일본과의 교역이 중단되었다.
③ 중국 – 영국이 인도에서 생산한 아편을 청에 판매하였다.
④ 중국 – 공행을 없애고, 광저우 외의 여러 항구를 개항하였다.
⑤ 일본 – 막부가 신패라는 무역 허가증을 발급하여 무역량을 통제하였다.

최고난도

**03** (가), (나) 무역 체제에 대한 설명으로 옳지 않은 것은?

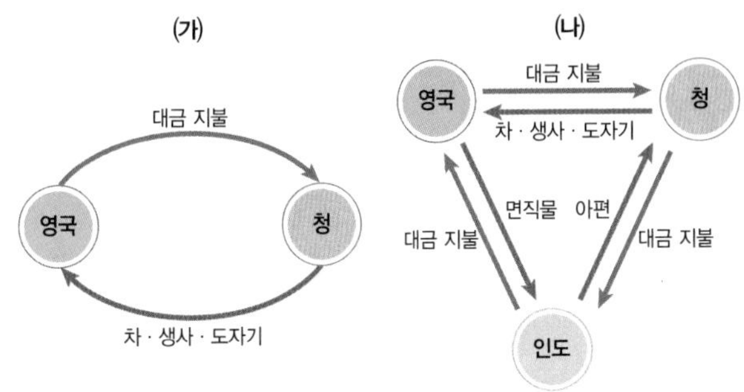


① (가) – 청에게 불리한 무역 체제였다.
② (가) – 영국은 광저우의 공행을 통해 청의 차, 생사 등을 구입하였다.
③ (나) – 청의 은이 영국으로 대량 유출되면서 재정 문제가 심각해졌다.
④ (나) – 영국은 인도산 아편을 청에 판매하여 무역 흑자를 달성하였다.
⑤ (가), (나) – 물품의 구매 대금을 은으로 지불하였다.

## 서술형 문제

**04** 다음을 읽고 물음에 답하시오.

[학술지] 17~18세기 은의 (가) 유입

일본에서 생산된 은은 조선을 거쳐 (가) (으)로 유입되었다. 에스파냐가 갈레온에 싣고 마닐라로 운송해 온 아메리카산 은도 비단, 차, 도자기 등과 교환되는 형태로 계속해서 (가) (으)로 유입되었다.

(1) (가)에 공통으로 들어갈 국가를 쓰시오.

(2) 전 세계의 은이 (1)에 유입된 배경을 세 가지 서술하시오.

# 03 사회 변동과 서민 문화의 발달

## A 농업 생산력의 증대와 인구 증가

### ★ 1. 17～19세기 인구 증가의 배경

(1) 농업 생산력의 증대

① 농업 기술 발달: 중국·일본에서 집약적 농법 발달, 조선에서 모내기법의 전국적 확산, 농기구 개량, 시비법 발달, 곡물의 품종 개량, 농서 보급 등

② 경지 면적 증가: 제방과 수리 시설 개선, 개간과 간척 사업 실시 등

③ 신대륙 작물과 상품 작물 재배: 옥수수·감자·고구마 등 신대륙 작물 재배로 식량 생산 증대, 면화·담배 등 상품 작물 재배로 농가 수입 증대

(옥수수·감자·고구마: 척박한 토양에서 잘 자랄 뿐만 아니라 병충해에 강해 구황 작물의 역할을 하였다.)

(2) 의료 기술의 발전: 의학 서적 보급(명의 『본초강목』, 조선의 『동의보감』 편찬), 중국에서 종두 개발 등 → 사망률 감소

### 2. 동아시아 각국의 인구 변화

| | |
|---|---|
| 명·청 | • 인구 변화: 17세기 초반 약 1억 5천만 명 → 18세기 후반 3억 명 돌파 → 19세기 중반 약 4억 3천만 명<br>• 부작용: 식량과 경지 부족, 생활 수준 하락, 환경 파괴, 물가 상승, 실업자와 유민 발생 등 → 비밀 결사와 농민 반란 발생, 산간·변경 지대·국외 이주자 증가, 계투 만연 |
| 조선 | 16세기 중반 1,000만 명 돌파 → 전쟁·경신대기근 등으로 17세기 전후 인구 감소 → 17세기 후반부터 꾸준히 인구 증가 → 18세기 후반 1,800만 명 돌파 |
| 에도 막부 | 17세기 초 약 1,500만 명 → 18세기 초 약 2,500만 명으로 증가 → 다이묘의 수탈과 자연재해 등으로 18세기 후반에는 인구 성장 정체 |

(계투: 중국에서 마을이나 종족 상호 간에 무기를 가지고 벌이던 싸움이다.)

## B 상공업의 발달과 도시의 성장

### 1. 명·청 대의 상공업과 도시 발달

(1) 상공업의 발달: 민영 수공업 발달(쑤저우의 견직물, 징더전의 도자기 유명), 상품 유통망 확산(강남의 쌀이 대운하를 통해 화북으로 운송), 차와 도자기의 생산·수출 활발

(2) 대상인의 등장: 산시 상인과 휘저우 상인이 소금 전매권 획득 → 각지에 회관(동향 조직)과 공소(동업 조합) 설치

(3) 도시의 성장

| | |
|---|---|
| 화북 | 베이징: 명·청의 수도로 정치·군사의 중심지 → 18세기경 인구 100만 명에 이르는 최대의 소비 도시로 발달 |
| 강남 | • 쑤저우: 최대의 수공업 도시이자 상업 도시<br>• 양저우: 소금 판매를 도맡은 상인들의 근거지로 성장<br>• 시진: 명 중기 이후 업종별로 전문화된 중소 상공업 도시인 시진 발달, 거미줄처럼 연결된 수로를 통해 유통망 형성 |

(쑤저우: 18세기 청의 건륭제 때 쑤저우의 모습을 그린 「고소번화도」라는 그림을 통해 쑤저우의 번화한 모습을 알 수 있다.)

### 2. 조선 후기 상공업과 도시 발달

(1) 상공업의 발달: 전국적으로 장시 발달, 포구와 도시에 시장 형성, 대동법 시행으로 공인 성장, 상평통보를 비롯한 화폐 발행 및 유통

(상평통보: 조선 후기에 전국적으로 유통되어 물품 거래와 조세 납부에 이용되었다.)

(공인: 국가가 필요로 하는 물품을 대량으로 사거나 만들게 하여 상품과 화폐 유통을 활성화하였다.)

(2) 대상인의 등장: 경강상인(한양을 중심으로 쌀·소금 유통 장악), 송상(인삼 판매, 송방 설치, 신용 화폐 이용, 대청·대일 무역 종사), 만상(대청 무역 종사), 내상(대일 무역 종사) 등

(3) 도시의 성장: 18세기 이후 수도 한양(한성)이 인구 30만 명 정도의 상업 중심지로 성장, 강경·송파 등의 포구가 도시로 성장, 전국적인 도시화 경향은 미약

### ★ 3. 에도 시대 상공업과 도시 발달

(1) 상공업의 발달: 채굴·제련 기술의 발달로 광업과 수공업 성장, 전국적인 도로망의 정비로 상업 발달, 전국 단위의 시장 형성

(2) 조닌(상공업자)의 활동

① 조카마치의 성장: 조닌들이 조카마치에 거주하며 영주와 무사에게 물품 공급 → 군사적 목적에서 설립된 조카마치가 상공업 중심지로 성장

(조카마치: 영주의 성을 중심으로 무사, 조닌 등이 거주한 도시로, 정치·경제·문화의 중심지가 되었다.)

② 대상인의 등장: 오사카 상인(쌀 시장 장악)·오미 상인(전국에 지점 설치, 모기장·삼베 취급) 성장, 신흥 상인들이 나카마라는 동업인 조합 결성

(3) 도시의 성장

| | |
|---|---|
| 에도 | 쇼군 거주, 산킨코타이 제도 시행으로 도로망 정비·여관업과 상업 발달, 인구 100만 명이 넘는 대도시로 성장 |
| 오사카 | 바다와 육지가 접해 쌀을 비롯한 전국의 물자 집결 |
| 교토 | 직물·염색·공예 등 전통 산업 발달 |

(산킨코타이 제도: 에도 막부는 다이묘를 통제하기 위해 다이묘로 하여금 일정 기간 에도와 자신의 영지에서 번갈아 근무하도록 하였다.)

## C 서민 문화의 발달

### 1. 명·청의 서민 문화 발달

| | |
|---|---|
| 배경 | • 경제 성장: 도시 인구 증가, 소비문화 발전, 부유한 상공인층이 문화의 주류로 등장<br>• 인쇄술의 발달: 소설·희곡 등 다양한 서적 보급 → 서민의 문화 수준 향상 |
| 내용 | • 문학: 명 대 『수호전』·『서유기』·『금병매』·『삼국지연의』, 청 대 『홍루몽』·『유림외사』 등 대중 소설 유행<br>• 공연 문화: 명 대에 연극 유행 → 청 대에 베이징의 경극과 각 지의 특색을 반영한 지방 연극 발전, 대중 극장 성행<br>• 회화: 서민 화가들이 도시 생활이나 민간 풍속을 묘사한 그림 제작, 정월에 잡귀를 쫓기 위해 집안에 붙여 두는 연화 제작 |

(『홍루몽』: 조설근이 지은 소설로, 남녀의 사랑을 다룬 동시에 청 대 사회를 비판하였다.)

★ 표시는 시험 전에 확인해 주세요.

## ★ 2. 조선 후기의 서민 문화 발달

| | |
|---|---|
| 배경 | 서당을 통한 교육 보급, 사회적·경제적 변화에 따른 신분 구조의 변동, 실학의 유행 → 서민 의식 성장 |
| 내용 | • 문학: 『홍길동전』·『춘향전』 등 한글 소설 유행, 사설시조 등장(서민의 감정을 자유로운 형식으로 표현), 중인들을 중심으로 시사 조직<br>• 공연 문화: 「춘향가」·「심청가」·「흥부가」 등 판소리 유행, 양반층의 위선과 사회 문제점을 풍자한 탈춤 유행<br>• 회화: 서민의 취향을 담은 민화를 그려 생활공간 장식, 풍속화 유행 → 풍속화가로 김홍도(서민의 일상생활 묘사)와 신윤복(도시민과 부녀자의 모습 묘사) 등 활동 |

판소리: 소리꾼이 장터나 부잣집에서 공연하였으며, 서민의 감정을 솔직하게 표현한 것이 특징이다.

## 3. 에도 시대의 조닌 문화 발달

| | |
|---|---|
| 배경 | • 조닌층의 성장: 정치적 안정, 상공업의 발달 → 조닌이 성장하면서 조닌 문화 발달 → 점차 다른 계층으로 확산<br>• 교육과 출판업의 발달: 교육 기관인 데라코야 설립, 19세기 책 대여점 확산 등 → 서민들의 지식 확산 |
| 내용 | • 문학: 남녀의 애정을 주요 소재로 이용, 주로 조닌이 주인공으로 등장(『일본영대장』 등), 일부 조닌과 농민들 사이에 하이쿠(정형시) 확산<br>• 공연 문화: 가부키(노래·춤·연기를 결합한 대중 연극), 분라쿠(전통 인형극) 유행<br>• 회화: 인물·경치·일상생활을 그린 채색 목판화인 우키요에 유행 |

데라코야: 읽기, 쓰기, 셈법 등 초보적인 교육이 이루어졌다.

우키요에: 유럽에 전해져 19세기 인상파 화가들에게 영향을 주었다.

# D 새로운 학문의 발전

## ★ 1. 명·청 대의 학문

(1) 경세치용의 학문 발달: 명 말 관학인 성리학의 교조화, 서양 학문의 유입, 상공업 발달 → 경세치용 추구 → 농학에서 서광계의 『농정전서』, 과학 기술에서 송응성의 『천공개물』, 약학에서 이시진의 『본초강목』 편찬

송응성의 『천공개물』: 모든 산업 부문을 망라한 백과전서이다.

(2) 고증학의 발달

| | |
|---|---|
| 배경 | 고염무·황종희 등을 중심으로 경세치용과 실사구시를 강조하는 학문 경향 대두 |
| 특징 | 유교 경전과 금석문 등을 실증적으로 연구, 청의 『사고전서』·『고금도서집성』 등의 편찬 사업에 힘입어 발전 |
| 영향 | 경학·사학·금석학 등 다양한 학문 발달에 기여, 현실 문제에 대한 학자들의 관심 약화 초래 |

『사고전서』: 청 건륭제는 한인의 반청 사상을 통제하고, 중국 문화의 핵심을 보존하기 위해 책의 편찬을 지시하였다.

**청 대의 고증학 발달**

다만, 그 사건과 흔적의 여부를 상고함에 있어서 …… 기록의 같고 다름 및 보고 들은 것의 어긋남과 합치됨을 하나하나 조목별로 분석하여 의심을 없게 한다. …… 역사를 서술하는 사람이 사실을 기록하고 역사를 읽는 사람이 상고하고 다지는 목적은 모두 거기서 그저 진실을 확인하려는 것이다. – 왕명성, 『십칠사상각』

실사구시적인 학문 방법을 강조하고 있다.

(3) 공양학의 발달: 19세기 서양 세력의 침입과 농민 봉기 등으로 대내외적 위기 직면 → 현실적인 사회 문제에 관심을 기울이는 공양학 발달

공양학: 공자의 『춘추』를 해설한 『공양전』을 중시하였다.

## 2. 조선 후기의 학문

(1) 실학의 발달

| | |
|---|---|
| 배경 | • 성리학의 교조화·형식화: 왜란·호란 이후 예학 발달, 예송 논쟁이 전개되는 과정에서 성리학이 교조화됨<br>• 사회적·경제적 변동: 사회 모순 심화 |
| 주장 | • 농업 중심 개혁론: 토지 제도의 개혁, 자영농 육성을 통한 농민 생활의 안정 강조, 이익·정약용 등 주장<br>• 상공업 중심 개혁론: 상공업 진흥, 청의 선진 문물 수용 강조, 홍대용·박지원·박제가 등 주장 |

(2) 국학의 발달: 실학 발달과 민족의 전통에 대한 관심 증가로 역사·지리·국어 분야의 연구 활발

(3) 양명학의 발달: 17세기에 정제두를 비롯한 소론 학자들이 본격적으로 양명학 연구(실천 강조, 성리학의 교조화 비판)

(4) 서학의 유입과 확산: 연행사를 통해 서학이 전해져 천문학·역법 등에 영향을 줌 → 양반과 중인 중 천주교 신자 증가(평등사상과 제사 거부로 정부의 탄압받음)

천주교: 학문적 관심에서 수용되어 서학으로 불렸으나 점차 신앙으로서 널리 퍼졌다.

## 3. 에도 시대의 학문

(1) 성리학의 관학화: 에도 시대에 성리학이 관학으로 채택, 무사 계급의 주종 관계를 합리화하는 데 이용

(2) 양명학의 발달: 사회 현실과 제도 개혁을 주장하는 실천적 성격의 학문으로 발달, 나카에 도주가 평등 강조(→ 막부 타도를 주장하는 무사들에게 영향을 줌)

(3) 고학과 국학의 발달

| | |
|---|---|
| 고학 | • 성립: 17세기 후반 성리학에 대한 비판 제기<br>• 특징: 공자·맹자 시대 유학으로의 복귀 주장, 실증론적 방법으로 고전 연구, 현실 정치와 사회 문제에 관심 표명, 이토 진사이·오규 소라이 등 주장 |
| 국학 | • 성립: 고학 발달의 영향으로 18세기 후반 등장<br>• 특징: 일본의 역사·신화·문학을 실증적으로 연구(고대 일본 문화의 우수성 강조), 천황에 대한 충성심 강조(→ 에도 시대 말 막부 타도 운동에 영향을 줌), 모토오리 노리나가의 『고사기』 연구 |

모토오리 노리나가의 『고사기』 연구: 일본 고대의 마음·언어·제도 등을 고도라 칭하고 고도의 창시자를 일본 고대의 신들이라 하며 일본 절대 우월주의를 내세웠다.

(4) 난학의 발달

| | |
|---|---|
| 배경 | 나가사키의 네덜란드 상인을 통해 서양의 의학·천문학·언어학 등 수용 |
| 특징 | • 에도 막부가 난학 교습소와 난학 담당 부서 설치<br>• 스기타 겐파쿠가 해부 의학서인 『해체신서』 번역 → 난학이 본격적으로 발전하는 계기가 됨<br>• 서양에 대한 일본인들의 이해 심화, 성리학적 세계관 탈피에 영향을 줌 |

**01** 다음 설명이 맞으면 ○표, 틀리면 ×표를 하시오.

(1) 17세기 이후 동아시아에서는 신대륙 작물이 재배되면서 농업 생산력이 증대되었다. ( )

(2) 명에서 『동의보감』을 비롯하여 여러 의학 서적이 편찬되는 등 의료 기술이 발전하면서 중국의 인구가 증가하였다. ( )

**02** 명 중기 이후 거미줄처럼 연결된 수로를 통해 유통망을 형성하였던 중소 상공업 도시를 일컫는 말은?

**03** 조선 후기 대동법이 시행되면서 국가나 관청에 공물을 조달하였던 상인은?

**04** 에도 시대의 ( )는 영주의 성을 중심으로 무사, 조닌 등이 거주한 마을로 정치·경제·문화의 중심지가 되었다.

**05** 다음에서 설명하는 공연 문화를 〈보기〉에서 골라 기호를 쓰시오.

보기

ㄱ. 경극　　ㄴ. 가부키　　ㄷ. 판소리

(1) 노래·춤·연극을 결합한 일본의 대중 연극이자 종합 예술이다. ( )

(2) 조선 후기에 유행하였으며, 장터·부잣집 등에서 주로 공연되었다. ( )

(3) 중국 베이징 일대의 대중 극장에서 화려하게 분장한 배우들이 공연하였다. ( )

**06** 에도 시대에는 다양한 인물, 경치, 일상생활을 그린 채색 목판화인 ( )가 발달하였다.

**07** 청 대 객관적인 근거를 토대로 유교 경전과 금석문 등을 실증적으로 연구하였던 학문은?

**08** 17세기 정제두를 비롯한 소론 학자들이 중심이 되어 실천을 강조하는 ( )을 연구하였다.

**09** 에도 막부 시기 나가사키의 네덜란드 상인을 통해 서양의 문물이 들어오면서 ( )이 발달하였다.

## A 농업 생산력의 증대와 인구 증가

**01** 다음 탐구 계획서를 낸 학생이 조사할 내용으로 적절하지 않은 것은?

- 탐구 주제: 17~19세기 동아시아의 인구 변화
- 탐구 목적: 17세기 이후 동아시아에서 인구가 증가하게 된 배경을 파악한다.

① 신대륙 작물의 재배
② 우경과 철제 농기구의 보급
③ 시비법의 개선과 농기구 개량
④ 개간과 간척 사업에 따른 경지 면적 증가
⑤ 의학 서적의 보급을 비롯한 의료 기술의 발전

출제가능성 90%

**02** 밑줄 친 '영향'으로 옳은 것을 〈보기〉에서 고른 것은?

유럽인들이 동아시아 교역망에 참여하면서 아메리카가 원산지인 감자, 고구마 등이 동아시아에 소개되었다. 이들 작물의 재배는 동아시아 사회에 큰 영향을 끼쳤다.

보기

ㄱ. 도시의 성장을 지연시켰다.
ㄴ. 식량 증대에 도움을 주었다.
ㄷ. 인구가 증가하는 데 영향을 미쳤다.
ㄹ. 신분 질서가 고착화되는 원인이 되었다.

① ㄱ, ㄴ　② ㄱ, ㄷ　③ ㄴ, ㄷ
④ ㄴ, ㄹ　⑤ ㄷ, ㄹ

**03** 중국에서 다음 현상이 원인이 되어 일어난 일이 아닌 것은?

중국의 인구는 17세기 초반 약 1억 5천만 명이었으나 18세기 후반에는 3억 명을 넘어섰고 19세기 중반에는 약 4억 3천만 명에 달했다.

① 계투가 만연하였다.
② 식량과 경지가 부족해졌다.
③ 일조편법이 전국으로 확대되었다.
④ 비밀 결사와 농민 반란이 자주 일어났다.
⑤ 산간과 변경 지대로 이주하는 사람이 증가하였다.

**04** 조선에서 다음 농법이 전국으로 확산되던 시기 동아시아에서 볼 수 있었던 모습으로 적절한 것은?

① 한국 – 염포의 왜관에서 일본인과 교역하는 상인
② 한국 –『동의보감』의 의학 지식을 공부하는 중인
③ 중국 – 윈강 석굴 사원의 건축에 동원되어 불상을 조각하는 석공
④ 중국 – 정화가 이끄는 함대에 필요한 물품의 목록을 정리하는 관리
⑤ 일본 – 반전수수법의 실시에 따라 국가로부터 받은 토지를 경작하는 농민

**05** 그래프는 일본의 인구 변화를 나타낸 것이다. (가) 시기에 인구 성장이 정체된 이유를 〈보기〉에서 고른 것은?

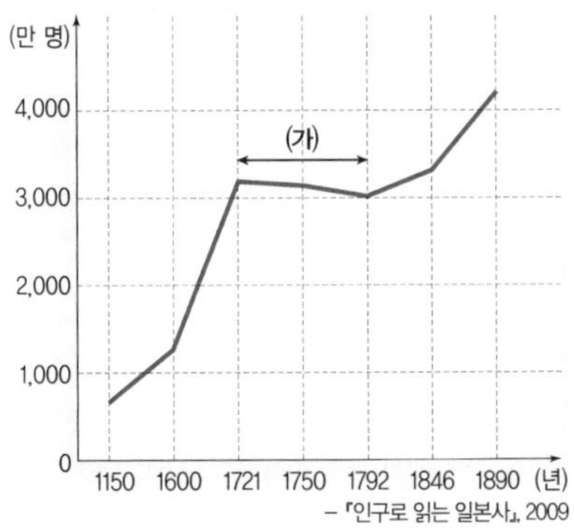

–『인구로 읽는 일본사』, 2009

보기
ㄱ. 다이묘에 의한 조세 수탈이 심화되었다.
ㄴ. 서양과의 교역에서 무역 적자가 늘어났다.
ㄷ. 화산 폭발을 비롯한 자연재해로 흉작이 이어졌다.
ㄹ. 조선 침략을 위한 군사비 지출이 크게 증가하였다.

① ㄱ, ㄴ ② ㄱ, ㄷ ③ ㄴ, ㄷ
④ ㄴ, ㄹ ⑤ ㄷ, ㄹ

## B 상공업의 발달과 도시의 성장

**06** 밑줄 친 '이 시기' 중국의 경제 상황으로 옳은 것은?

<u>이 시기</u> 중국의 강남에서 업종별로 전문화된 상공업 도시인 시진이 증가하였다. 시진은 거미줄처럼 뻗은 수로망을 통해 강남 전체를 하나의 도시처럼 연결하였다.

① 쑤저우가 최대의 상공업 도시로 발달하였다.
② 공인이 등장하여 조정에 필요한 물품을 공급하였다.
③ 상업의 활성화로 지폐인 교초가 대량으로 발행되었다.
④ 조카마치가 정치·경제·문화의 중심지로 발전하였다.
⑤ 상인들은 증명패를 내고 전역에 설치된 역참에서 숙소와 식사, 말을 제공받았다.

출제가능성 90%

**07** 그림이 그려진 시기 동아시아에서 있었던 일로 옳은 것은?

그림은 번화한 쑤저우의 모습을 묘사한 「고소번화도」의 일부이다. 이 시기 중국은 상공업이 발달하여 베이징의 경우 인구 100만 명에 달하는 도시로 성장하였다.

① 한국 – 모내기법이 처음 소개되었다.
② 한국 – 벽란도가 무역의 중심지가 되었다.
③ 중국 – 휘저우 상인이 각지에 회관을 세웠다.
④ 중국 – 색목인이 재정·행정 분야에서 활약하였다.
⑤ 일본 – 명으로부터 책봉을 받은 후 감합 무역을 시작하였다.

**08** 다음 문제의 정답으로 옳은 것은?

Q 다음에서 설명하는 상인은 누구일까요?
단서1: 조선 후기에 활약한 상인이다.
단서2: 대청 무역과 대일 무역에 종사하였다.
단서3: 인삼을 판매하고, 전국에 송방을 설치하였다.

① 공인 ② 만상 ③ 송상
④ 오미 상인 ⑤ 산시 상인

**09** (가), (나)에 들어갈 내용이 옳게 짝지어진 것은?

> 에도 막부 시대의 일본에서는 도시가 눈에 띄는 성장을 하였다. (가) 는 원래 군사적 방어를 목적으로 설립된 도시였으나 점차 제조업, 무역, 상업의 중심지로 성장하였다. (가) 에 상인과 수공업자들인 (나) 이/가 모여들면서 에도 시대 상공업의 발달이 촉진되었다.

| | (가) | (나) | | (가) | (나) |
|---|---|---|---|---|---|
| ① | 데지마 | 조닌 | ② | 데지마 | 다이묘 |
| ③ | 조카마치 | 쇼군 | ④ | 조카마치 | 조닌 |
| ⑤ | 조카마치 | 다이묘 | | | |

출제가능성 90%

**10** 다음 제도의 시행이 일본 사회에 끼친 영향으로 옳은 것은?

> • 다이묘의 처자식은 에도에 항상 머물러야 한다.
> • 모든 다이묘들은 1년마다 교대로 에도와 자신의 영지에서 머물러야 한다.
> • 오고 가는 비용과 에도에서 머무르는 동안의 체류비는 다이묘가 각자 마련하여야 한다.

① 무로마치 막부가 무너졌다.
② 네덜란드를 제외한 유럽 상인과의 교역이 금지되었다.
③ 신패를 소지하지 않은 외국 상인들의 나가사키 입항이 금지되었다.
④ 전국에서 에도로 가는 도로를 중심으로 여관업과 상업이 발달하였다.
⑤ 막부에 불만을 품은 하급 무사들에 의해 막부를 타도하자는 운동이 일어났다.

## C 서민 문화의 발달

**11** 다음에서 설명하는 공연 예술을 쓰시오.

> • 200여 년 전에 중국 각지에서 발달한 다양한 극이 베이징에서 상연된 것에서 유래하였다.
> • 화려한 의상과 섬세한 손동작, 간드러진 목소리와 현란한 무예, 기괴한 얼굴 분장과 조형미 넘치는 소품 등을 특징으로 한다.

**12** 다음과 같은 현상이 나타나게 된 공통적인 배경으로 옳은 것은?

> • 조선에서는 향촌 사회에 서당이 널리 지어져 초등 수준의 교육을 담당하였다.
> • 일본에서는 데라코야라고 불리는 교육 기관에서 글쓰기, 읽기, 셈하기 등을 가르쳤다.

① 사대부층이 지배 계층으로 새롭게 등장하였다.
② 상공업이 발달하면서 서민 계층의 경제력이 크게 향상되었다.
③ 산업화와 도시화에 따라 숙련된 기능공에 대한 수요가 늘어났다.
④ 서구 사상이 유입되면서 의무 교육에 대한 사회적 관심이 높아졌다.
⑤ 성리학적 통치 이념에 대한 체계적인 이해가 하층민에게까지 요구되었다.

**13** 다음에서 설명하는 작품을 (가)~(마)에서 옳게 고른 것은?

> 조설근이 지은 소설로, 동아시아의 대표적인 서민 문학 작품으로 꼽힌다. 남녀의 사랑을 다룬 동시에 청 대의 다양한 사회 모습과 이에 대한 비판이 담겨 있어 대중에게 널리 읽혔다.

| | | | | | | |
|---|---|---|---|---|---|---|
| 산 | (가) 홍 | (나) 유 | 림 | 외 | 사 | 농 |
| 킨 | 루 | 슈 | 인 | 장 | 에 | 가 |
| 코 | 몽 | 산 | 시 | 상 | 인 | 집 |
| 타 | (다) 삼 | 국 | 지 | 연 | 의 | 성 |
| 이 | 조 | 카 | 마 | 치 | (마) 금 | 가 |
| 제 | (라) 홍 | 길 | 동 | 전 | 병 | 부 |
| 도 | 에 | 도 | 막 | 부 | 매 | 키 |

① (가) ② (나) ③ (다) ④ (라) ⑤ (마)

출제가능성 90%

**14** 다음과 같은 공연 작품이 등장한 시기의 문화에 대한 설명으로 옳지 않은 것은?

> • 말뚝이: 양반 나오신다. 양반이라고 하니까 노론, 소론, 이조, 호조, 병조, 옥당을 다 지내고, 삼정승 육판서를 다 지낸 퇴로 재상으로 계신 양반으로 알지 마시오. 개 잘량이라는 '양'자에 개다리소반이라는 '반'자를 쓰는 양반이 나오신단 말이오.
> • 양반: 아니 이놈이, 뭐라고!

① 『무구정광대다라니경』이 간행되었다.
② 『홍길동전』, 『춘향전』 등의 한글 소설이 유행하였다.
③ 중인들을 중심으로 문학인 모임인 시사가 조직되었다.
④ 양반층의 위선과 사회 문제점을 풍자한 탈춤이 인기를 얻었다.
⑤ 서민의 감정을 자유로운 형식으로 표현한 사설시조가 등장하였다.

**15** 전시회에서 볼 수 있는 작품으로 적절하지 않은 것은?

> **[특별 전시] 17～19세기 동아시아 회화전**
> 17～19세기 동아시아의 서민들은 귀신을 쫓고 복을 기원하는 내용뿐만 아니라 일상생활의 모습, 풍속을 소재로 한 다양한 그림을 그렸습니다. 이러한 그림들은 서민의 의례 용도나 실내 장식 용도 등으로 사용되었습니다. 이번 전시회에서는 이 시기 동아시아의 회화를 살펴볼 수 있습니다.
> • 일시: ○○월 ○○일～○○월 ○○일
> • 장소: ○○○○ 박물관

① 
② 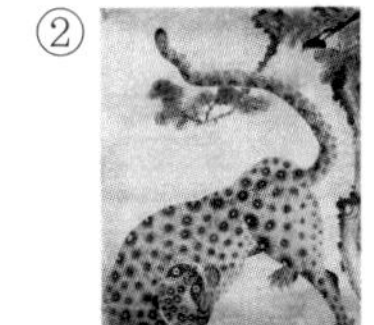
③ 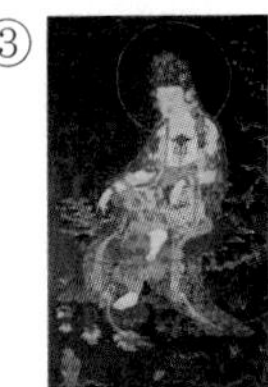
④ 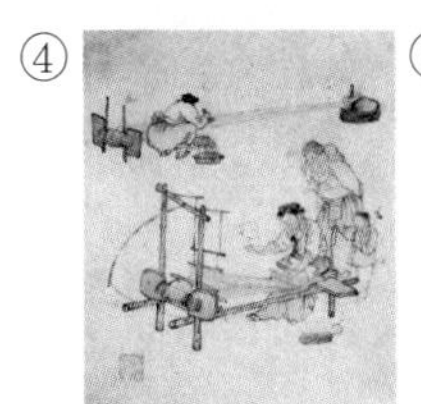
⑤ 

**16** 다음 내용을 뒷받침하는 사례를 〈보기〉에서 고른 것은?

> 에도 시대에는 상공업의 발전으로 조닌이 성장하여 특유의 문화를 발전시켰다. 이들은 여가를 활용하여 문학과 연극, 그림 등의 예술을 즐겼다.

보기

ㄱ. 사회 문제를 비판한 『유림외사』가 인기를 얻었다.
ㄴ. 서민의 감정을 표현한 판소리가 널리 공연되었다.
ㄷ. 대중 연극인 가부키, 인형극인 분라쿠가 유행하였다.
ㄹ. 다양한 인물, 경치 등을 그린 우키요에가 제작되었다.

① ㄱ, ㄴ ② ㄱ, ㄷ ③ ㄴ, ㄷ
④ ㄴ, ㄹ ⑤ ㄷ, ㄹ

## D 새로운 학문의 발전

**17** 다음과 같은 탐구 방법이 등장하게 된 배경으로 옳은 것은?

> 기록의 같고 다름 및 보고 들은 것의 어긋남과 합치됨을 하나하나 조목별로 분석하여 의심을 없게 한다. …… 역사를 서술하는 사람이 사실을 기록하고 역사를 읽는 사람이 상고하고 다지는 목적은 모두 거기서 그저 진실을 확인하려는 것이다.

① 실사구시적인 학문 경향이 나타났다.
② 법가를 바탕으로 통치 질서가 정비되었다.
③ 동중서의 건의로 유학의 지위가 향상되었다.
④ 예송 논쟁의 전개 과정에서 성리학이 교조화되었다.
⑤ 서양 세력의 침입과 농민 봉기로 위기를 맞이하였다.

**18** (가)에 들어갈 학문이 끼친 영향으로 옳은 것은?

> 명 말기의 고염무, 황종희 등은 경세치용과 실사구시의 입장에서 학문을 연구하였는데, 이러한 학풍이 청 대에 (가) 의 발달에 영향을 주었다. (가) 은/는 유교 경전과 금석문 등을 실증적으로 연구하였다.

① 평등사상이 확산되었다.
② 과거 시험에 전시가 도입되었다.
③ 사대부가 지배층으로 성장하였다.
④ 사상 통제를 위한 분서갱유가 일어났다.
⑤ 『고금도서집성』, 『사고전서』 등 대규모 편찬 사업이 이루어졌다.

**19** 다음 서적이 출간된 당시 동아시아의 학문 발달에 대한 설명으로 옳지 않은 것은?

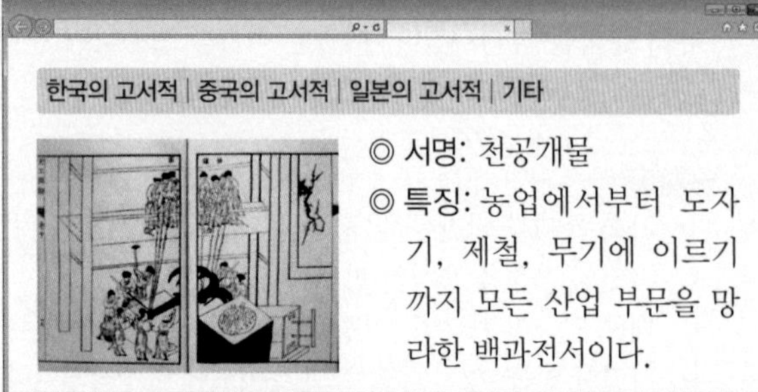


◎ 서명: 천공개물
◎ 특징: 농업에서부터 도자기, 제철, 무기에 이르기까지 모든 산업 부문을 망라한 백과전서이다.

① 한국 – 국학이 발달하였다.
② 한국 – 실학자들이 사회 모순의 개혁을 주장하였다.
③ 중국 – 엄격한 증거를 중시하는 고증학이 발달하였다.
④ 일본 – 다이카 개신이 이루어지자 중앙에 대학(료)를 세워 유학을 교육하였다.
⑤ 일본 – 네덜란드를 통해 의학, 천문, 역법, 무기 등의 서양 학문이 유입되었다.

**20** (가), (나) 주장이 대두한 공통된 배경으로 가장 적절한 것은?

> (가) 나의 저술 의도는 주자의 해석과 다른 설을 제기하는 것이 아니고 의문 생기는 점을 기록했을 뿐이다. 그런데 송시열은 나를 이단이라고 배척하였다. 그의 학문은 전혀 의심하지 않고 주자의 가르침이라면 덮어놓고 의론을 용납하지 않는다.
> (나) 송 대의 성리학자가 말하는 '이(理)라는 근원적인 실재가 있고 난 뒤에 기(氣)가 있다. 천지가 존재하기 전에 이(理)가 있었다.' 등의 학설은 모두 억측이다. 이는 뱀에 다리를 그려 넣거나 머리 위에 이게 하는 것으로, 실제로 보고 얻은 사실이 아니다.

① 율령격식의 법 체계가 완성되었다.
② 서양 선교사들에 의해 크리스트교가 전해졌다.
③ 대중의 구제를 강조한 불교 종파가 유행하였다.
④ 성리학이 교조화되어 사회 변화에 대응하지 못하였다.
⑤ 부국강병을 이루기 위한 다양한 사상가가 등장하였다.

**21** 다음 글을 쓴 학자에 대한 설명으로 옳지 않은 것은?

> 재물은 우물과도 같아 퍼서 쓰면 쓸수록 가득 채워지는 것이고, 버려두면 말라버린다. 비단을 입지 않아서 비단 짜는 사람이 없어지면 길쌈질이 쇠퇴하고, …… 기예도 없어지는 것이다.

① 북학파라고 불린 실학 사상가이다.
② 상공업 발달의 중요성을 강조하였다.
③ 성리학의 교조화와 형식화에 반발하였다.
④ 청의 선진 문물을 수용할 것을 주장하였다.
⑤ 이익, 정약용과 함께 토지 제도의 개혁을 강조하였다.

**22** 다음과 같이 주장한 학문에 대한 설명으로 옳은 것은?

> 아마테라스 오미카미(일본의 태양신)는 우주 사이에서 견줄 바 없는 존재로서, 크리스트교의 하나님이나 유교의 천명도 이에 미치지 못한다. 아마테라스가 태어난 일본은 만국의 중심이 되는 나라이고, 그 후손인 천황의 대군주로서의 지위는 불변하다. – 모토오리 노리나가, 『고사기전』

① 에도 시대에 관학으로 채택되었다.
② 사회 현실과 제도 개혁을 주장하였다.
③ 고대 일본 문화의 우수성을 강조하였다.
④ 공자·맹자 시대 유학으로의 복귀를 주장하였다.
⑤ 무사의 주종 관계를 합리화하는 데 이용되었다.

출제가능성 90%

**23** 다음 서적이 출간된 배경으로 가장 적절한 것은?

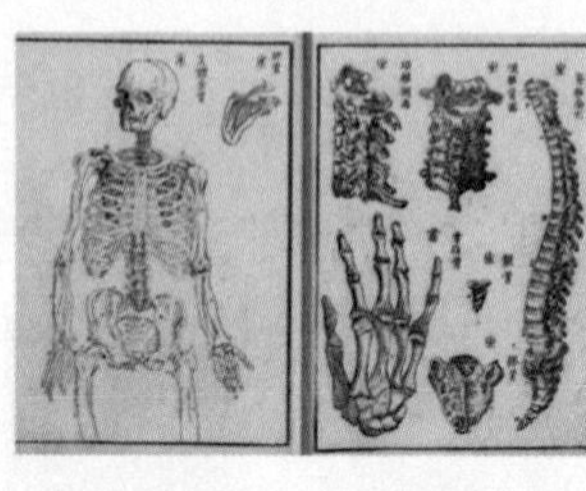

『해체신서』는 스기타 겐파쿠가 주도하여 서양 책을 일본어로 번역한 해부 의학서이다. 번역 과정에서 신경, 연골 등의 단어가 만들어졌다.

① 성리학이 지배층의 윤리로 자리 잡았다.
② 한반도를 통하여 벼농사 기술이 도입되었다.
③ 『동의보감』이 전해져 일본 의학 발달에 영향을 주었다.
④ 네덜란드의 상인들을 통해 들어온 서양 문물에 의해 난학이 발달하였다.
⑤ 다이카 개신이 일어나면서 중앙 집권적인 통치 체제를 확립하고자 하였다.

정답과 해설 19쪽

최고난도

**01** 17~19세기 동아시아의 인구 변동을 나타낸 그래프를 보고 학생들이 나눈 대화 내용 중 옳지 않은 것은?

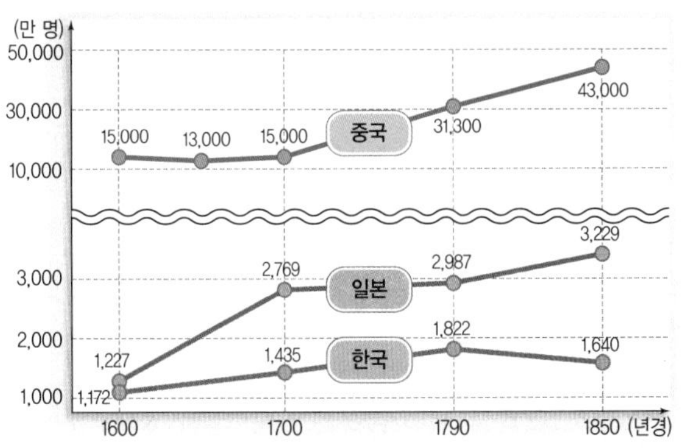


① 갑: 농업 생산력이 증대되면서 인구가 전반적으로 늘어났어.
② 을: 신대륙 작물이 재배된 것도 인구 증가와 밀접한 관련이 있어.
③ 병: 동아시아 삼국에서 모두 새로운 왕조가 출현하면서 인구 변동에 영향을 주었지.
④ 정: 일본에서 18세기경 인구 증가가 정체된 것은 자연재해로 인한 대기근이 원인이기도 해.
⑤ 무: 중국에서 『본초강목』, 조선에서 『동의보감』 등의 의학 서적이 보급되면서 사망률이 낮아졌어.

**02** 다음 신문 기사가 제작될 당시 동아시아의 경제에 대한 설명으로 옳지 않은 것은?

역사 신문 16○○. ○○. ○○

상평통보, 경제의 활성화를 가져오다

조선 정부가 발행한 상평통보가 상품 화폐 경제 발달을 촉진시키고 있다. 상평통보는 이전에 발행된 화폐들과 달리 전국적으로 유통되면서 물품 거래를 비롯한 조세 납부에도 이용되고 있다.

① 일본에서는 상공업자인 조닌이 성장하였다.
② 동아시아에서 은을 매개로 하는 교역망이 형성되었다.
③ 명이 해금 정책을 펼치면서 상인의 활동이 위축되었다.
④ 조선에서는 장시가 발달하여 그 수가 크게 증가하였다.
⑤ 중국 쑤저우의 견직물과 징더전의 도자기가 각국의 상인들에게 각광을 받았다.

2018 평가원 응용

**03** 밑줄 친 '막부' 시기에 동아시아에서 볼 수 있었던 모습으로 적절하지 않은 것은?

> 오랜 흉년으로 오사카의 시장에서 쌀 거래 가격이 급등하였고, 쌀이 유입되는 양도 크게 줄어들었습니다. 기아를 견디다 못한 조닌들이 매점매석으로 폭리를 취하는 쌀 상인들을 공격하는 소동을 일으키고 있습니다. 부디 <u>막부</u>의 쇼군께서는 이번 덴메이 대기근에 대한 대책을 마련하여 주시기 바랍니다.

① 한국 – 민화를 그려 집안을 장식하는 여성
② 한국 – 주자감에서 유학 교육을 받는 남성
③ 중국 – 대중 극장에서 경극을 관람하는 남성
④ 일본 – 상점에서 우키요에를 구입하는 수공업자
⑤ 일본 – 서양의 서적을 일본어로 번역하는 난학자

## 서술형 문제

**04** 다음은 에도 시대 히메지번의 구조를 나타낸 것이다. 이를 보고 물음에 답하시오.

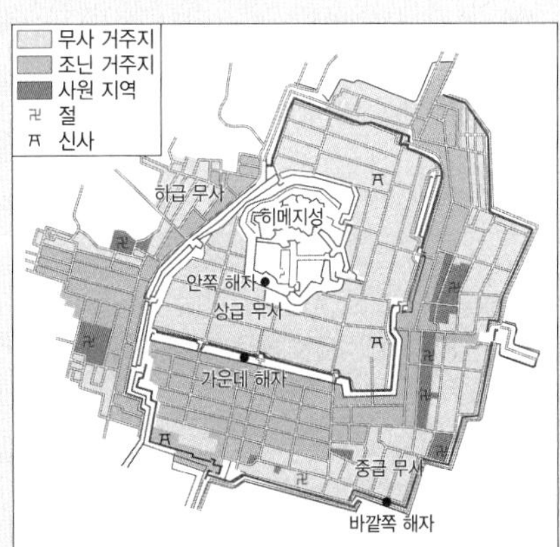


(1) 에도 시대에 위와 같이 형성된 도시를 일컫는 명칭을 쓰시오.

(2) (1)이 상공업의 중심지로 성장하게 된 이유를 서술하시오.

# 01 새로운 국제 질서와 근대화 운동

## A 동아시아 각국의 개항

### ★ 1. 아편 전쟁과 청의 개항

(1) 청과 영국의 무역: 편무역(차, 도자기 등 중국 물품의 구매량 증가로 영국의 무역 적자 심화) → 삼각 무역(영국이 인도산 아편을 청에 밀수출 → 은 유출 증가로 청의 재정 상황 악화, 아편 중독자 증가)

(2) 아편 전쟁의 전개

청은 추가 조약을 통해 영국의 영사 재판권과 최혜국 대우를 인정하고, 조계를 설정해 주었다.

|  |  |
|---|---|
| 제1차 아편 전쟁 (1840～1842) | 청 정부의 아편 단속(임칙서의 아편 몰수, 영국 상인 추방) → 영국의 청 침략 → 난징 조약 체결(1842, 상하이 등 5개 항구 개항·홍콩 할양·공행 폐지·관세 자주권 상실 등) |
| 제2차 아편 전쟁 (1856～1860) | 청이 영국의 무역 확대 요구 거절 → 영국과 프랑스 연합군의 청 침략 → 베이징 점령 → 톈진 조약과 베이징 조약 체결(1860, 추가 개항·외국 영사의 베이징 주재 허용, 크리스트교 포교 인정 등) |

### 2. 일본의 개항

(1) 배경: 17세기 이후 청, 네덜란드와의 제한적 무역 허용 → 아편 전쟁에서 청이 패한 소식을 접한 에도 막부의 쇄국 정책 완화, 미국이 페리 제독을 파견해 개항 요청

(2) 경과: 미국 페리 함대의 무력시위에 굴복하여 미·일 화친 조약 체결(1854, 2개 항구 개항·최혜국 대우 규정) → 미·일 수호 통상 조약 체결(1858, 추가 개항·영사 재판권 인정, 협정 관세 도입 등)

시모다와 하코다테 이외에 가나가와, 나가사키, 니가타, 효고의 개항이 결정되었다.

### 3. 조선과 베트남의 문호 개방

|  |  |
|---|---|
| 조선 | 고종의 친정 이후 통상 개화에 대한 관심 증대 → 일본이 운요호 사건(1875)을 빌미로 조선에 개항 강요 → 강화도 조약 체결(1876, 부산·인천·원산의 3개 항구 개항, 해양 측량권·영사 재판권 허용 등) |
| 베트남 | 프랑스가 가톨릭 선교사 박해를 구실로 베트남 침략 → 제1차 사이공 조약 체결(1862, 선교의 자유 인정·영토 할양·항구의 개항·배상금 지급 등) |

**동아시아 각국의 개항과 근대적 조약**

- 영국 국민이 가족이나 하인을 데리고 광저우, 아모이, 푸저우, 닝보, 상하이에서 박해나 구속을 받지 않고 상업에 종사하기 위해 자유롭게 거주하는 것을 보장한다. – 난징 조약
- 일본에 수출입하는 모든 상품들은 미국과 일본 정부가 협의하여 정한 세율에 따라 일본 정부에 관세를 납부한다. – 미·일 수호 통상 조약
- 일본국 인민이 조선국 항구에서 죄를 지었거나 조선국 인민에게 관계되는 사건은 모두 일본국 관원이 심판한다. – 강화도 조약(조·일 수호 조규)

## B 근대화 운동의 전개

### 1. 청의 근대화 운동

(1) 태평천국 운동(1851～1864): 배상제회를 중심으로 한 홍수전의 주도 → 청 왕조 타도(멸만흥한), 토지 균분을 내세우며 태평천국 건설 → 외국 군대, 한인 관료, 신사층에 진압됨

(2) 양무운동(1861～1894)

|  |  |
|---|---|
| 배경 | 아편 전쟁의 패배와 태평천국 운동으로 위기감 고조 |
| 주도 | 증국번, 이홍장 등 한인 관료층 |
| 내용 | 중체서용을 내세워 근대적 군수 공장 설립, 서양식 해군 창설, 근대적 기업 설립 추진 등 |
| 한계 | 의식이나 제도 개혁 미비, 청·일 전쟁의 패배로 한계 노출 |

중국의 전통을 근본으로 삼고 서양의 기술만 받아들이자는 이념이다.

### ★ 2. 일본의 메이지 유신

천황을 받들고 서양 세력을 내쫓자는 주장이다.

(1) 에도 막부의 붕괴: 하급 무사 중심의 반막부 세력이 존왕양이 운동 전개 → 막부의 탄압 → 반막부 세력이 막부 타도 이후 천황을 중심으로 메이지 정부 수립(1868, 메이지 유신)

(2) 메이지 정부의 개혁: 문명개화론에 입각한 부국강병 목표 → 폐번치현 단행(중앙 집권 체제 확립), 징병제 실시(근대적 군사 제도 마련), 신분제 폐지(사민평등 실현), 근대적인 토지세 제도 확립, 식산흥업 정책 추진, 소학교 의무 교육 실시, 이와쿠라 사절단 파견 등

불평등 조약을 개정하고자 미국과 유럽에 파견하였다.

(3) 메이지 정부의 대외 침략: 개혁 추진 과정에서 농민층과 무사층의 불만 발생 → 대외 침략으로 불만 해소 시도(정한론 대두, 타이완 침공, 류큐 병합)

### 3. 조선의 개화 정책 추진

(1) 개화 정책의 추진과 반발

조선의 성리학적 전통 질서를 지키고 성리학 이외의 모든 사상과 서양 세력을 배척하는 운동이다.

| 개화 정책의 추진 | ➡ | 개화 정책에 대한 반발 |
|---|---|---|
| 통리기무아문 설치, 별기군 창설, 수신사·조사 시찰단(일본)과 영선사(청) 파견 | | 유생들이 위정척사 운동 전개, 임오군란 발발(1882, 구식 군인들의 봉기) |

(2) 개화 세력 분화: 청의 양무운동을 본받아 서양의 과학 기술을 수용하려는 온건 개화파와 일본의 메이지 유신을 본떠 근대 사상과 제도를 적극 수용하려는 급진 개화파로 분화

(3) 갑신정변과 갑오·을미개혁

청에 대한 사대 폐지, 신분제 폐지, 조세 제도 개혁 등의 내용이 담겨 있다.

|  |  |
|---|---|
| 갑신정변 (1884) | 김옥균, 박영효 등 급진 개화파 주도 → 개혁 정강 14개조 발표 → 청의 개입으로 3일 만에 실패 → 청의 내정 간섭 심화, 조선의 근대화 정책 위축 |
| 갑오·을미개혁 (1894～1895) | 왕실과 정부 사무 분리, 근대적 내각제 수립, 신분제 폐지, 각종 폐습 타파, 태양력과 단발령 시행 등 → 을미사변 발발, 의병 봉기, 아관 파천에 따른 개혁 중단 |

정답과 해설 20쪽

★ 표시는 시험 전에 확인해 주세요.

## C 국민 국가 수립을 위한 노력

### 1. 자유 민권 운동과 대일본 제국 헌법 제정

(1) 자유 민권 운동의 전개(1870년대): 서양식 의회 설치와 헌법 제정 요구 → 메이지 정부의 탄압과 회유

(2) 입헌 체제의 완성

① 대일본 제국 헌법 제정(1889, 메이지 헌법): 입헌 군주제 규정, 군 통수권과 입법권을 천황에게 부여

• 천황을 신성 불가침한 존재로 규정하였다.

② 제국 의회 설립(1890): 중의원 선거를 통해 의회 개설

### 2. 독립 협회의 활동과 대한 제국 수립

(1) 독립 협회

• 개혁적 관리와 학생, 시민이 함께 참석한 관민 공동회에서 헌의 6조가 결의되었다.

|  |  |
|---|---|
| 창립 | 서재필을 중심으로 한 개화 지식인들이 『독립신문』을 창간하고 독립 협회 창설(1896) |
| 활동 | 만민 공동회 개최, 이권 수호·의회 설립 운동 추진, 헌의 6조 결의 |
| 해산 | 보수 세력의 모함으로 해산(1899) |

(2) 대한 제국과 광무개혁

• 을미사변으로 일본의 위협을 느낀 고종이 아관 파천을 단행하였다가 1년 만에 환궁하였다.

① 대한 제국의 수립: 고종이 대한 제국의 수립 선포(1897), 대한국 국제 반포(1899, 모든 권한이 황제에게 집중)

② 광무개혁 추진: 구본신참에 입각한 근대적 개혁 추진 → 식산흥업 정책 추진(→ 근대적 시설 마련), 근대 학교 수립, 외국에 유학생 파견 등

### ★ 3. 변법자강 운동과 신해혁명

(1) 변법자강 운동(1898)

• 변법파는 일본의 메이지 유신을 모델로 하여 입헌 군주제를 목표로 의회 제도 도입 등을 주장하였다.

|  |  |
|---|---|
| 주도 | 캉유웨이, 량치차오 등 |
| 내용 | 입헌 군주제 도입, 과거제 폐지, 신교육 실시, 상공업 진흥 등 |
| 한계 | 서태후를 비롯한 보수파의 반발로 100여 일 만에 실패 |

(2) 신정 실시와 입헌 노력

① 청 정부의 신정 추진: 정치·경제·군사·사회 등의 분야에서 서구화·근대화를 도모하는 개혁 추진 → 일본에 유학생과 관리 파견, 신식 군대 창설, 과거제 폐지 등 단행

② 입헌 운동 전개: 량치차오 등 입헌파의 입헌 군주제 시행 주장 → 청 정부가 흠정헌법 대강 공포(1908), 의회 설립 추진 → 황족 중심의 내각 구성으로 한계를 나타냄

(3) 신해혁명(1911)

|  |  |
|---|---|
| 배경 | 쑨원 중심의 혁명파가 청 왕조 타도와 공화정 수립 주장 |
| 전개 | 우창에서 신군의 봉기 → 각 성의 독립 선언 → 중화민국 수립(1912, 공화제 채택), 임시 대총통에 쑨원 취임 |
| 결과 | 청 왕조 멸망, 공화정 시행 조건으로 위안스카이가 임시 대총통에 취임 → 위안스카이의 제정 부활 시도, 실패 |

**01** 다음은 동아시아 각국의 개항을 정리한 표이다. ㉠~㉣에 들어갈 내용을 각각 쓰시오.

| 국가 | 대상국 | 시기 | 계기 | 조약명 |
|---|---|---|---|---|
| 청 | 영국 | 1842년 | ㉠ | 난징 조약 |
| 일본 | 미국 | 1854년 | 페리의 무력시위 | ㉡ |
| 조선 | ㉢ | 1876년 | 운요호 사건 | 강화도 조약 |
| ㉣ | 프랑스 | 1862년 | 프랑스의 침략 | 제1차 사이공 조약 |

**02** 미·일 수호 통상 조약의 내용을 〈보기〉에서 골라 기호를 쓰시오.

보기

ㄱ. 공행 폐지　　ㄴ. 홍콩 할양

ㄷ. 협정 관세 도입　　ㄹ. 영사 재판권 인정

**03** 이홍장, 증국번 등 청의 한인 관료들이 중체서용의 원칙에 입각하여 추진한 근대화 운동은?

**04** 1868년 일본에서 막부를 타도하고 천황 중심의 신정부를 수립한 사건은?

**05** 조선의 급진 개화파는 1884년 (　　　)을 일으켜 청에 대한 사대 폐지, 조세 제도의 개혁 등을 주장하였다.

**06** 일본에서는 1870년대부터 서양식 의회 설치와 헌법 제정을 요구하는 (　　　)이 전개되었다.

**07** 다음 설명이 맞으면 ○표, 틀리면 ×표를 하시오.

(1) 메이지 정부는 자유 민권 운동을 지지하였다. (　　)

(2) 광무개혁은 구본신참에 입각하여 추진된 근대적 개혁이다. (　　)

(3) 양무운동은 서태후를 비롯한 보수파의 반발로 100여 일 만에 실패하였다. (　　)

(4) 흠정헌법 대강은 중화민국 수립 이후에 공포되었다. (　　)

## A 동아시아 각국의 개항

출제가능성 90%

**01** ㈎에 들어갈 전쟁의 결과로 옳은 것은?

> 영국은 인도산 아편을 구입하여 청에 밀수출하는 정책을 폈다. 이로 인해 청에서는 아편 중독자가 급증하고, 다량의 은이 해외로 유출되어 재정난이 발생하였다. 이에 청 정부는 임칙서를 광저우에 보내 아편을 몰수하고 단속을 강화하였다. 그러자 영국은 이를 구실로 함대를 파견하여 [ ㈎ ]을/를 일으켰다.

① 공행이 폐지되었다.
② 신축 조약이 체결되었다.
③ 청이 타이완을 할양하였다.
④ 변법자강 운동이 전개되었다.
⑤ 베이징에 외국 군대가 주둔하였다.

**02** 밑줄 친 '이 조약'에 대한 설명으로 옳은 것은?

> 사진은 이 조약 체결 100주년을 기념하여 일본에서 발행된 우표이다. 이 조약의 체결로 미국은 일본과 협정에 의한 관세를 지불하고 자유롭게 무역할 수 있게 되었다.

① 홍콩 할양을 명시하였다.
② 해양 측량권 허용을 포함하였다.
③ 운요호 사건을 구실로 체결되었다.
④ 미국의 영사 재판권 승인을 규정하였다.
⑤ 자유 민권 운동이 추진되는 계기가 되었다.

**03** 다음 조약에 대한 설명으로 옳은 것은?

> 제1관 조선국은 자주국이며 일본국과 평등한 권리를 갖는다.
> 제4관 조선국은 부산 이외에 두 곳의 항구를 개항하고 일본인이 왕래 통상함을 허락한다.
> 제10관 일본국 인민이 조선국 항구에서 죄를 지었거나 조선국 인민에게 관계되는 사건은 모두 일본국 관원이 심판한다.

① 최혜국 대우를 규정하였다.
② 영토의 할양 규정이 포함되었다.
③ 러시아가 조약 중재를 담당하였다.
④ 애로호 사건을 계기로 체결되었다.
⑤ 상대국에 해양 측량권을 인정하였다.

**04** 동아시아 각국의 개항과 관련하여 신문 기사를 작성할 때, 그 제목으로 적절하지 않은 것은?

① 조선, 강화도 조약으로 문호를 개방하다
② 베트남, 영국과 제1차 사이공 조약을 체결하다
③ 미국, 페리 함대를 파견해 일본에서 무력시위 벌여
④ 영국과 프랑스, 애로호 사건을 빌미로 청을 공격하다
⑤ 두 차례의 아편 전쟁, 중국 중심의 국제 질서를 크게 흔들다

## B 근대화 운동의 전개

**05** 밑줄 친 '봉기'에 대한 설명으로 옳은 것을 〈보기〉에서 고른 것은?

> 난징 조약의 체결 이후 청에서는 전쟁 비용 처리와 배상금 지불로 인해 백성의 조세 부담이 높아졌다. 이러한 상황에서 홍수전은 배상제회를 조직하여 봉기를 일으켰다.

보기
ㄱ. 부청멸양을 내세웠다.
ㄴ. 토지 균등 분배를 주장하였다.
ㄷ. 서양식 의회 설치를 요구하였다.
ㄹ. 한인 의용군과 서구 열강에 의해 진압되었다.

① ㄱ, ㄴ ② ㄱ, ㄷ ③ ㄴ, ㄷ
④ ㄴ, ㄹ ⑤ ㄷ, ㄹ

## 06 자료와 관련된 운동에 대해 학생들이 나눈 대화 내용으로 옳은 것은?

당시 세워진 근대 시설들

금릉 기기국의 모습

① 갑: 부청멸양을 내세웠어.
② 을: 의회 설립을 추진하였어.
③ 병: 메이지 유신을 모델로 하였어.
④ 정: 중체서용을 기반으로 전개되었어.
⑤ 무: 서태후 등 보수파의 반발로 실패하였어.

출제가능성 90%

## 07 (가) 시기 일본에서 일어난 일로 옳은 것은?

미·일 화친 조약이 체결되었다.
⬇
(가)
⬇
천황을 중심으로 한 메이지 정부가 수립되었다.

① 제국 의회가 설립되었다.
② 존왕양이 운동이 전개되었다.
③ 자유 민권 운동이 시작되었다.
④ 대일본 제국 헌법이 제정되었다.
⑤ 소학교 의무 교육제가 도입되었다.

## 08 밑줄 친 '신정부'가 추진한 일로 옳지 않은 것은?

그림은 일본에서 수립된 신정부가 지방의 번을 폐지하고 현을 설치한 뒤 중앙 정부에서 관리를 보내 통치한다는 조서를 공포하는 모습을 표현한 것이다.

① 신분제를 폐지하였다.
② 징병제를 실시하였다.
③ 도쿄로 수도를 옮겼다.
④ 식산흥업 정책을 추진하였다.
⑤ 미·일 화친 조약을 체결하였다.

## 09 다음 사절단의 공통점으로 가장 적절한 것은?

이와쿠라 사절단

제1차 수신사

① 청으로 파견되었다.
② 근대 문물을 시찰하였다.
③ 에도 막부가 주도하여 파견하였다.
④ 통상 조약을 개정하기 위해 노력하였다.
⑤ 귀국 후 미국과의 통상 조약을 추진하였다.

## 10 다음 사건에 대한 탐구 활동으로 가장 적절한 것은?

임오군란 이후 청의 내정 간섭과 더딘 개혁에 불만을 가졌던 급진 개화파는 정변을 일으켜 개혁을 추진하였다. 그러나 보수 세력의 반발과 청군의 개입으로 실패하였다.

① 단발령 시행이 미친 영향을 살펴본다.
② 아관 파천이 단행된 배경을 알아본다.
③ 대한국 국제가 지닌 성격을 분석한다.
④ 개혁 정강 14개조의 내용을 확인한다.
⑤ 독립 협회가 강제 해산된 이유를 찾아본다.

## 11 다음 상황이 전개되던 시기에 동아시아에서 볼 수 있었던 모습으로 적절한 것은?

단발령이 내리자, 통곡 소리가 진동하고 사람마다 분노가 치밀어 억장이 무너졌으며 형세가 금방 변란이라도 일어날 것 같았다. 왜인들은 군대를 엄히 단속하며 대기하고 있었다. 경무사 허진은 순검들을 거느린 채 칼을 차고 길을 막고 있다가 만나는 사람마다 단발을 시행하였다.

–『매천야록』

① 한국 – 태양력 사용을 권고하는 관료
② 한국 – 전주에서 화약을 체결하는 농민군
③ 중국 – 우창에서 신군 봉기에 참여하는 청년
④ 중국 – 부청멸양의 구호를 내걸고 시위하는 단원
⑤ 일본 – 미국과 화친 조약을 체결하는 막부의 책임자

## C 국민 국가 수립을 위한 노력

출제가능성 90%

**12** 다음 주장에 따라 추진된 운동에 대한 설명으로 옳은 것은?

> 천하에 공의를 떨친다는 것은 백성이 뽑은 의원을 설립하는 길밖에 없습니다. …… 지금 민선 의원을 설립한다면 정부와 인민 사이에 소통이 되고 서로 일체가 되어 국가가 강하게 될 것입니다. - 「민선 의원 설립 건백서」

① 청·일 전쟁을 계기로 시작되었다.
② 메이지 헌법 제정에 영향을 주었다.
③ 공화 정체의 국가 수립을 목표로 하였다.
④ 변법자강 운동의 영향을 받아 추진되었다.
⑤ 구본신참에 입각한 근대 개혁적 성격을 띠었다.

**13** (가)에 들어갈 내용으로 옳지 않은 것은?

① 헌의 6조를 결의하였어.
② 이권 수호 운동을 벌였어.
③ 의회 설립 운동을 추진하였어.
④ 토론회와 강연회를 개최하였어.
⑤ 대한국 국제의 제정을 요구하였어.

주관식

**14** (가)에 들어갈 청의 근대화 운동을 쓰시오.

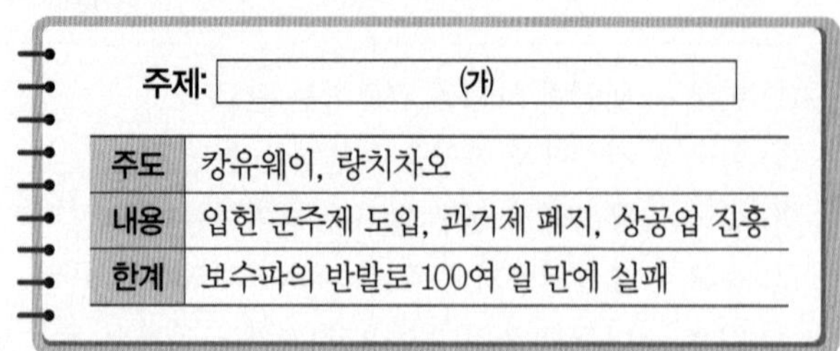

주제: (가)

| | |
|---|---|
| 주도 | 캉유웨이, 량치차오 |
| 내용 | 입헌 군주제 도입, 과거제 폐지, 상공업 진흥 |
| 한계 | 보수파의 반발로 100여 일 만에 실패 |

**15** 다음 헌법을 발표한 정부가 한 일로 옳은 것은?

> 제2조 대한 제국의 정치는 만세불변할 전제 정치이다.
> 제3조 대한국 대황제는 무한한 주권을 가진다.
> 제6조 대한국 대황제는 법률을 제정하여 그 반포와 집행을 명한다.

① 징병제를 시행하여 군사력을 정비하였다.
② 전국의 번을 폐지한 이후 현을 설치하였다.
③ 부국강병을 목표로 광무개혁을 추진하였다.
④ 국회를 개설하고 입헌 군주제를 시행하였다.
⑤ 개혁 자금을 확보하고자 민영 철도를 국유화하였다.

**16** (가), (나) 사이 시기에 있었던 사실로 옳은 것을 〈보기〉에서 고른 것은?

> (가) 청의 변법론자들이 중심이 되어 의원제 도입을 비롯한 정치 개혁 운동을 전개하였다.
> (나) 우창에서 신군을 중심으로 봉기가 일어나자 각 지방의 성들이 호응하여 청으로부터 독립을 선언하였다.

보기
ㄱ. 흠정헌법 대강이 발표되었다.
ㄴ. 위안스카이가 임시 대총통에 취임하였다.
ㄷ. 신식 군대 창설, 과거제 폐지 등 신정이 추진되었다.
ㄹ. 홍수전이 청 왕조 타도를 내세우며 태평천국을 건설하였다.

① ㄱ, ㄴ ② ㄱ, ㄷ ③ ㄴ, ㄷ
④ ㄴ, ㄹ ⑤ ㄷ, ㄹ

**17** 다음 사건이 일어난 시기를 연표에서 고른 것은?

> 청 정부가 재정난을 타개하기 위해 민영 철도를 국유화하고 이를 담보로 외국 차관을 도입하려 하자, 전국적으로 철도 국유화 반대 운동이 일어났다. 이어 우창에서 신식 군대를 중심으로 봉기가 일어나자, 많은 지방 정부가 이에 동조하여 청으로부터 독립을 선언하였다.

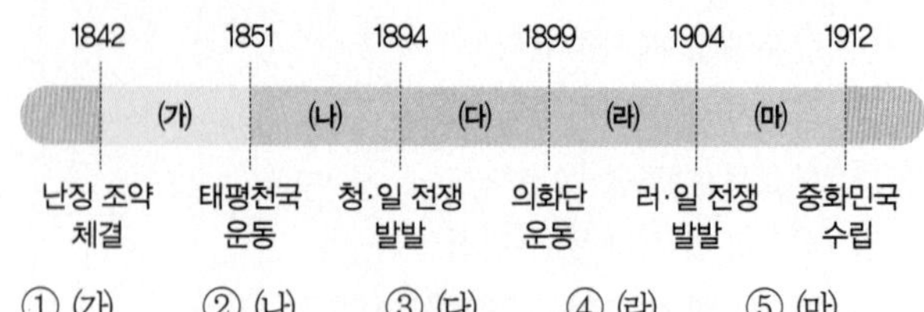


① (가) ② (나) ③ (다) ④ (라) ⑤ (마)

# 3단계 등급 올리기

2016 수능 응용

**01** (가), (나) 조약과 관련된 설명으로 옳은 것은?

> (가) 제2조 영국 국민이 가족이나 하인을 데리고 광저우, 아모이, 푸저우, 닝보, 상하이에서 박해나 구속을 받지 않고 상업에 종사하기 위해 자유롭게 거주하는 것을 보장한다.
> 제5조 앞으로는 영국 상인이 특허를 얻은 행상하고만 거래하던 관행을 없애고 어떤 상인과도 자유롭게 교역할 수 있도록 허용한다.
> (나) 제3조 시모다, 하코다테 외에 다음 장소를 개항한다. 가나가와, 나가사키, 니가타, 효고 등
> 제4조 일본에 수출입하는 모든 상품들은 미국과 일본 정부가 협의하여 정한 세율에 따라 일본 정부에 관세를 납부한다.

① (가) – 홍콩 할양을 규정하였다.
② (가) – 크리스트교 포교를 인정하였다.
③ (나) – 해양 측량권 허용을 포함하였다.
④ (나) – 운요호 사건을 계기로 체결되었다.
⑤ (가), (나) – 청과 일본이 각각 서양과 맺은 최초의 근대적 조약이다.

**02** 다음 헌법을 활용한 탐구 활동으로 가장 적절한 것은?

> 제1조 대청 황제는 대청 제국을 통치하며 만세일계이며 영원히 군림한다.
> 제3조 황제는 반포하는 법률을 흠정하고 의안을 제안할 수 있는 권한을 가진다. 의회에서 의결하였어도 황제의 명령으로 비준하고 반포된 것이 아니면 실행할 수 없다.
> 제6조 황제는 육해군을 통솔하고 군제를 감독할 권리를 가지며 의회는 이에 간섭할 수 없다.

① 입헌파 활동이 미친 영향을 분석한다.
② 의화단 운동이 전개된 계기를 알아본다.
③ 임오군란이 일어나게 된 배경을 살펴본다.
④ 천황 중심의 신정부가 펼친 개혁 내용을 조사한다.
⑤ 중체서용에 입각해 추진된 근대화 운동을 찾아본다.

최고난도

**03** 다음 주장이 제기된 시기를 ㉠~㉤에서 고른 것은?

> 기계 제조라는 일은 오늘날 외국의 도전을 막아 내기 위한 바탕이 되며, 자강의 근본입니다. …… 신이 밝히고자 하는 것은 서양식 기계가 농경이나 직포·인쇄·도자기 제조 등의 용구를 모두 제조할 수 있고, 백성의 생계와 일상용품에 도움이 되며, 원래부터 오로지 군사상의 무기만을 위해서 만들어진 것은 아니라는 점입니다. –『이홍장 전집』

중국 – 영국에 홍콩을 할양하였다.
⬇ ㉠
중국 – 홍수전이 태평천국을 건설하였다.
⬇ ㉡
일본 – 청과의 전쟁에서 승리하였다.
⬇ ㉢
한국 – 서재필이 주도하여 독립 협회를 창설하였다.
⬇ ㉣
한국 – 고종이 대한국 국제를 반포하였다.
⬇ ㉤
중국 – 쑨원이 임시 대총통에 취임하였다.

① ㉠ ② ㉡ ③ ㉢ ④ ㉣ ⑤ ㉤

## 서술형 문제

**04** 다음을 읽고 물음에 답하시오.

> 제1조 대일본 제국은 만세일계의 천황이 통치한다.
> 제3조 천황은 신성하며 누구라도 침범할 수 없다.
> 제4조 천황은 나라의 원수이며 통치권을 장악하고 이 법률의 조규에 의하여 이를 거행한다.
> 제5조 천황은 제국 의회의 협찬으로 입법권을 행사한다.

(1) 위 헌법의 명칭을 쓰시오.

(2) 위 헌법이 가지는 의의와 한계를 각각 서술하시오.

# 02 제국주의 침략 전쟁과 민족 운동

## A 제국주의 침략과 동아시아 질서의 재편

### ★ 1. 동학 농민 운동과 청·일 전쟁

(1) 동학 농민 운동의 전개(1894): 전봉준이 이끄는 동학 농민군이 제폭구민·보국안민을 내세우며 봉기 → 조선 정부가 청에 파병 요청, 일본의 조선 파병 → 동학 농민군이 조선 정부와 전주 화약 체결 → 일본의 경복궁 점령 → 동학 농민군의 재봉기 → 일본군과 조선 정부군에 의해 진압

(2) 청·일 전쟁(1894~1895)

| | |
|---|---|
| 전개 | 일본군이 풍도 앞바다에서 청 군함 공격 → 일본군이 평양 전투, 황해 해전에서 승리하고 랴오둥반도와 산둥반도 점령 |
| 결과 | 시모노세키 조약 체결(1895) → 청이 조선에 대한 종주권 포기, 일본에 배상금 지급, 일본에 타이완·랴오둥반도 할양 |
| 영향 | 중국 중심의 전통적인 국제 질서 붕괴, 일본의 제국주의화 |

### 2. 제국주의 열강의 중국 침략과 의화단 운동

(1) 삼국 간섭(1895): 러시아, 프랑스, 독일의 주도로 일본이 랴오둥반도를 청에 반환하도록 압력 행사 → 만주와 한반도를 둘러싼 러시아와 일본의 대립 본격화

(2) 제국주의 열강의 청 침략: 서구 열강이 청에 차관을 제공하는 대신 청의 여러 이권 요구 → 청의 영토 주권 침해

(3) 의화단 운동(1899~1901)

| | |
|---|---|
| 배경 | 서구 열강과 일본의 이권 침탈 경쟁에 따른 위기의식 고조, 크리스트교에 대한 중국인의 반감 심화 |
| 결과 | 부청멸양을 내세우며 교회·철도 파괴, 외국 공사관 공격 → 8개국 연합군이 출병하여 의화단 진압 → 신축 조약 체결(1901, 배상금 지급 및 외국 군대의 베이징 주둔 허용) |

• 청 왕조를 도와 서양 세력을 몰아내자는 주장이다.

### ★ 3. 러·일 전쟁과 일본의 한국 병합

(1) 러·일 전쟁(1904~1905)

| | |
|---|---|
| 배경 | 삼국 간섭 이후 일본과 러시아의 갈등 심화, 러시아가 청으로부터 만주 철도 부설권 획득, 뤼순과 다롄 조차 → 일본이 영국과 동맹을 맺어(제1차 영·일 동맹) 러시아 견제 |
| 전개 | 일본 함대가 제물포·뤼순의 러시아 함대 선제공격(1904) → 봉천 전투와 동해 해전에서 일본이 승리 |
| 결과 | 미국의 중재로 포츠머스 조약 체결(1905) → 일본이 한반도에서 우월한 지위 확보, 뤼순과 다롄 조차권 획득, 남만주 철도 경영권 확보 → 만주 진출의 기반 마련 |

(2) 일본의 한국 병합

• 일본이 대한 제국의 외교권을 박탈하고 일본의 보호국으로 만들었다.

① 일본의 침략 본격화: 한·일 의정서(1904) → 제1차 한·일 협약(재정·외교 고문 파견) → 을사늑약(1905) → 고종의 강제 퇴위, 군대 해산 → 대한 제국의 국권 강탈(1910)

② 대한 제국의 저항: 애국 계몽 운동, 항일 의병 운동의 전개

## B 제1차 세계 대전의 발발과 민족 운동의 전개

### 1. 제1차 세계 대전과 워싱턴 체제의 성립

(1) 일본의 제1차 세계 대전 참전: 일본이 영·일 동맹을 구실로 연합국 측에 참전하여 독일에 선전 포고 후 산둥반도 및 칭다오와 남태평양의 여러 섬 점령

• 산둥반도의 독일 이권 양도, 뤼순·다롄 조차 기한의 99년 연장 등이 담겨 있다.

(2) 일본의 세력 확대 시도: 일본이 위안스카이의 베이징 정부에 '21개조 요구'를 강요하여 내정 간섭과 이권 침탈 시도 → 일본 상품 불매 운동 등 중국인의 반일 감정 고조

(3) 워싱턴 회의(1921~1922)

| | |
|---|---|
| 배경 | 중국의 베르사유 조약 조인 거부로 동아시아 문제를 마무리 짓지 못함, 동아시아 지역에서 전쟁 위기감 고조 |
| 목적 | 동아시아를 둘러싼 열강의 이해관계 조정, 해군 군비 축소 |
| 결과 | • 일본: 산둥반도의 이권을 중국에 반환, '21개조 요구' 일부 철회, 해군력 증강 제한, 남태평양 여러 섬의 권익 유지, 영·일 동맹의 폐기<br>• 중국: 주권과 독립 보장, 관세 자주권 회복·조차지 반환·치외법권 철폐 등의 요구를 관철하지 못함 |

### ★ 2. 3·1 운동과 5·4 운동

• 천두슈 등 진보적 지식인들은 잡지 『신청년』을 발행하여 유교를 비판하고, 서양 과학과 민주주의의 수용을 주장하였다.

| 구분 | 3·1 운동(한국) | 5·4 운동(중국) |
|---|---|---|
| 배경 | 일본의 무단 통치 시행, 파리 강화 회의에서 민족 자결주의 채택, 도쿄에서 한국 유학생들이 2·8 독립 선언 발표 | 신문화 운동으로 민족주의 확산, 파리 강화 회의에서 열강들이 중국의 요구(산둥반도의 이권 반환 등) 거부 |
| 전개 | 종교계 대표와 학생들이 독립 선언서 발표 → 독립 만세 시위 전개 → 전국의 도시와 농촌으로 확산 → 국외 한인 사회로 확산 | 베이징 대학생들의 대규모 항의 시위 전개 → 상인과 노동자들이 가담하면서 전국으로 확산 → 베이징 정부의 베르사유 조약에 대한 조인 거부 |
| 의의 | 대한민국 임시 정부 수립에 기여, 5·4 운동에 영향을 줌, 일본의 식민 통치 방식의 변화를 가져옴 | 반봉건·반군벌·반제국주의 민족 운동, 중국 국민당(1919)과 중국 공산당(1920)의 결성에 영향을 줌 |

• 무단 통치에서 이른바 '문화 통치'로 전환되었다.

### 3. 대한민국 임시 정부의 활동과 무장 독립운동의 전개

(1) 대한민국 임시 정부의 활동: 민주 공화제 채택, 연통제·교통국 등 조직, 파리 강화 회의에 독립 선언서 제출, 구미 위원부 설치, 『독립신문』 발행 등

(2) 무장 독립운동의 전개: 독립군의 봉오동 전투·청산리 전투 승리, 의열단의 의열 투쟁 전개

• 직접 투쟁 방법인 암살, 폭파, 파괴 등의 방법으로 독립운동을 펼쳤다.

(3) 국내 민족 운동의 추진: 3·1 운동 이후 사회주의 사상 확산 → 민족주의 진영(실력 양성 운동 주도)과 사회주의 진영(농민·노동 운동 주도)으로 민족 운동 세력 분화 → 민족 유일당 운동 추진 → 신간회 결성(1927)

★ 표시는 시험 전에 확인해 주세요.

### 4. 중국의 국민 혁명

(1) 제1차 국·공 합작과 북벌: 쑨원이 소련의 지원을 받아들여 공산당과 제휴(1924, 제1차 국·공 합작) → 5·30 운동 → 장제스의 북벌 단행(1926) → 국민당과 공산당의 갈등 심화 → 4·12 쿠데타(장제스의 공산당 축출) → 국·공 합작 붕괴 → 난징에 국민 정부 수립(1927) → 북벌 완성

(5·30 운동: 일본계 방직 공장에서 노동자가 피살된 사건을 계기로 일어났으며, 전국적인 반제 운동으로 발전하였다.)

(2) 공산당의 대장정: 장제스의 공산당 토벌 → 마오쩌둥이 산악 지대로 이동, 유격전 및 토지 혁명 추진 → 옌안으로 이동

(대장정: 1934년부터 2년여에 걸쳐 중국 공산당은 국민당의 추격을 피해 중국 동남부에서 서북부까지 이동하여 옌안에 근거지를 마련하였다.)

## C 일본의 침략 전쟁 확대와 동아시아의 피해

### ★ 1. 일본의 침략 전쟁 확대

(1) 만주 사변(1931)

| 배경 | 대공황에 따른 경제 불황, 일본에서 군부·우익 세력의 대두 |
|---|---|
| 전개 | 관동군 중심의 일본군이 만주 일대 점령(1931) → 만주국 수립 |
| 결과 | 국제 연맹의 일본 침략 비난, 철수 요구 → 일본의 국제 연맹 탈퇴 및 군국주의 확대(→ 일본이 워싱턴 체제에서 이탈) |

(국제 연맹의 일본 침략 비난, 철수 요구: 국제 연맹은 1932년 리튼 조사단을 파견하여 만주 사변의 진상을 조사하였으며, 보고서를 토대로 일본군의 철수를 요구하였다.)

(2) 중·일 전쟁(1937): 루거우차오 사건을 계기로 발발

① 일본의 침략: 일본군의 상하이, 난징 점령 → 일본이 주요 도시와 도로망 장악

(난징 점령: 일본군은 1937년 12월 난징을 점령한 후 다음 해 2월까지 수십만 명을 학살하는 난징 대학살을 벌였다.)

② 중국의 대응: 제2차 국·공 합작을 통해 항일전 전개, 중국 국민당 정부가 수도를 충칭으로 옮겨 장기 항전 돌입

(3) 태평양 전쟁

| 배경 | 일본의 동남아시아 침략 → 미국의 경제 봉쇄 조치 |
|---|---|
| 결과 | 일본이 하와이 진주만의 미국 함대 기습 공격(1941) → 일본이 동남아시아와 남태평양 일대 점령 → 미드웨이 해전, 과달카날 전투에서 미국의 승리 → 미국이 일본의 히로시마와 나가사키에 원자 폭탄 투하 → 일본의 항복 선언(1945) |

### 2. 일본의 침략으로 인한 피해와 고통

(1) 총동원 체제의 성립

① 국가 총동원법 제정(1938): 침략 전쟁에 필요한 인적·물적 자원의 효율적 동원 목적, 일본 본토와 식민지에 적용

| 인적 수탈 | 징용·징병제 시행, 일본군 '위안부'로 강제 동원 |
|---|---|
| 물적 수탈 | 쌀과 금속의 공출제 시행, 식량 배급제 실시 |

② 황국 신민화 정책 추진: 황국 신민 서사 암송, 신사 참배, 궁성 요배 등의 강요

(2) 민간인의 피해: 중국(난징 대학살, 삼광 작전으로 수많은 사상자 발생), 일본(미국 폭격에 따른 도시 파괴, 오키나와 전투·미국의 원자 폭탄 투하 등으로 민간인 희생자 발생)

(삼광 작전: 가옥을 불태우고, 사람을 죽이고, 물자를 약탈하여 철저히 파괴하는 작전을 일컫는다.)

## D 일본의 침략에 맞선 국제 연대

### ★ 1. 항일을 위한 한·중 연대

(1) 만주 사변 이후 한·중 연합

| 조선 혁명군 | 중국 의용군과 연합, 영릉가·흥경성 전투에서 활약 |
|---|---|
| 한국 독립군 | 중국의 여러 부대와 연합, 쌍성보·사도하자·대전자령 등지에서 일본군에 승리 |
| 한·중 민족 항일 대동맹 | 중국 국민당의 대한민국 임시 정부에 대한 지원 속에서 결성, 대한민국 임시 정부와 중국 국민당 인사들로 구성 |
| 동북 인민 혁명군 | 한국과 중국의 사회주의 세력 주도, 만주 지역에서 항일 유격 투쟁 전개 → 동북 항일 연군으로 확대·개편 |

(2) 중·일 전쟁 이후의 항일 연대

(중국 국민당의 대한민국 임시 정부에 대한 지원: 한인 애국단 소속의 윤봉길이 일으킨 상하이 의거를 계기로 한·중 연대가 활발해졌다.)

| 조선 의용대 | 김원봉 주도, 중국군과 함께 항일전 전개(일본군에 대한 정보 수집·포로 심문·후방 교란 활동 추진) → 일부는 화북으로 이동하여 조선 독립 동맹의 조선 의용군으로 편성, 김원봉을 비롯한 일부는 한국 광복군에 합류 |
|---|---|
| 조선 의용군 | 중국 공산당의 팔로군과 함께 대일 항전 참여 |
| 한국 광복군 | 중국 국민당 정부의 지원으로 창설된 대한민국 임시 정부의 정규군, 연합군의 일원으로 참여하여 인도·미얀마 전선에서 영국군과 연합 작전 전개, 미국 전략 정보처(OSS)와 국내 진공 작전 추진 |

> **한국 광복군 선언문, 1940**
>
> 한국 광복군은 중화민국 국민과 합작하여 우리 두 나라의 독립을 회복하고자 공동의 적인 일본 제국주의자들을 타도하기 위하여 연합군의 일원으로 항전을 계속한다. …… 큰 희망을 가지고 우리 조국의 독립을 위하여 우리의 전투력을 강화할 시기가 왔다고 확신한다.

→ 한국 광복군은 중국 국민당 정부의 지원을 받아 연합국의 일원으로 일본과 독일에 선전 포고를 하고 대일전에 참여하였다.

### 2. 반제와 반전 평화를 위한 연대

(1) 반제·반전사상의 등장

| 고토쿠 슈스이 | 러·일 전쟁 무렵 군국주의 비판, 전쟁 반대 주장 |
|---|---|
| 아주 화친회 | 1907년 도쿄에서 창립, 반제국주의를 목표로 동아시아 최초의 국제 연대 단체 조직 |
| 안중근 | 『동양 평화론』 집필 → 일본의 한국에 대한 침략 포기와 한·중·일의 상호 협력 주장, 제국주의 침략에 반대 |

(2) 무정부주의자의 반제·반전 운동 전개: 동방 무정부주의자 연맹, 항일 구국 연맹 등의 활동 전개

(항일 구국 연맹: 중국·한국·일본의 무정부주의자들이 모여 결성하였다.)

(3) 반전을 위한 동아시아인들의 연대 추진: 박열과 가네코 후미코(반제·반전 운동 전개), 후세 다쓰지(한국인 독립운동가 변호), 하세가와 데루(상하이에서 전쟁에 반대하는 대일 방송 시행), 일본 반제 동맹(한국인과 일본인의 공동 투쟁 강조), 일본 병사 반전 동맹 옌안 지부(일본군에 투항 호소), 사이토 다카오(일본 중의원 의원으로 활동하며 반전 연설 시행)

## 1단계 개념 짚어 보기

**01** 다음 설명에 해당하는 조약을 〈보기〉에서 골라 기호를 쓰시오.

보기
ㄱ. 을사늑약　　ㄴ. 신축 조약
ㄷ. 포츠머스 조약　　ㄹ. 시모노세키 조약

(1) 일본이 대한 제국의 외교권 박탈 (　　)
(2) 일본이 뤼순과 다롄의 조차권 획득 (　　)
(3) 청이 외국 군대의 베이징 주둔 허용 (　　)
(4) 청이 일본에 타이완과 랴오둥반도 할양 (　　)

**02** 1921년 열강들은 (　　　　)를 개최하여 동아시아 지역에 대한 열강의 이해관계를 조정하고 해군 군비를 축소하였다.

**03** 다음 설명이 맞으면 ○표, 틀리면 ×표를 하시오.

(1) 일제는 3·1 운동 이후 한국인의 저항을 무마하기 위해 무단 통치로 통치 방식을 바꾸었다. (　　)
(2) 대한민국 임시 정부는 미국에 구미 위원부를 설치하는 등 외교 활동을 펼쳤다. (　　)

**04** 루거우차오 사건을 계기로 시작된 (　　　　)은 제2차 국·공 합작의 결성에 영향을 주었다.

**05** 일본이 하와이 진주만에 정박 중이던 미국 함대를 기습 공격하면서 시작된 전쟁은?

**06** 일본은 중·일 전쟁을 일으킨 후 (　　　　)을 제정하여 일본뿐만 아니라 식민지 국가에서 전쟁에 필요한 인적·물적 자원을 수탈하였다.

**07** 만주 사변 이후 중국 의용군과 연합하여 영릉가 등지에서 일본군에 맞서 싸운 한국의 독립군 부대는?

**08** 반제국주의를 목표로 1907년 일본 도쿄에서 창립된 동아시아 최초의 국제 연대 단체는?

## 2단계 내신 다지기

### A 제국주의 침략과 동아시아 질서의 재편

출제가능성 90%

**01** 지도에 나타난 전쟁의 결과로 옳은 것은?

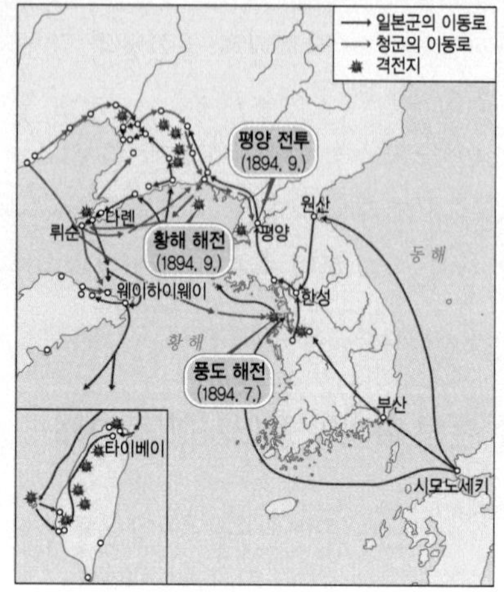


① 공행이 폐지되었다.
② 만주국이 수립되었다.
③ 톈진 조약이 체결되었다.
④ 타이완이 일본에 할양되었다.
⑤ 외국 영사의 베이징 주재가 허용되었다.

**02** (가)에 들어갈 내용으로 옳은 것을 〈보기〉에서 고른 것은?

○○○ 운동
1. 배경: 청·일 전쟁 이후 서구 열강의 이권 침탈 심화
2. 전개: 부청멸양 주장, 교회 및 철도 파괴, 외국 공사관 공격
3. 결과: (가)

보기
ㄱ. 중화민국이 수립되었다.
ㄴ. 시모노세키 조약이 체결되었다.
ㄷ. 8개국 연합군에 의해 진압되었다.
ㄹ. 외국 군대의 베이징 주둔이 허용되었다.

① ㄱ, ㄴ　② ㄱ, ㄷ　③ ㄴ, ㄷ
④ ㄴ, ㄹ　⑤ ㄷ, ㄹ

## 03 다음 조약과 관련된 설명으로 옳은 것은?

> 제2조 러시아 제국 정부는 …… 일본 제국 정부가 한국에서 필요하다고 인정하는 지도 보호 및 감리의 조처를 취하는 데 이를 저지하거나 간섭하지 않을 것을 약정한다.
> 제5조 러시아 제국 정부는 청국 정부 승낙하에 뤼순, 다롄 및 그 부근의 …… 모든 권리 특권을 일본 제국 정부에 이전한다.

① 삼국 간섭을 초래하였다.
② 제1차 아편 전쟁의 결과로 체결되었다.
③ 청에서 크리스트교 선교가 인정되었다.
④ 의화단 운동이 일어나는 배경이 되었다.
⑤ 남만주 철도 경영권의 일본 양도가 명시되었다.

## 04 (가)에 들어갈 내용으로 옳은 것은?

일본이 대한 제국에 재정과 외교 고문을 파견하였다.

⬇

(가)

⬇

일본이 고종을 강제 퇴위시키고 대한 제국 군대를 해산시켰다.

① 한·일 의정서가 체결되었다.
② 일본이 운요호 사건을 일으켰다.
③ 서재필이 주도하여 독립 협회를 세웠다.
④ 일본이 대한 제국의 외교권을 박탈하였다.
⑤ 전봉준이 이끄는 동학 농민군이 봉기하였다.

# B 제1차 세계 대전의 발발과 민족 운동의 전개

## 05 빈칸에 들어갈 내용으로 옳은 것은?

> 제국주의 열강 간의 대립으로 유럽에서 제1차 세계 대전이 발발하였다. 일본은 영국의 동맹국으로 참전을 선언하고, ____________________

① 대한 제국을 식민지로 병합하였다.
② 뤼순의 러시아 함대를 선제공격하였다.
③ 풍도 앞바다의 중국 군함을 공격하였다.
④ 독일의 조차지인 산둥반도를 점령하였다.
⑤ 독도를 불법으로 자국 영토에 편입하였다.

출제가능성 90%

## 06 다음 자료에 대한 설명으로 옳은 것은?

> 제1호 산둥반도의 독일 이권을 일본에 양도한다.
> 제2호 일본이 뤼순, 다롄을 조차하는 기한을 99년간 연장하고, 남만주 등에서의 이권을 인정한다.

① 러·일 전쟁의 결과로 체결되었다.
② 삼국 간섭으로 일부 철회되었다.
③ 5·4 운동이 추진되는 배경이 되었다.
④ 신해혁명이 일어나는 데 영향을 주었다.
⑤ 대한 제국의 외교권이 박탈되는 계기가 되었다.

## 07 밑줄 친 '이 회의'와 관련된 설명으로 옳은 것은?

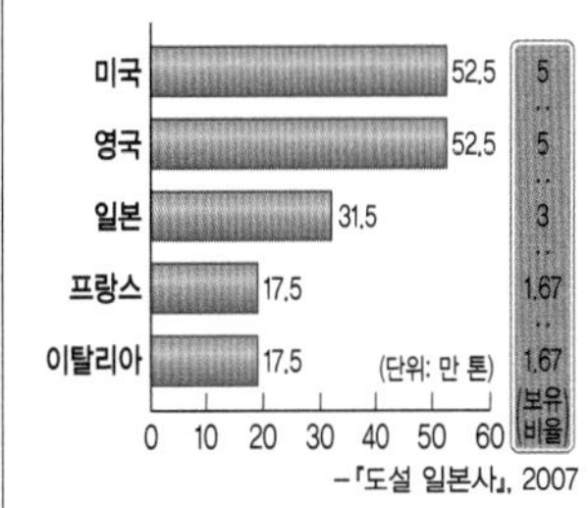


–「도설 일본사」, 2007

그래프는 이 회의에 따른 강대국의 주력함 비율을 나타낸 것이다. 열강들은 이 회의를 통해 동아시아 지역에 대한 열강의 이해관계를 조정하고 해군의 군비를 축소하였다.

① 민족 자결주의가 채택되었다.
② 일본의 한국 지배권이 인정되었다.
③ 중국의 관세 자주권 회복이 이루어졌다.
④ 대한민국 임시 정부의 수립에 영향을 주었다.
⑤ 일본의 산둥반도에 대한 이권 포기가 결의되었다.

## 08 다음 선언문이 발표된 직후 전개된 운동에 대한 설명으로 옳은 것을 〈보기〉에서 고른 것은?

> 오늘날 우리 조선 독립은 조선 사람으로 하여금 정당한 삶의 번영을 이루게 하는 동시에, 일본이 그릇된 길에서 벗어나 동양을 지지하는 자의 책임을 다하게 하는 것이다.

보기
ㄱ. 대한민국 임시 정부가 주도하였다.
ㄴ. 중국의 5·4 운동에 영향을 주었다.
ㄷ. 무정부주의 사상의 영향을 받아 전개되었다.
ㄹ. 일본의 통치 방식이 변화하는 계기가 되었다.

① ㄱ, ㄴ ② ㄱ, ㄷ ③ ㄴ, ㄷ
④ ㄴ, ㄹ ⑤ ㄷ, ㄹ

**09** 다음 게시판에서 옳은 댓글을 작성한 사람을 고른 것은?

▶ 지식 Q&A

중국에서 전개된 신문화 운동에 대해 알려 주세요.

▶ 답변하기

ㄴ 갑: 홍수전이 주도하였어요.
ㄴ 을: 3·1 운동의 영향을 받아 일어났어요.
ㄴ 병: 청·일 전쟁의 패배로 한계가 드러났어요.
ㄴ 정: 철도를 파괴하고 외국 공사관을 공격하였어요.
ㄴ 무: 서구의 민주주의와 과학 수용을 주장하였어요.

① 갑 ② 을 ③ 병 ④ 정 ⑤ 무

**10** 다음 주장이 제기된 민족 운동의 결과로 옳은 것은?

> 산둥이 망하면 중국도 망합니다. 무릇 국가의 존망과 영토의 분할이라고 하는 중대한 문제에 이르러서도 그 백성이 여전히 큰 결심을 내려 최후의 구원에 나서지 못한다면, 그야말로 20세기의 천박한 종자로 인류에 끼지 못하게 될 것입니다.

① 제2차 국·공 합작이 이루어졌다.
② 중국 공산당이 대장정을 시작하였다.
③ 일본이 랴오둥반도를 중국에 반환하였다.
④ 만주 지역에서 한·중 연합 작전이 추진되었다.
⑤ 베이징 정부가 베르사유 조약 조인을 거부하였다.

출제가능성 90%

**11** 다음 헌법을 제정한 정부의 활동으로 옳지 않은 것은?

> 제1조 대한민국은 대한 인민으로 조직함
> 제4조 대한민국의 인민은 일체 평등함
> 제5조 대한민국의 입법권은 의정원이, 행정권은 국무원이, 사법권은 법원이 행사함

① 『독립신문』을 발간하였다.
② 민주 공화제를 채택하였다.
③ 연통제와 교통국을 조직하였다.
④ 조선 의용군 창설을 주도하였다.
⑤ 미국에 구미 위원부를 설치하였다.

**12** 다음 상황이 나타난 직후 일어난 사실로 옳은 것은?

> 한국에서는 1920년대 중반부터 민족주의 세력과 사회주의 세력 사이에 갈등이 나타났다. 이 시기 조선 총독부는 치안 유지법을 제정하여 사회주의 운동을 탄압하였고, 독립 대신 자치를 추구하는 민족 운동 세력을 지원하여 민족주의 운동의 분열을 유도하였다.

① 신문화 운동이 추진되었다.
② 국가 총동원법이 제정되었다.
③ 제1차 국·공 합작이 성립되었다.
④ 좌우 합작 단체인 신간회가 창립되었다.
⑤ 대한민국 임시 정부가 상하이에 수립되었다.

**13** (가), (나) 사이 시기에 있었던 사실로 옳은 것은?

> (가) 군벌 타도의 목적으로 국민당과 공산당이 소련의 지원 아래 연합하였다.
> (나) 중국 공산당이 홍군을 조직하고 산악 지대로 이동하며 대장정을 시작하였다.

① 5·4 운동이 일어났다.
② 중·일 전쟁이 벌어졌다.
③ 한국 광복군이 창설되었다.
④ 장제스가 북벌을 단행하였다.
⑤ 제2차 국·공 합작이 이루어졌다.

## C 일본의 침략 전쟁 확대와 동아시아의 피해

**14** 다음은 어느 조사단이 작성한 보고서 내용이다. 이를 활용한 탐구 활동으로 가장 적절한 것은?

> 1. 동북 지역은 원래부터 중국 일부이다.
> 2. 일본군의 행위는 합법적 자위 수단으로 볼 수 없다.
> 3. 만주국 정부의 수반은 명목상 만주인이지만, 실권은 일본 관리와 고문들의 손에 놓여 있다. 현지의 중국인들이 보기에 만주국은 완전히 일본인을 위한 도구이다.

① 포츠머스 조약의 내용을 분석한다.
② 워싱턴 회의의 개최 배경을 조사한다.
③ 한인 애국단이 조직된 목적을 찾아본다.
④ 일본이 진주만 기지를 공격한 결과를 알아본다.
⑤ 일본이 국제 연맹을 탈퇴하게 된 배경을 살펴본다.

**15** 밑줄 친 '이 전쟁'과 관련된 설명으로 옳은 것은?

사진은 1192년 베이징 근교 융딩강에 세워진 아치형 돌다리 루거우차오이다. 1937년에 일본은 이 주변에서 야간 훈련을 하던 병사가 실종되는 사건이 발생하자 루거우차오를 점령하였다. 그리고 대규모 군대를 파견하여 <u>이 전쟁</u>을 일으켰다.

① 파리 강화 회의로 종결되었다.
② 일본은 대동아 전쟁이라 불렀다.
③ 전쟁 과정 중 난징 대학살이 벌어졌다.
④ 일본이 국제 연맹을 탈퇴하는 계기가 되었다.
⑤ 한국 광복군이 연합군의 일원으로 참전하였다.

**16** 지도에 나타난 전쟁에 대해 학생들이 나눈 대화 내용으로 옳은 것을 〈보기〉에서 고른 것은?

–『아틀라스 일본사』, 2011

보기
ㄱ. 워싱턴 회의를 통한 군비 감축이 논의되었어.
ㄴ. 일본이 중국 정부에 '21개조 요구'를 강요하였어.
ㄷ. 일본의 하와이 진주만 공격으로 전쟁이 시작되었어.
ㄹ. 미드웨이 해전을 기점으로 전쟁의 주도권이 바뀌었어.

① ㄱ, ㄴ ② ㄱ, ㄷ ③ ㄴ, ㄷ
④ ㄴ, ㄹ ⑤ ㄷ, ㄹ

**17** 다음 선언문을 활용한 탐구 주제로 가장 적절한 것은?

2. 국민당 정권을 무너뜨리기 위한 모든 폭동 정책과 공산화 운동을 취소하고, 폭력으로 지주의 토지를 몰수하는 정책을 취소한다.
4. 홍군의 명칭 및 번호를 취소하고 국민 혁명군으로 개편하여 국민 정부의 지시를 받고, 아울러 지시를 기다려 출동하여 항일 전선의 직책을 떠맡는다.

① 제2차 국·공 합작의 결성
② 일본 제국주의의 식민 통치
③ 신해혁명과 중화민국의 수립
④ 청·일 전쟁과 동아시아 질서의 재편
⑤ 제1차 세계 대전과 워싱턴 체제의 형성

출제가능성 90%

**18** 다음 법령이 시행된 시기에 볼 수 있었던 모습으로 적절하지 <u>않은</u> 것은?

제4조 정부는 전시에 국가 총동원상 필요할 때는 칙령이 정하는 바에 따라 제국 신민을 징용하여 총동원 업무에 종사하게 할 수 있다.
제8조 정부는 전시에 …… 물자의 생산·수리·배급·양도·기타의 처분에 관하여 필요한 명령을 내릴 수 있다.

① 탄광에 강제 동원된 노동자
② 일본군 '위안부'로 끌려가는 여성
③ 황국 신민 서사를 암송하는 학생들
④ 봉오동 일대에서 전투를 벌이는 군인
⑤ 놋그릇 등 금속류를 공출해 가는 관리

**19** (가)에 들어갈 주제로 가장 적절한 것은?

주제: (가)
• 모둠1 – 난징 대학살의 실상
• 모둠2 – 삼광 작전의 전개 지역
• 모둠3 – 공출제와 식량 배급제의 시행

① 제1차 국·공 합작과 북벌
② 러·일 전쟁과 일본군의 승리
③ 일본의 침략으로 인한 피해와 고통
④ 사회주의 사상의 유입으로 인한 영향
⑤ 항일 국제 연대와 반제·반전 운동의 전개

## D 일본의 침략에 맞선 국제 연대

**20** 다음 합의가 이루어진 배경으로 옳은 것은?

- 한·중 양군은 어떤 열악한 환경을 막론하고 장기 항전을 맹세한다.
- 한·중 양군의 전시 후방 교련은 한국군의 장교가 부담하고, 한국 독립군의 군수 물자는 중국군이 공급한다.

① 일본이 진주만을 기습 공격하였다.
② 사회주의가 동아시아에 유입되었다.
③ 고토쿠 슈스이가 전쟁을 반대하였다.
④ 한인 애국단이 의열 활동을 전개하였다.
⑤ 일본이 만주 사변을 일으켜 만주를 점령하였다.

출제가능성 90%

**21** 다음 주장을 발표한 조직에 대한 설명으로 옳은 것은?

우리는 중화민국 국민과 합작하여 우리 두 나라의 독립을 회복하고자 공동의 적인 일본 제국주의자들을 타도하기 위하여 연합군의 일원으로 항전을 계속한다. …… 우리들은 한·중 연합 전선에서 우리 스스로의 계속 부단한 투쟁을 감행하여 극동 및 아시아 인민 중에서 자유·평등을 쟁취할 것을 약속하는 바이다.

① 영릉가 전투에서 활약하였다.
② 사회주의 세력의 주도로 결성되었다.
③ 팔로군과 함께 대일 항전에 참여하였다.
④ 대전자령 등지에서 일본군에 크게 승리하였다.
⑤ 미국의 지원을 받아 국내 진공 작전을 추진하였다.

**22** 밑줄 친 ㉠~㉤ 중 옳지 않은 것은?

**항일을 위한 한·중 연대**

남만주의 ㉠ 조선 혁명군은 중국 의용군과 연합하였고, ㉡ 북만주의 한국 독립군도 중국의 여러 부대와 연합하였다. ㉢ 한국과 중국의 사회주의자들도 동북 인민 혁명군을 조직하여 항일 무장 투쟁을 전개하였다. 중·일 전쟁이 일어나자 ㉣ 김원봉은 한·중 민족 항일 대동맹을 조직하여 중국군과 함께 정보 수집, 포로 심문 등의 활동을 전개하였다. 한편 ㉤ 한국 광복군은 중국 국민당 정부의 지원을 받아 연합국의 일원으로 대일전에 참여하였다.

① ㉠ ② ㉡ ③ ㉢ ④ ㉣ ⑤ ㉤

주관식

**23** (가)에 들어갈 인물을 쓰시오.

**역사 인물 카드**

1. 이름: (가)
2. 생몰 연대: 1879~1910년
3. 주요 업적
   - 이토 히로부미 사살
   - 『동양 평화론』을 저술하여 일본이 내세운 동양 평화론의 허구성을 비판하고 동아시아의 상호 협력 주장

**24** 다음 학생의 발표에 포함될 내용으로 적절한 것은?

① 조선 의용군이 활약하였습니다.
② 항일 구국 연맹이 결성되었습니다.
③ 사이토 다카오가 반전 연설을 하였습니다.
④ 한·중 민족 항일 대동맹이 결성되었습니다.
⑤ 한인 애국단이 의거 활동을 전개하였습니다.

**25** 다음 내용을 뒷받침하는 사례로 옳지 않은 것은?

서구 열강의 식민지 쟁탈전과 일본의 침략이 본격화하자 제국주의와 침략 전쟁에 반대하는 반전 연대 활동이 활발하게 추진되었다.

① 일본 병사 반전 동맹의 투항 호소
② 박열과 가네코 후미코의 반전 운동
③ 하세가와 데루의 전쟁 반대 방송 시행
④ 천두슈 등의 지식인들이 잡지 『신청년』 발행
⑤ 후세 다쓰지의 한국인 독립운동가 변호 실시

# 3단계 등급 올리기

최고난도

**01** (가), (나)에 대한 설명으로 옳은 것은?

> (가) 제2조 청국은 아래에 기록한 지역의 관리 권한 및 해당 지방에 있는 성루, 무기 공장과 모든 공공 기물을 영원히 일본에 할양한다.
> 1. 봉천성 남부의 땅(랴오둥반도)
> 2. 타이완 전체와 그에 딸린 여러 섬
>
> (나) 제2조 러시아 제국 정부는 일본 제국이 한국에서 정치상·군사상 및 경제상의 탁월한 이익을 갖는다는 것을 인정하고, 일본 제국 정부가 한국에서 필요하다고 인정하는 지도 보호 및 감리의 조처를 취하는 데 이를 저지하거나 간섭하지 않을 것을 약정한다.

① (가) – 러·일 전쟁 결과로 체결되었다.
② (가) – 외국 군대의 베이징 주둔을 허용하였다.
③ (나) – 의화단이 진압된 직후 체결되었다.
④ (나) – 일본이 뤼순과 다롄의 조차권을 획득하였다.
⑤ (가), (나) – 영국의 중재로 체결되었다.

2017 평가원 응용

**02** (가)에 들어갈 내용으로 가장 적절한 것은?

> **동아시아사 소논문 구성안**
>
> 1. 주제: (가)
> 2. 주요 활동
> • 중국 항일군과 한국 독립군의 연합 작전 전개
> • 한·중 민족 항일 대동맹의 결성
> 3. 관련 사료: 「중국 항일군과 한국 독립군의 합의 사항」
> • 중동선 철로를 경계로 하여 서부 전선은 중국군이 맡고, 동부 전선은 한국군이 담당한다.
> • 전시 후방 교련은 한국군의 장교가 부담하고, 한국 독립군의 군수 물자는 중국군이 공급한다.

① 제1차 국·공 합작과 북벌 완성
② 동아시아의 국민 국가 수립 노력
③ 무정부주의자들의 반전 평화 운동
④ 일제의 침략에 맞선 항일 국제 연대
⑤ 서양 세력의 침략과 동아시아의 개항

**03** 다음 선언문 작성의 배경이 된 전쟁에 대한 설명으로 옳은 것은?

> 루거우차오 사건으로 마침내 중화 민족은 강렬한 저항을 만났다. …… 천백만 조선 겨레들을 불러일으켜 조선 의용대의 기치 아래 모이게 함으로써 …… 우리의 진정한 적인 일본을 타도하여 영구적인 평화를 실행해야 한다. …… 용감한 중국의 형제들과 손을 잡고 …… 항일 전선을 향해 용감히 전진하자! – 「조선 의용대 성립 선언」

① 일본이 독일의 조차지를 점령하였다.
② 일본의 진주만 기습 공격으로 시작되었다.
③ 제2차 국·공 합작이 성립되는 계기가 되었다.
④ 국민 혁명군이 북벌을 단행하는 원인이 되었다.
⑤ 한·중 민족 항일 대동맹이 결성되는 배경이 되었다.

## 서술형 문제

**04** 다음을 읽고 물음에 답하시오.

> **○○ ○○○에 대하여**
> • 성립: 중국 국민당의 지원을 받아 대한민국 임시 정부가 조직
> • 활동 내용: (가)
> • 첨부 사진:
>
> 

(1) 위 내용을 통해 알 수 있는 독립군 부대의 명칭을 쓰시오.

(2) (가)에 들어갈 내용을 두 가지 서술하시오.

# 03 서양 문물의 수용

★ 표시는 시험 전에 확인해 주세요.

## A 서구적 세계관의 수용

### 1. 만국 공법

(1) 개념: 대등한 주권 국가들의 승인으로 형성된 국제 사회에서 국가의 위상과 권리·의무는 평등하다고 본 근대법

(2) 동아시아 각국의 수용

| | |
|---|---|
| 청 | 기존 화이관 유지, 대외 관계에서 실무적 지침서 정도로 활용 |
| 일본 | 주변 지역으로의 침략을 정당화하는 데 활용 |
| 조선 | 상호 주권 보장 조항을 활용해 국권 유지 도모 |

(3) 한계: 서구 열강은 주권 평등 원칙을 서구 국가 사이에만 적용, 비서구 국가는 비문명국과 야만국으로 간주

### ★ 2. 사회 진화론

• 서구 열강의 제국주의 침략을 정당화하는 논리로 이용되었으며 일본의 화혼양재, 중국의 중체서용, 한국의 동도서기론을 비판하는 논거로 활용되었다.

(1) 특징: 약육강식과 자연 도태의 원리를 사회에 적용

(2) 동아시아 각국의 수용

| | |
|---|---|
| 일본 | 가토 히로유키가 인간의 기본권을 부정하고 자유 민권 운동 비판 → 민족 국가 확립, 천황에 대한 충성과 애국심 강조 |
| 청 | 옌푸가 사회 진화론으로 구국의 방법 모색, 량치차오가 변법자강 운동의 논리로 활용, 신문화 운동의 전개에 영향을 줌 |
| 조선 | 유길준·윤치호 등이 자강의 논리로 수용, 애국 계몽 운동가들이 실력 양성 운동을 전개할 때 근거로 활용 |

## B 근대적 지식의 확산

### ★ 1. 근대식 교육의 등장

• 유교적 덕목을 강조함과 동시에 국가와 천황에 충과 효를 다할 것을 당부하였다.

| | |
|---|---|
| 청 | • 외국어 교육 실시: 베이징에 동문관 설립(1862)<br>• 교육 제도 개혁: 과거제 폐지, 베이징에 고등 교육 기관인 경사 대학당 설립, 전국 곳곳에 소학당과 중학당 설립 |
| 일본 | • 근대 학제 제정(1872): '소학교 – 중학교 – 대학교'로 연계되는 근대 학제 공포, 소학교 의무 교육 실시<br>• 고등 교육 실시: 도쿄 대학 설립(1877), 각종 전문학교 설립<br>• 「교육 칙어」 반포(1890): 교육에 대한 국가 통제 강화<br>• 게이오 의숙 설립: 영어 교육과 영미학 교육 실시 |
| 조선 | • 외국어 교육 실시: 동문학(1883)과 육영 공원(1886) 설립<br>• 「교육입국 조서」 발표(1895): 덕·체·지를 겸비한 교육 강조 |

• 애국 계몽 운동 과정에서 전국 각지에 수많은 사립 학교가 세워졌다.

### 2. 신문의 도입

(1) 신문의 역할: 국민 계몽, 여론 형성, 유행 선도 → 정부 통제

(2) 동아시아 각국의 신문

• 『황성신문』과 영국인 베델이 창간한 『대한매일신보』가 일본의 침략에 대해 비판하자, 일본은 신문지법을 제정해 신문 발행을 통제하였다.

| | |
|---|---|
| 일본 | 최초의 일간지인 『요코하마 마이니치 신문』 발행(1870), 일상적 소재를 다룬 『요미우리 신문』 발행 |
| 청 | 상하이에서 영국인이 『신보』 발행(1872), 『대공보』 등이 여론 형성 |
| 조선 | 정부 주도로 『한성순보』(1883), 민간인 주도로 『독립신문』 발간 |

• 한국 최초의 민간 신문으로, 한글과 영문으로 발간되었으며 국권 수호를 위한 여론을 조성하였다.

### 3. 여성의 권리 의식 성장

(1) 여성 교육 확산: 근대 학제에 따라 여성도 초·중등 교육 실시(일본), 선교사 등 민간에서 여학교 설립(청·대한 제국)

(2) 여성의 권리 신장 운동 전개

| | |
|---|---|
| 청 | 신문화 운동 이후 여성 교육과 여권 문제 대두 |
| 일본 | 일부다처와 매춘 금지 주장, 부인 교풍회 조직 |
| 조선 | 여권통문 발표(1898), 찬양회 조직, 순성 여학교 건립 |

• 여성이 정치에 참여할 권리, 직업을 가질 권리, 교육받을 권리가 담겨 있다.

### 4. 근대적 주체로서 청년의 등장

(1) 청년의 개념: 확고한 자의식을 갖춘 근대적 주체, 국가와 민족의 문명을 선도하는 선각자로 인식

(2) 한국과 중국 청년들의 활동: 일본 도쿄에서 한국 유학생들이 『학지광』 발간, 국권 피탈 이후 민족 운동의 구심점 역할 수행, 중국에서 『신청년』을 발행하여 신문화 운동 주도

## C 근대적 생활 방식의 확산

### ★ 1. 철도의 건설

• 철도 건설 과정에서 일본에 대한 반감이 나타나 의병들이 철도나 철도 공사장을 공격하기도 하였다.

| | |
|---|---|
| 조선 | 일본인에 의한 철도 건설(경인선, 경부선, 경의선 등) |
| 청 | 초기에 열강의 군사적·경제적 침탈을 이유로 철도 부설 반대 → 국가 정책으로 부설(1889), 철도 기술자 양성 학교 설립 등 |
| 일본 | 도쿄~요코하마 간 철도 개통(1872), 철도 부설 유치 운동의 전개 |

### 2. 서구적 시간관념의 확산

(1) 태양력의 도입

• 개항 이후 동아시아 사람들은 시와 분을 세밀하게 구분하는 근대적 시간을 접하였다.

| | |
|---|---|
| 일본 | • 태양력 도입(1873) → 하루를 24시간, 7일을 1주일로 인식<br>• 천황과 관련된 기념일과 경축일 제정 |
| 조선 | 을미개혁 때 태양력 도입(1895) → 1896년부터 공식 사용 |
| 청 | 신해혁명으로 중화민국이 수립되면서 태양력 사용(1912) |

(2) 근대적 시간관념에 의한 생활: 정해진 시간에 기차 이용, 정해진 시간표에 따라 학교생활 실시 등에 따라 확산

### ★ 3. 근대 도시의 형성

• 개항장 내에 일정한 범위를 구획하여 외국인이 자유롭게 거주하며 치외 법권을 누릴 수 있게 설정한 지역이다.

(1) 개항 도시의 성장과 조계 형성: 외국인의 집단 거주지 형성, 근대식 통신·교통 시설의 도입 → 인구 증가, 도시화 진전

(2) 동아시아 각국의 도시

| | |
|---|---|
| 청 | 상하이·톈진: 상거래와 무역 중심지로 번영 |
| 일본 | • 요코하마: 신문, 공원, 음식 등 서구 문화 유입<br>• 도쿄: 긴자에 서양식 거리 조성, 의식주의 서양화 경향 |
| 한국 | • 부산·인천: 일본인 거류지 형성<br>• 한성: 정부가 경운궁을 중심으로 황성 만들기 사업 추진 |

## 1단계 개념 짚어 보기

**01** (          )은 주권 국가 사이의 대등한 관계를 원칙으로 하여 새로운 국제 질서의 법적 근간을 제공하였다.

**02** 생존 경쟁과 약육강식을 핵심으로 하는 사회 이론으로, 동아시아에서 자강 운동의 근거가 된 사상은?

**03** 일본에서 1890년 충과 효를 중시하는 도덕 교육을 강조하고 천황 중심의 국가 체제를 확립하기 위해 발표한 것은?

**04** 다음의 교육 정책을 펼친 국가를 〈보기〉에서 골라 기호를 쓰시오.

보기

ㄱ. 청　　　ㄴ. 일본　　　ㄷ. 대한 제국

(1)「교육입국 조서」를 발표하였다. (          )

(2) 소학교 의무 교육 제도를 실시하였다. (          )

(3) 동문관을 설립하여 서양 언어를 가르쳤다. (          )

**05** 한국 최초의 민간 신문으로, 한글과 영문으로 발간되었으며 국권 수호를 위해 여론을 조성한 신문은?

**06** 다음 설명이 맞으면 ○표, 틀리면 ×표를 하시오.

(1) 일본에서는 1870년 최초의 일간지인『요코하마 마이니치 신문』이 발간되었다. (          )

(2) 조선에서는 부인 교풍회가 조직되어 일부다처와 매춘의 금지를 주장하였다. (          )

(3) 철도 운행 시간표는 근대적 시간관념이 확산되는 데 기여하였다. (          )

**07** 조선에서는 (          ) 때 태양력이 처음 도입되어 이듬해부터 공식적으로 사용되었다.

**08** 미·일 수호 통상 조약으로 개항되었으며, 일본 최초의 철도가 개통된 도시는?

## 2단계 내신 다지기

정답과 해설 26쪽

### A 서구적 세계관의 수용

**01** 자료에 나타난 근대법에 대한 설명으로 옳은 것은?

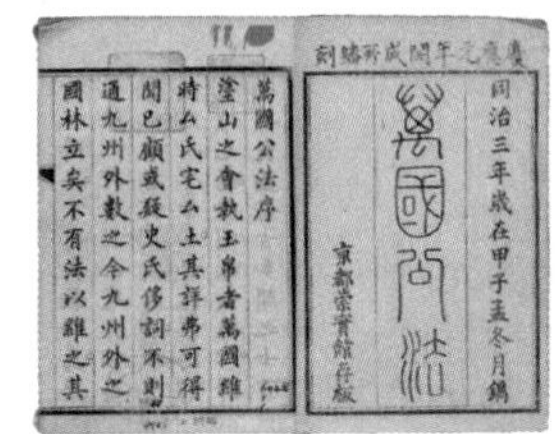

서양에서 편찬된 국제법 책을 중국에서 활동하던 미국인 선교사가 한자로 번역한 책이다. 이는 조선과 일본에 전해져 국제법을 인식하는 데 도움을 주었다.

① 난징 조약에서 적용되었다.
② 파리 강화 회의 당시 채택되었다.
③ 19세기 찰스 다윈에 의해 제시되었다.
④ 조공·책봉 질서를 기반으로 유지되었다.
⑤ 주권 국가 간의 대등한 관계를 원칙으로 하였다.

출제가능성 90%

**02** 밑줄 친 '공법'을 동아시아 각국에서 수용한 방식으로 옳은 것을 〈보기〉에서 고른 것은?

> 고금의 여러 <u>공법</u> 대가들의 말에 따르면, 어떤 나라나 국민이든지 간에 그 국헌의 체제와 규례의 여하를 막론하고 그 나라를 자주적으로 다스릴 때 이는 주권 독립국이라 하며, 주권은 한 나라를 관제하는 최대의 권리라 한다. …… 따라서 국내의 주권을 자주적으로 행사하고 외국의 지휘를 받지 않는 나라는 진정한 독립국인 것이다.
>
> – 유길준,『서유견문』

보기

ㄱ. 조선 – 개항을 정당화하는 논리로 활용하였다.
ㄴ. 중국 – 대외 관계의 실무 지침서 정도로 간주하였다.
ㄷ. 일본 – 주변 지역의 침략을 정당화하는 논거로 이용하였다.
ㄹ. 일본 – 주권을 수호하기 위한 외교 활동의 근거로 활용하였다.

① ㄱ, ㄴ　② ㄱ, ㄷ　③ ㄴ, ㄷ
④ ㄴ, ㄹ　⑤ ㄷ, ㄹ

**03** 다음 주장에 나타난 이론에 대한 설명으로 옳은 것은?

> 무릇 인류계에서 일어나는 만반의 생존 경쟁 가운데 강자의 권리를 위한 경쟁이 가장 많고 성하며 이러한 경쟁은 우리의 권리와 자유를 증대할 뿐만 아니라 인류계의 진보와 발달을 촉진하는 데 필요하다. – 가토 히로유키

① 양무운동의 근거로 활용되었다.
② 위정척사 운동에 영향을 주었다.
③ 태평천국 운동의 사상적 배경이 되었다.
④ 존왕양이 운동을 뒷받침하는 데 활용되었다.
⑤ 서양 열강의 침략을 정당화하는 논리로 이용되었다.

**04** 사회 진화론과 관련하여 신문 기사를 작성할 때, 그 제목으로 적절하지 않은 것은?

① 인물 탐구 – 유길준의 사상
② 화제의 책 – 잡지 『신청년』의 이념적 배경
③ 사설 – 교육과 산업을 일으켜 국력을 키우자!
④ 취재 수첩 – 변법자강 운동, 그 현장으로 떠나다
⑤ 집중 분석 – 화혼양재와 중체서용의 사상적 바탕이 되다

**05** 다음 학습 과제를 달성한 학생의 답변으로 옳지 않은 것은?

> **학습 과제**
> Q 사진은 생존 경쟁과 약육강식을 핵심으로 하는 사회 이론을 동아시아에 소개한 중국 최초의 영국 유학생이었던 옌푸이다. 동아시아 각국은 이 이론을 어떤 방식으로 수용하였을지 발표해 보자.

① 한국의 애국 계몽 운동에 영향을 미쳤어요.
② 한국에서 추진된 동학 농민 운동의 논거가 되었어요.
③ 중국에서는 변법자강 운동의 사상적 바탕이 되었어요.
④ 중국에서는 교육을 진흥하자는 량치차오의 주장을 뒷받침하였어요.
⑤ 일본에서 일어난 자유 민권 운동을 비판하는 논리로 활용되었어요.

## B 근대적 지식의 확산

출제가능성 90%

**06** 그래프는 일본의 취학률 변화를 나타낸 것이다. 이와 같은 변화의 배경으로 옳은 것은?

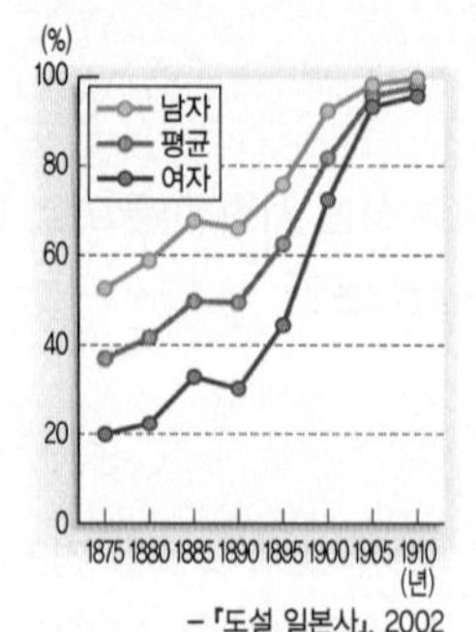

– 「도설 일본사」, 2002

① 전족이 폐지되었다.
② 여권통문이 발표되었다.
③ 공화 정체의 국가가 수립되었다.
④ 소학교 의무 교육제가 실시되었다.
⑤ 천두수를 중심으로 신문화 운동이 전개되었다.

**07** 다음 연표를 활용한 수업 주제로 가장 적절한 것은?

> • 1872년 '소학교 – 중학교 – 대학교'의 근대 학제 공포
> • 1877년 고등 교육 기관인 도쿄 대학 설립
> • 1890년 「교육 칙어」 반포

① 일본의 근대적 교육 보급
② 서구적 시간관념에 따른 생활
③ 신문을 통한 근대 지식의 성장
④ 개항 도시의 성장과 조계지 형성
⑤ 새로운 국제 질서와 근대화 운동의 추진

**08** 다음 조서를 반포한 국가의 근대 교육에 대한 설명으로 옳은 것은?

> 교육은 실로 나라를 보존하는 근본이다. …… 내가 정부에 지시하여 학교를 널리 세우고 인재를 양성하는 것은 모두 신민의 학식으로 국가의 중흥에 큰 공을 세우게 함이다. 신민은 충군 애국하는 마음으로 덕(德), 체(體), 지(智)를 함양하라. 왕실의 안전함도 신민의 교육에 있고, 국가의 부강함도 신민의 교육에 있다.

① 소학교 의무 교육제를 도입하였다.
② 게이오 의숙을 설치해 영어를 교육하였다.
③ 청·일 전쟁 이후 경사 대학당을 설립하였다.
④ 도쿄 대학을 설립하여 고등 교육을 실시하였다.
⑤ 애국 계몽 운동 과정에서 많은 사립 학교가 세워졌다.

출제가능성 90%

**09** 다음 신문과 관련된 설명으로 옳은 것은?

독닙신문

① 개항장에서 발행되었다.
② 신문지법에 의해 폐간되었다.
③ 한국에서 발간된 최초의 신문이다.
④ 민중을 계몽하기 위해 한글로 발행되었다.
⑤ 영국인에 의해 창간되어 서양 문물을 소개하였다.

**10** (가)~(다)에 들어갈 내용으로 옳지 않은 것은?

**탐구 활동 보고서**

1. 탐구 주제: 신문의 도입
2. 탐구 활동: 동아시아 각국에서 발행된 신문의 특징을 조사한다.
3. 모둠별 조사 사례
   - 1모둠: 중국 – (가)
   - 2모둠: 한국 – (나)
   - 3모둠: 일본 – (다)

① (가) – 영국인이 창간한 『신보』
② (가) – 관보적 성격을 띤 『한성순보』
③ (나) – 일본의 침략을 비판한 『대한매일신보』
④ (다) – 흥미 위주의 기사를 다룬 『요미우리 신문』
⑤ (다) – 최초의 일간지인 『요코하마 마이니치 신문』

**11** 20세기 초에 편찬된 다음 잡지의 주된 독자층에 대한 설명으로 옳지 않은 것은?

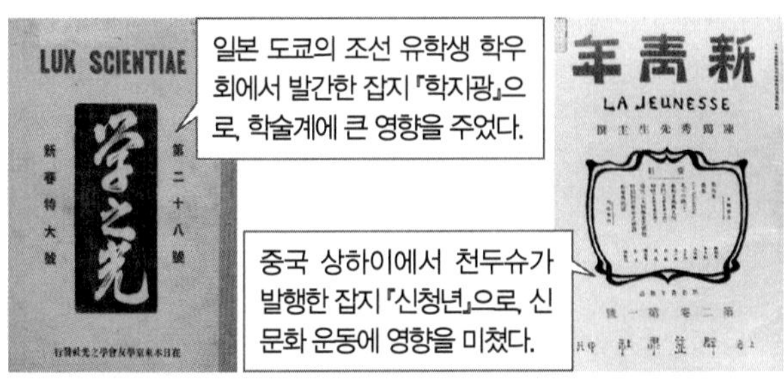


① 태평천국을 건설하는 데 앞장섰다.
② 6·10 만세 운동의 구심적 역할을 하였다.
③ 확고한 자의식을 갖춘 근대적 주체로 인식되었다.
④ 국가와 민족의 문명을 선도하는 선각자로 여겨졌다.
⑤ 민족의 독립과 근대화를 위한 방안 마련을 모색하였다.

**12** (가)에 들어갈 내용으로 옳지 않은 것은?

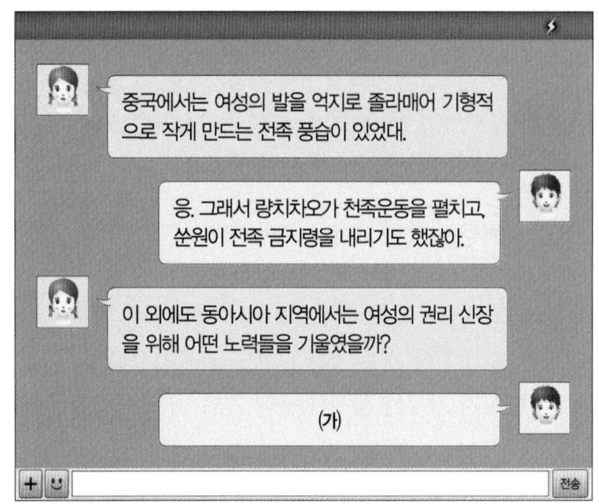


① 한국의 양반 부인들이 여권통문을 발표하였어.
② 한국에서는 최초의 사립 여학교인 순성 여학교가 설립되었어.
③ 중국에서는 신문화 운동 이후 여성 교육과 여권 문제가 논의되었어.
④ 중국의 여성 교육은 정부가 주도하여 세운 여학교를 중심으로 시작되었어.
⑤ 일본에서 조직된 부인 교풍회는 일부다처의 금지를 법제화하는 성과를 거두었어.

## C 근대적 생활 방식의 확산

**13** 지도에 나타난 교통수단에 대한 설명으로 옳지 않은 것은?

① 인구 이동과 물자 유통을 촉진해 주었다.
② 러·일 전쟁 당시 군대와 물자 수송에 활용되었다.
③ 대한 제국에서는 중국의 지원을 받아 처음 부설되었다.
④ 청은 초기에 열강의 침탈을 이유로 부설에 부정적이었다.
⑤ 일본에서는 도쿄와 요코하마 사이에 최초로 건설되었다.

**14** 기사문을 활용한 탐구 활동으로 적절한 것은?

> 경의선 철도 부역에 품삯을 제대로 주지 않아 무리함이 지극하다. 또한 아무런 근거도 없이 나무를 베어 운반하며 일을 부리고 백성의 물자를 강제로 빼앗으니 백성의 억울한 심정은 이루 말로 다할 수 없다. -『황성신문』

① 의병들의 활동 내용을 조사한다.
② 임오군란의 발발 원인을 알아본다.
③ 자유 민권 운동의 결과에 대해 정리한다.
④ 갑신정변의 개혁 정강 14개조를 분석한다.
⑤ 메이지 정부가 실시한 근대 개혁 내용을 살펴본다.

**15** 다음 시간표를 보고 학생들이 나눈 대화 내용으로 옳은 것은?

> 통감부 철도 관리국에서는 오는 5월 1일부터 관부연락선과 경부철도, 경의철도, 안동철도를 서로 연결하여 밤낮으로 운행하는데 그 시간표는 다음과 같다.
>
> 〈부산행 급행〉
> - 안동현 출발 – 오전 7:40
> - 신의주 출발 – 오전 8:30
> - 평양 도착 – 오후 2:43 / 출발 2:51
> - 남대문 도착 – 오전 10:20 / 출발 10:40
> - 부산 도착 – 다음날 오전 9:30

① 갑: 서구식 시간관념의 확산에 큰 역할을 했을 거야.
② 을: 사전 검열제 실시 등 정부가 신문을 통제했을 거야.
③ 병: 황성 만들기 사업과 같이 도시 재정비 사업이 시작됐을 거야.
④ 정: 동아시아의 무정부주의자들이 단결해 국제 연대를 강화해 나갔을 거야.
⑤ 무: 여성 교육과 사회 진출 주장 등 여성에 대한 권리 신장 요구가 더욱 커졌을 거야.

**16** 밑줄 친 '이 역법'에 대한 설명으로 옳은 것은?

> 한국에서는 <u>이 역법</u>을 도입함에 따라 공식적인 문서와 일상에서 1895년 11월 17일부터 12월 31일까지의 45일이 이른바 '잃어버린 시간'으로 여겨졌다.

① '일본 – 한국 – 중국'의 순서대로 도입되었다.
② 농사 절기를 결정하는 데 유용하게 사용되었다.
③ 일본에서는 존왕양이 운동 과정에서 이용되었다.
④ 한국에서는 강화도 조약 체결과 함께 채택되었다.
⑤ 중국에는 변법자강 운동의 추진 과정에서 유입되었다.

주관식

**17** 다음 설명에 해당하는 용어를 쓰시오.

> 개항장 내에 일정한 범위를 구획하여 외국인이 자유롭게 거주하며 치외 법권을 누릴 수 있게 설정한 지역으로, 일본에서는 거류지라고도 불렸다.

**18** 빈칸에 들어갈 내용으로 옳은 것은?

> 사회자: 이 도시는 어디일까요?
> 첫 번째 힌트입니다. 1858년 미·일 수호 통상 조약으로 개항되었습니다. 두 번째 힌트입니다. 도쿄와 이 도시 사이에 일본 최초의 철도가 개설되었습니다. 마지막 힌트 드립니다. ________

① 경사 대학당이 설립되었던 곳입니다.
② 일본 최초의 일간지가 발행되었습니다.
③ 긴자 지역에 서양식 거리가 조성되었습니다.
④ 영국인이 『신보』를 창간한 지역에 해당합니다.
⑤ 정부 주도의 황성 만들기 사업이 추진되었습니다.

출제가능성 90%

**19** 다음에서 설명하는 도시를 지도에서 고른 것은?

> - 개항 이래 영국, 미국, 프랑스 등 서양 여러 나라의 조계가 자리 잡았다.
> - 3·1 운동 이후 대한민국 임시 정부가 수립되었고, 1932년에는 윤봉길 의사의 훙커우 공원 의거가 일어났다.

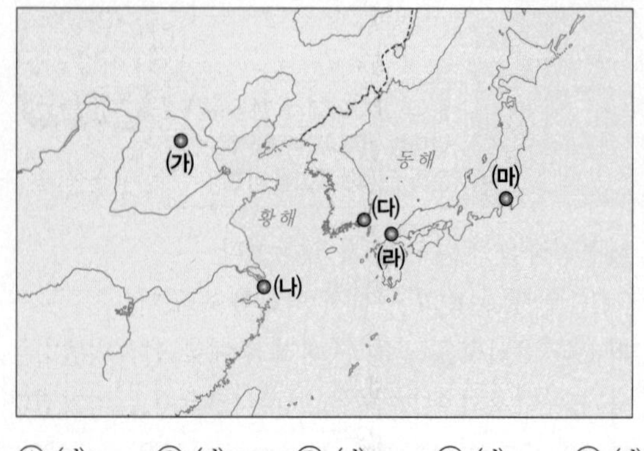


① (가) ② (나) ③ (다) ④ (라) ⑤ (마)

# 3단계 등급 올리기

**01** 자료에 나타난 사상을 주제로 탐구 수업을 진행할 때, 그 활동 과제로 적절한 것은?

> • 세계에 있는 것은 강자의 권리뿐이다. 강자가 늘 약자를 다스릴 뿐 다른 힘이라는 게 따로 없다. 그것이 진화의 가장 보편적인 원칙이다. 자유권을 얻고자 한다면 먼저 강자가 되는 방법밖에 별도리가 없다.
> • 대개 인생의 만사가 경쟁을 의지하지 않는 일이 없으니 크게는 천하와 국가의 일부터, 작게는 한 몸 한 집안의 일까지 실로 다 경쟁으로 말미암아 먼저 진보할 수 있는 바라. …… 만약 국가들 사이에 경쟁하는 바가 없으면 어떤 방법으로 그 광위와 부강을 증진할 수 있는가?

① 위정척사 운동의 핵심 이념을 조사한다.
② 애국 계몽 운동의 논리적 배경을 찾아본다.
③ 임오군란을 주도한 세력의 주장을 살펴본다.
④ 태평천국 운동에 영향을 미친 사상을 알아본다.
⑤ 동아시아 반전 연대 활동의 사상적 논거를 분석한다.

최고난도

**02** (가), (나)를 발표한 동아시아 국가의 근대 교육에 대한 설명으로 옳지 않은 것은?

> (가) 나의 신민이 충과 효로써 많은 사람의 마음을 하나로 만들어 대대손손 그 아름다움을 다하게 하는 것이 우리 국체의 정화이며, 교육의 연원 또한 실로 여기에 있다.
> (나) 백성을 가르치지 않으면 나라를 굳건히 하기 어렵다. 세상 형편을 돌아보면 부유하고 강성하여 독립하여 웅시하는 여러 나라는 모두 그 나라 백성의 지식이 개명하였다. 지식의 개명함은 교육이 잘됨으로써 말미암은 것이니, 교육은 실로 나라를 보존하는 근본이다.

① (가) – 소학교 의무 교육 제도를 도입하였다.
② (가) – 신정이 시행되면서 과거제를 폐지하였다.
③ (가) – 도쿄 대학을 설립하여 고등 교육을 실시하였다.
④ (나) – 정부 주도 아래 육영 공원을 설립하였다.
⑤ (나) – 동문학을 설립하여 외국어 교육을 시행하였다.

2018 평가원 응용

**03** (가)~(다) 도시에서 볼 수 있었던 모습으로 적절한 것은?

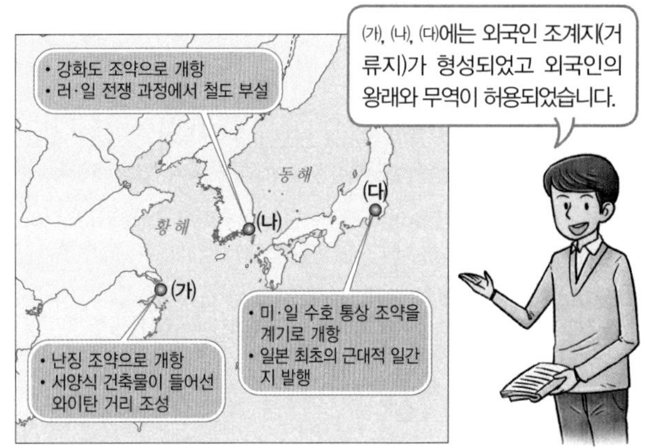


① (가) – 문물을 시찰하는 수신사 일행
② (가) – 경사 대학당에서 공부하는 학생
③ (나) – 독립문을 건립하는 독립 협회 회원
④ (나) – 통리기무아문에서 업무를 처리하는 관리
⑤ (다) – 도쿄와 연결되는 철도 건설을 설계하는 기술자

## 서술형 문제

**04** 다음을 읽고 물음에 답하시오.

> • 당시 아이들 사이에서는 '서양 귀신은 화륜선을 타고 왜놈 귀신은 철차를 타고 몰려든다.'라는 동요가 나돌았을 정도이다.
> • 한성에 사는 자가 매일 인천에 와서 일을 보고, 인천에 사는 벼슬아치가 매일 한성으로 출근하는 것이 해롭지 아니 하니라.

(1) 윗글에서 묘사하고 있는 교통수단을 쓰시오.

(2) (1)의 건설이 동아시아 지역에 미친 영향에 대해 서술하시오.

# 01 제2차 세계 대전의 전후 처리와 동아시아의 냉전

★ 표시는 시험 전에 확인해 주세요.

## A 제2차 세계 대전의 종결과 전후 처리

### 1. 연합국의 전후 처리 구상

| | |
|---|---|
| 카이로 회담 (1943. 11.) | 미·영·중의 카이로 선언 발표 → 일본에 무조건 항복 요구, 일본 식민지의 독립 논의, 한국의 독립 약속 |
| 얄타 회담 (1945. 2.) | 미·영·소의 주도 → 전후 독일의 처리 문제, 소련의 대일전 참전에 대한 비밀 협정 체결 |
| 포츠담 회담 (1945. 7.) | 미·영·중·소(8월 서명)의 포츠담 선언 발표 → 카이로 선언 이행 재확인, 일본의 무조건 항복 요구 |

### ★ 2. 동아시아의 전후 처리

(1) 일본: 미군의 일본 단독 점령, 연합군 최고 사령부 설치

① 종전 직후 미 군정의 실시

천황은 재판에 회부되지 않았고, 7명의 A급 전범 이외에는 냉전 체제에서 모두 풀려났다.

| | |
|---|---|
| 목표 | 일본의 비군사화, 민주화를 목표로 미 군정의 개혁 추진 |
| 내용 | 일본군 해체, 군국주의자 공직 추방, 극동 국제 군사 재판(도쿄 재판) 개최, 신헌법(평화 헌법) 제정(1946), 여성 참정권 도입, 지방 자치제 실시, 군수 재벌 기업 해체, 노동조합의 활동 보장, 농지 개혁 단행, 중학교 의무 교육 실시 등 |

② 냉전 시기 미국의 대일본 정책 변화

중국, 한국 등 피해 당사국이 제외되었고, 일본의 배상 책임이 제대로 처리되지 않았다.

| | |
|---|---|
| 배경 | 미국과 소련의 대립 격화, 중국·북한의 공산화, 6·25 전쟁 발발 → 미국이 일본을 동아시아의 반공 기지로 구축하려 함 |
| 내용 | 경찰 예비대 조직(자위대로 개편), 샌프란시스코 강화 조약 체결(1951), 미·일 안전 보장 조약 체결(1951), 군국주의 세력 복귀 등 |

**일본의 신헌법**

천황을 상징적 존재로 규정하고 주권 재민, 인권 존중, 전쟁 포기, 군사력 보유 금지 등을 명시하였다.

제1조 천황은 일본국의 상징이자 일본 국민 통합의 상징으로서 그 지위는 주권을 지닌 일본 국민의 뜻에 기반을 둔다.

제9조 일본 국민은 전쟁과 무력을 통한 위협과 무력의 행사를 영구히 포기한다. …… 육·해·공군 그 외 전력을 보유하지 않는다.

(2) 한국: 38도선을 경계로 미군과 소련군이 남과 북에 진주

| | |
|---|---|
| 남한 | 남한만의 단독 선거 실시(1948. 5.), 대한민국 정부 수립(1948. 8.) |
| 북한 | 조선 민주주의 인민 공화국 선포(1948. 9.) |

남과 북에서는 각각 미국과 소련의 군정이 시행되었다.

## B 냉전과 동아시아의 전쟁

### 1. 중국의 국·공 내전

국민당은 관료들의 부정부패와 심각한 인플레이션 등으로 민심을 잃었다.

| | |
|---|---|
| 배경 | 종전 후 미국 주도로 평화 협상 진행·결렬 → 내전 본격화(1946) |
| 전개 | 초기 국민당의 우세 → 미국의 지원을 받은 국민당이 공산당 근거지인 옌안 점령 → 공산당이 토지 개혁과 민중의 지지를 얻어 전세 역전 → 공산당이 베이징 점령(1949) |
| 결과 | 공산당이 중화 인민 공화국 수립(1949. 10.), 국·공 내전에서 패배한 국민당은 타이완으로 이동 → 동아시아의 냉전 체제 심화 |

### ★ 2. 6·25 전쟁

미 국무 장관 애치슨이 밝힌 미국의 태평양 지역 방위선으로, 한국과 타이완이 방위 대상에서 제외되었다.

| | |
|---|---|
| 배경 | 중국의 공산화, 미국의 애치슨 라인 발표 등 |
| 경과 | 북한군의 남침(1950. 6. 25.) → 유엔군 참전 → 인천 상륙 작전 추진 → 중국군의 개입 → 38도선 부근에서 전선 교착 → 휴전 협정 체결(1953. 7. 27.) |
| 영향 | • 한반도: 국토의 황폐화, 산업 시설 파괴, 사상자와 이산가족 등 인적 피해 발생, 한·미 상호 방위 조약 체결(1953)<br>• 일본: 샌프란시스코 강화 조약으로 주권 회복, 전쟁 특수를 누림<br>• 미국: 미국을 중심으로 한 반공 동맹 강화<br>• 타이완: 미국의 전면적 지지 획득, 일본과 평화 조약 체결<br>• 중국: 사회주의권에서 정치적 위상 상승, 공산당 내부 단결 강화 |

### ★ 3. 베트남 전쟁

북위 17도선을 경계로 남북 분할, 통일을 위한 총선거 실시 등을 규정하였다.

(1) 베트남 독립 전쟁(제1차 인도차이나 전쟁): 호찌민이 베트남 민주 공화국 수립(1945) → 프랑스와의 독립 전쟁 발발(1946) → 디엔비엔푸 전투에서 베트남 승리 → 제네바 협정 체결(1954, 프랑스의 완전 철수)

(2) 베트남 전쟁(제2차 인도차이나 전쟁)

| | |
|---|---|
| 배경 | 남베트남의 단독 선거를 통해 베트남 공화국 수립(1955), 북베트남(공산당 지배)과 남베트남(미국의 지원)으로 분단 → 북베트남이 민족 해방 전선(베트콩)의 지원을 통해 남베트남 공격 |
| 경과 | 통킹만 사건을 구실로 미국의 북베트남 공격 → 한국의 미국 지원, 중국·북한·소련의 북베트남 지원 → 미국 내 반전 여론 고조 → 닉슨 독트린 발표(1969) → 파리 평화 협정 체결(1973, 미국의 전쟁 종결 약속) → 미군 철수 → 북베트남의 사이공 점령 → 베트남 사회주의 공화국 수립(1976) |
| 영향 | 고엽제·산업 시설 파괴 등의 피해 발생, 전쟁 특수를 통한 한국과 일본의 경제 성장, 냉전 완화의 계기 마련 |

닉슨이 발표한 아시아 안보에 관한 외교 전략으로, 내란이나 침략에 대해 아시아 각국이 스스로 대처하는 것을 원칙으로 하였다. 닉슨 독트린의 발표는 냉전 체제 완화에 크게 기여하였다.

## C 동아시아의 국교 회복

### 1. 냉전과 동아시아 국제 관계의 변화

(1) 일본과 타이완: 일·화 평화 조약 체결(1952)

(2) 한국과 일본: 한·미·일 삼각 동맹 구축, 일본의 수출 시장 확보 목적, 한국의 자본·기술 마련 필요성 대두 → 한·일 기본 조약 체결(1965) → 한국 정부가 일본의 자금과 기술 지원을 받아 경제 개발 계획 추진

### 2. 냉전의 완화와 각국의 국교 수립

미국이 중국을 유일한 합법 정부로 승인하고, 타이완이 중국의 일부임을 인정하였다.

| | |
|---|---|
| 중국과 미국 | 중국의 유엔 가입(1971) → 닉슨 대통령의 중국 방문(1972) → 미·중 공동 성명 발표 → 국교 수립(1979) |
| 중국과 일본 | 중·일 공동 성명 발표(1972) → 중·일 평화 우호 조약 체결(1978, 전쟁 상태 종결 선언) |
| 한국 | 소련과 국교 수립(1990) → 중국, 베트남과 수교(1992) |

1972년 일본이 중화 인민 공화국을 중국 유일한 합법 정부로 인정하자, 타이완 정부는 즉각 일본과의 외교 관계를 단절하였다.

# 1단계 개념 짚어 보기

**01** 1945년 2월, 미국·영국·소련의 수뇌부가 모여 전후 독일의 처리 문제와 소련의 대일전 참전에 합의한 회담은?

**02** 제2차 세계 대전 이후 연합국이 일본의 전범을 처벌하기 위해 개최한 국제 재판은?

**03** 1950년 미국이 (            )을 발표하면서 태평양 지역 방위선에서 한국과 타이완이 제외되었다.

**04** 다음 설명이 맞으면 ○표, 틀리면 ×표를 하시오.

(1) 중국 공산당이 베이징에서 중화 인민 공화국을 수립하면서 국·공 내전이 일어났다. (    )

(2) 6·25 참전을 계기로 중국은 사회주의권에서 정치적 위상이 강화되었다. (    )

(3) 미국은 통킹만 사건을 빌미로 베트남 전쟁에 본격적으로 개입하였다. (    )

**05** 파리 평화 협정이 체결되고 북베트남이 사이공을 점령한 이후인 1976년에 (            )이 수립되었다.

**06** 내란과 침략에 대해 아시아 각국이 스스로 대처하는 것을 원칙으로 한 미국의 외교 전략은?

**07** 한국은 미국의 지지를 얻고, 경제 개발에 필요한 자금을 마련하고자 1965년 (            )을 체결함으로써 일본과 국교를 정상화하였다.

**08** 다음 설명에 해당하는 내용을 〈보기〉에서 골라 기호를 쓰시오.

보기
ㄱ. 제네바 협정　　ㄴ. 파리 평화 협정
ㄷ. 중·일 공동 성명　　ㄹ. 샌프란시스코 강화 조약

(1) 미군의 베트남 철군 방침이 결정되었다. (    )

(2) 프랑스군의 베트남 철수가 명시되었다. (    )

(3) 6·25 전쟁 중 미국의 주도로 체결되었다. (    )

(4) 타이완과 일본의 국교 단절 계기가 되었다. (    )

# 2단계 내신 다지기

정답과 해설 29쪽

## A 제2차 세계 대전의 종결과 전후 처리

**01** 밑줄 친 '선언'에 대한 설명으로 옳은 것은?

역사 신문　　1943년

제2차 세계 대전 중 연합국들은 회담을 열어 전후 처리 문제를 논의하였다. 1943년 11월에는 미국의 루스벨트, 영국의 처칠, 중국의 장제스가 이집트의 카이로에 모여 <u>선언</u>을 발표하였다. 이후 연합국의 수뇌부들이 어떤 행보를 보일지 귀추가 주목된다.

① 소련의 대일전 참전을 결정하였다.
② 포츠담 회담의 내용을 재확인하였다.
③ 연합국의 독일 분할 점령에 합의하였다.
④ 한국에 대한 독립을 최초로 약속하였다.
⑤ 일본 열도에 원자 폭탄 투하를 결정하였다.

**02** (가)에 들어갈 내용으로 옳지 <u>않은</u> 것은?

미국의 일본 점령과 전후 처리

1. 목표: 종전 직후 일본의 비군사화, 민주화를 목표로 미 군정의 개혁 추진
2. 내용

| | |
|---|---|
| 비무장화 | 전범들의 재판 회부, 전쟁 포기와 군사력 보유 금지 |
| 민주화 | (가) |

① 지방 자치제 실시
② 여성 참정권 도입
③ 군수 재벌 기업 육성
④ 노동조합의 활동 보장
⑤ 중학교 의무 교육의 실시

**03** 다음 내용에 해당하는 재판과 관련된 설명으로 옳은 것은?

> • 개최: 1946년 5월 3일 ~ 1948년 11월 12일까지 진행
> • 목적: 연합국이 포츠담 선언에 따라 일본의 주요 전쟁 범죄자를 처벌하기 위해 개최

① 뉘른베르크에서 개최되었다.
② 일본 천황은 재판에 회부되지 않았다.
③ 전쟁에 협력한 재벌과 핵심 관료들이 대거 처벌받았다.
④ 주요 피해국인 아시아 국가들의 의견이 적극 반영되었다.
⑤ 냉전이 본격화되면서 전범에 대한 책임 추궁이 철저히 이루어졌다.

**04** 다음 게시판에서 옳지 않은 댓글을 쓴 사람을 고른 것은?

> ▶ 지식 Q&A
> 1946년 제정된 일본의 신헌법(평화 헌법)에 대해 알려 주세요.
> ▶ 답변하기
> ↳ 갑: 천황을 신격화하였어요.
> ↳ 을: 전쟁 포기를 명시하였어요.
> ↳ 병: 인권 보호 조항을 강화하였어요.
> ↳ 정: 군사력 보유 금지를 규정하였어요.
> ↳ 무: 주권 재민의 원칙을 표방하였어요.

① 갑 ② 을 ③ 병 ④ 정 ⑤ 무

**05** 다음과 같은 정책 변화가 나타난 배경으로 옳은 것은?

> **미국의 대일 방침 변화**
> • 군국주의자의 공직 추방
> • 재벌 해체와 농지 개혁의 단행
> ➡
> • 군국주의 세력의 복귀 허용
> • 경찰 예비대 조직

① 냉전 체제가 완화되었다.
② 얄타 회담이 개최되었다.
③ 워싱턴 회의가 개최되었다.
④ 북한이 6·25 전쟁을 일으켰다.
⑤ 제2차 국·공 합작이 성립되었다.

출제가능성 90%

**06** 다음을 읽고 학생들이 나눈 대화 내용으로 옳지 않은 것은?

> 제1조 연합국은 일본 및 그 영해에 대한 일본 국민의 완전한 주권을 승인한다.
> 제14조 연합국의 배상 청구권, 전쟁 수행 과정에서 일본 및 그 국민의 다른 청구권, 그리고 점령에 따른 군사적 비용에 관한 연합국의 청구권을 포기한다.

① 갑: 소련의 주도로 조약이 체결되었어.
② 을: 일본이 국제 사회로 복귀하게 되었어.
③ 병: 일본의 피해국 배상 문제가 처리되지 못하였어.
④ 정: 체결 과정에서 한국, 중국의 참여가 배제되었어.
⑤ 무: 미국과 일본의 군사 동맹 구축에 영향을 주었어.

**07** 다음 상황이 일어난 시기를 연표에서 고른 것은?

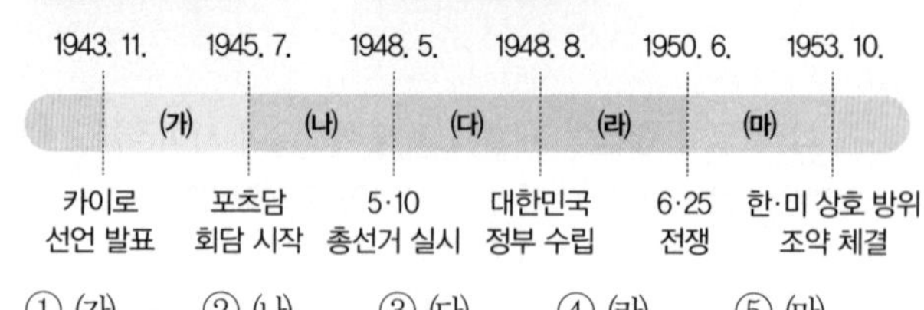


① (가) ② (나) ③ (다) ④ (라) ⑤ (마)

## B 냉전과 동아시아의 전쟁

**08** 그래프는 중국의 국·공 내전 시기 병력 증감을 나타낸 것이다. (가), (나) 군대에 대한 설명으로 옳은 것은?

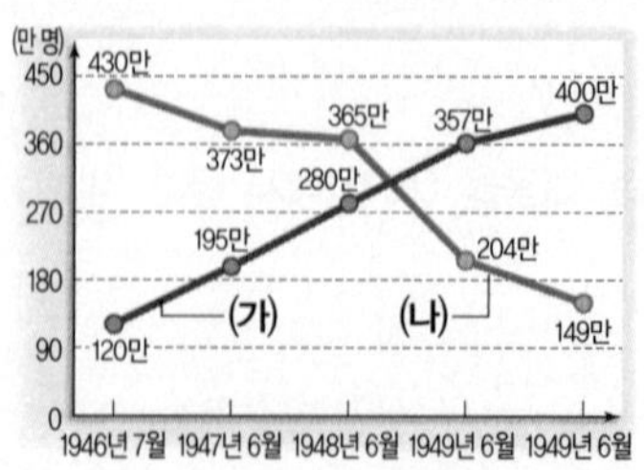


① (가) – 미국의 지원을 받았다.
② (가) – 타이완으로 근거지를 옮겼다.
③ (나) – 중화 인민 공화국을 수립하였다.
④ (나) – 토지 개혁으로 농민의 지지를 얻었다.
⑤ (나) – 관료들의 부정부패로 인해 민심을 잃었다.

## 09 밑줄 친 '방위선'에 대한 설명으로 옳은 것은?

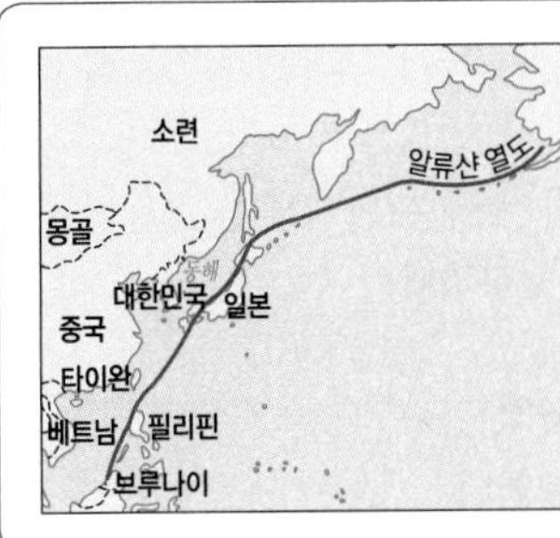


지도는 미 국무 장관 애치슨이 밝힌 미국의 태평양 지역 방위선을 나타낸 것이다. 한반도와 타이완이 미국의 방위 대상에서 제외되어 있음을 알 수 있다.

① 국·공 내전의 배경이 되었다.
② 통킹만 사건 발발의 계기가 되었다.
③ 제1차 인도차이나 전쟁의 원인이 되었다.
④ 6·25 전쟁이 일어나는 데 영향을 주었다.
⑤ 중화 인민 공화국이 수립되는 결과를 가져왔다.

## 10 지도에 나타난 전쟁이 동아시아 정세 변화에 미친 영향으로 옳지 않은 것은?

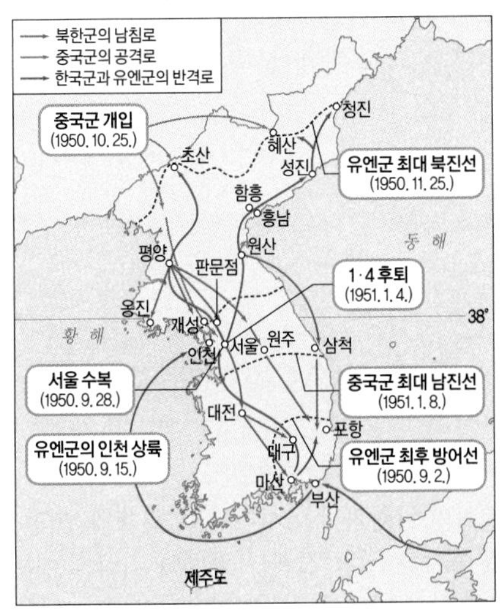


① 타이완이 미국의 전면적 지지를 얻었다.
② 일본이 전쟁 특수를 통한 경제 호황을 누렸다.
③ 사회주의권에서 중국의 정치적 위상이 높아졌다.
④ 미국·한국·일본·타이완이 반공 동맹을 강화하였다.
⑤ 미국이 철군 방침을 확정하는 파리 평화 협정을 체결하였다.

## 11 (가)에 들어갈 내용으로 옳은 것은?

호찌민이 베트남 민주 공화국을 수립하였다.
⬇
(가)
⬇
남베트남의 단독 선거를 통해 베트남 공화국이 수립되었다.

① 통킹만 사건이 일어났다.
② 닉슨 독트린이 발표되었다.
③ 파리 평화 협정이 체결되었다.
④ 베트남 사회주의 공화국이 수립되었다.
⑤ 제네바 협정에 따라 프랑스가 철수하였다.

## 12 다음 조항이 담긴 협정을 쓰시오.

- 북위 17도선을 경계로 300일 이내에 호찌민 정부군은 그 이북으로, 프랑스군은 그 이남으로 이동한다.
- 민간인도 자유의사에 따라 북위 17도 이남과 이북으로 거주 이전할 수 있다.
- 군사 경계선은 잠정적이며, 정치적 통일 문제는 1956년 총선거를 시행하여 결정한다.
- 이후 일체의 외국 군대는 증원될 수 없으며, 프랑스군은 총선거까지 주둔할 수 있다.

출제가능성 90%

## 13 밑줄 친 '이 전쟁'의 결과로 옳은 것은?

통킹만 사건을 빌미로 전투 부대를 파견하면서 미국은 이 전쟁에 본격적으로 개입하였다. 미국은 엄청난 병력과 화력을 투입하면 쉽게 끝날 것이라 예상했지만, 오히려 전쟁은 장기화되었다. 그리고 설날(구정) 공세로 미국에서는 반전 운동이 더욱 거세졌다.

① 파리 평화 협정이 체결되었다.
② 극동 국제 군사 재판이 개최되었다.
③ 남베트남 민족 해방 전선이 결성되었다.
④ 한국과 미국이 상호 방위 조약을 체결하였다.
⑤ 대한민국 임시 정부가 한국 광복군을 창설하였다.

**14** (가) 시기의 사건을 다룬 신문 기사의 제목으로 적절한 것은?

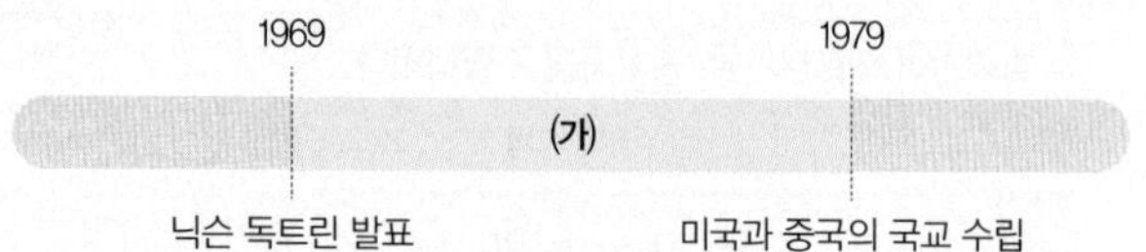


① 베트남 사회주의 공화국이 들어서다
② 포츠담 회담, 카이로 선언 이행을 확인하다
③ 국·공 내전 발생! 다시 전쟁에 휩싸인 중국 대륙
④ 동아시아 국교 회복, 타이완과 일본이 그 포문을 열다
⑤ 일본이 국제 사회로의 복귀에 신호탄을 쏘다, 샌프란시스코 강화 조약 체결!

**15** 다음 연표를 활용한 수업 주제로 가장 적절한 것은?

- 1969년 미국의 닉슨 독트린 발표
- 1970년 핵 확산 방지 조약의 발효
- 1972년 전략 무기 제한 협정(SALT) 체결

① 냉전 체제의 완화
② 서구적 세계관의 수용
③ 동아시아의 냉전과 전쟁
④ 중국 공산당의 개혁 정책
⑤ 제1차 세계 대전의 전후 처리

## C 동아시아의 국교 회복

**16** 다음 조약의 체결 배경으로 옳은 것을 <보기>에서 고른 것은?

제2조 1910년 8월 22일 및 그 이전에 대한 제국과 대일본 제국 간에 체결된 모든 조약 및 협정이 이미 무효임을 확인한다.
제3조 대한민국 정부가 국제 연합(UN) 총회의 결의 제195(Ⅲ)호에 명시된 바와 같이, 한반도에 있어서의 유일한 합법 정부임을 확인한다.

보기
ㄱ. 포츠담 선언에 따라 일본 전범을 처벌하려 하였다.
ㄴ. 한국이 경제 개발에 필요한 자금을 마련하려 하였다.
ㄷ. 일본이 한국과 수교하여 시장을 확보하고자 하였다.
ㄹ. 소련이 주도하여 동아시아 안보 체제를 강화하고자 하였다.

① ㄱ, ㄴ ② ㄱ, ㄷ ③ ㄴ, ㄷ
④ ㄴ, ㄹ ⑤ ㄷ, ㄹ

**17** (가), (나) 사이 시기에 있었던 사실로 옳은 것은?

(가) 일본이 타이완과 일·화 평화 조약을 체결하여 국교를 수립하였다.
(나) 중국과 일본이 중·일 평화 우호 조약을 체결하여 전쟁 상태의 종결을 선언하였다.

① 중국이 유엔에 가입하였다.
② 미국과 중국이 수교하였다.
③ 소련이 한국과 수교를 맺었다.
④ 한국이 중국과 국교를 정상화하였다.
⑤ 샌프란시스코 강화 조약이 체결되었다.

출제가능성 90%

**18** (가) 발표 이후 나타난 국제 정세로 옳은 것은?

(가) 에서 일본은 중·일 전쟁에 대해 "책임을 통감하고 깊이 반성한다."라고 표명하였다. 중국 정부는 이를 받아들이는 대신 국가 차원의 대일 배상 청구권을 포기하기로 하였다.

① 포츠담 선언이 발표되었다.
② 한·일 기본 조약이 체결되었다.
③ 한·미 상호 방위 조약이 체결되었다.
④ 조선 민주주의 인민 공화국이 수립되었다.
⑤ 타이완이 일본과 외교 관계를 즉각 단절하였다.

**19** 다음 보고서에 들어갈 내용으로 옳지 않은 것은?

탐구 활동 보고서

- 탐구 주제: 냉전의 완화와 동아시아 국제 관계의 변화
- 탐구 활동: 동아시아 냉전 질서의 해체와 각국의 수교 과정을 국제 정세와 연계하여 설명한다.

① 한국이 중국과 국교를 수립하였다.
② 일본이 중·일 공동 성명을 발표하였다.
③ 미국 대통령 닉슨이 중국을 방문하였다.
④ 일본이 미국과 안전 보장 조약을 체결하였다.
⑤ 미국이 중국을 유일한 합법 정부로 인정하였다.

# 3단계 등급 올리기

2018 수능 응용

**01** (가), (나) 조약에 대한 설명으로 옳지 않은 것은?

> (가) 제1조 연합국은 일본 및 그 영해에 대한 일본 국민의 완전한 주권을 승인한다.
> 제14조 연합국의 모든 배상 청구권, 전쟁 수행 과정에서 일본 및 그 국민의 다른 청구권, 그리고 점령에 따른 직접적인 군사적 비용에 관한 연합국의 청구권을 포기한다.
> (나) 제6조 남베트남에 있는 미군과 다른 동맹국들의 군사 기지는 조약 서명 후 60일 이내에 철거되어야 한다.
> 제15조 17도선에 의한 두 지역 사이의 군사 분계선은 1954년 제네바 협정에 따라 잠정적일 뿐이며 정치적이거나 영토상의 경계는 아니다.

① (가) – 일본의 주권 회복이 명시되었다.
② (가) – 한국이 조약 체결 과정에 참여하지 못하였다.
③ (나) – 닉슨 독트린 발표 이후 체결되었다.
④ (나) – 미국이 베트남에서 철수를 확정하였다.
⑤ (나) – 미국과 일본의 군사 동맹 관계가 구축되었다.

최고난도

**02** (가)~(다)에 들어갈 내용으로 옳지 않은 것은?

> **수행 평가 보고서**
> 1. 학습 목표: 냉전 체제 속에서 동아시아 각국이 치른 전쟁에 대해 설명할 수 있다.
> 2. 모둠별 조사 발표
> • 1모둠: 중국 – (가)
> • 2모둠: 한국 – (나)
> • 3모둠: 베트남 – (다)

① (가) – 국민 혁명군이 북벌을 시작하였다.
② (나) – 유엔군과 중국군이 전쟁에 참가하였다.
③ (나) – 북한의 전면 남침으로 전쟁이 시작되었다.
④ (다) – 한국이 미국의 동맹국으로 파병하였다.
⑤ (다) – 통킹만 사건을 계기로 미국이 개입하였다.

**03** 다음은 시간의 흐름에 따라 동아시아의 역사를 기술한 책이다. 찢어진 부분에 들어갈 내용으로 가장 적절한 것은?

마오쩌둥이 중화 인민 공화국의 수립을 선포하였다.

미국의 닉슨 대통령이 중국을 방문하였다.

① 한국이 소련과 수교하였다.
② 한·일 기본 조약이 체결되었다.
③ 극동 국제 군사 재판이 개최되었다.
④ 중국에서 국·공 내전이 시작되었다.
⑤ 베트남 사회주의 공화국이 수립되었다.

## 서술형 문제

**04** 다음을 읽고 물음에 답하시오.

> 제1조 천황은 일본국의 상징이자 일본 국민 통합의 상징이며, 이 지위는 주권을 지닌 일본 국민의 총의에 근거한다.
> 제9조 ① 일본 국민은 정의와 질서를 기조로 하는 국제 평화를 성실히 희구하며, 국제 분쟁을 해결할 수단으로서 국권의 발동인 전쟁과 무력에 의거한 위협 또는 무력행사를 영구히 포기한다.
> ② 전 항의 목적을 달성하기 위하여 육·해·공군 그 외 전력을 보유하지 아니한다.

(1) 위 헌법의 명칭을 쓰시오.

(2) (1) 헌법의 특징을 세 가지 이상 서술하시오.

# 02 경제 성장과 정치 발전 및 갈등과 화해

## A 경제 성장과 교역의 확대

### ★ 1. 일본의 경제 성장

|  |  |
|---|---|
| 제2차 세계 대전 직후 | 제2차 세계 대전에서 패배한 이후 경제 정책의 혼선과 물자 부족으로 혼란 가중 |
| 1950년대 초반 | 냉전이 본격화되면서 미국의 경제적 지원 확대, 6·25 전쟁 특수로 경제 회복 시작 |
| 1950년대 중반 ~ 1970년대 초반 | 베트남 전쟁 특수, 연평균 10% 이상의 고도성장을 바탕으로 세계 2위의 경제 대국 이룩, 중공업과 전자 산업 위주의 산업 구조 형성 |
| 1970년대 중·후반 | 1차(1973)·2차(1979) 석유 파동으로 위기 발생 → 기업들의 기술 개발, 경영 합리화로 극복 |
| 1980년대 | 수출 증가로 최대 호황기 이룩, 엔고 현상으로 대출 금리 인하 → 부동산과 주식 투자가 과열되면서 거품 경제 형성 |
| 1990년대 이후 | 1990년대 부동산과 주가 폭락으로 장기 불황 시작 → 실업률 증가, 사회 불안 발생 |

특수: 일본이 군수 물자 공급 기지로서 산업 생산량을 늘리면서 전쟁 특수를 누렸다.

### 2. 한국의 경제 성장

|  |  |
|---|---|
| 1950년대 | 미국의 경제 원조에 의존 → 삼백 산업 발달 |
| 1960년대 | 1962년부터 박정희 정부가 제1차 경제 개발 5개년 계획 실시(수출 주도형 경제 정책 추진, 경공업 육성) |
| 1970년대 | 철강·조선·기계 등 중화학 공업을 수출 주력 산업으로 육성, '한강의 기적'으로 불리는 경제 성장 이룩, 1970년대 말 석유 파동으로 경제 위기를 겪음 |
| 1980년대 | 저유가·저달러·저금리 현상에 힘입어 경제 성장 달성(3저 호황) → 아시아의 4대 신흥 공업국으로 성장 |
| 1990년대 이후 | 외환 위기(1997)로 국제 통화 기금(IMF)의 긴급 구제 금융을 지원받음 → 부실 금융 기관 통폐합, 외자 유치, 금 모으기 운동 등 민간의 노력을 통해 위기 극복 |

수출 주도형 경제 정책: 외국의 자본과 기술, 국내의 값싼 노동력에 기반을 두었다.

아시아의 4대 신흥 공업국: 한국, 타이완, 싱가포르, 홍콩이 해당된다.

### 3. 타이완의 경제 성장

|  |  |
|---|---|
| 1950년대 | 통화 개혁과 긴축 재정 정책 시행, 경공업을 중심으로 수입 대체 정책에 중점을 둠, 농지 개혁 추진 |
| 1960년대 | 경제 건설 4개년 계획 시행 → 전력·비료·방적·제강 산업을 적극 육성, 수출 촉진 정책 추진 |
| 1970년대 ~ 1990년대 후반 | 정부의 투자 장려책과 제조업 중심의 산업 육성 정책으로 경제 성장 지속 |
| 2000년대 이후 | 마이너스 성장률 기록 → 저성장 지속 |

타이완을 비롯한 일본과 한국은 국가 주도의 수출 중심 정책으로 빠른 성장을 이루었으며, 베트남 전쟁 특수를 누리고, 미국의 경제적 지원을 받았다는 공통점이 있다.

### ★ 4. 중국의 개혁·개방과 경제 발전

(1) 사회주의 계획 경제 정책의 추진

① 초기 정책: 토지 개혁 시행(무상 몰수·무상 분배), 주요 산업의 국유화 → 제1차 5개년 계획으로 중공업 중심의 공업화 추진, 농업 생산 합작사 등의 집단화 진행

합작사: 중국의 협동조합을 일컫는 말이다.

② 대약진 운동

|  |  |
|---|---|
| 전개 | 1958년부터 마오쩌둥의 주도로 추진 → 인민공사에 농민을 편입시켜 농업의 집단화 추진, 철강 생산에 노동력 동원 |
| 결과 | 농민들의 불만, 근로 의욕 감소, 기술력의 부족, 자연재해에 따른 생산력 저하 등으로 실패 → 마오쩌둥의 권력 약화 |

인민공사: 1958년 농업 집단화를 위해 만든 대규모 집단 농장으로, 농촌 생활 및 행정의 기초 단위였다.

(2) 덩샤오핑의 개혁·개방 정책 추진: 1978년부터 농업·공업·국방·과학 기술 4대 부문의 현대화 목표 → 시장 경제 체제 도입, 인민공사 해체 후 가족농업으로 전환, 농산물 가격의 점진적 시장화, 사기업 설립 허용, 경제특구 설치(외국 자본과 기술 도입 목적) → 연 10%의 고도성장 이룩

(3) 2000년대 이후의 발전: 2001년 세계 무역 기구(WTO) 가입, 2010년 세계 2위 경제 대국으로 성장

### 5. 베트남과 북한의 경제

|  |  |
|---|---|
| 베트남 | 토지 개혁, 농업 집단화, 중공업 정책 실시 → 1986년 도이머이(쇄신) 정책 실시로 시장 경제 체제 일부 도입 → 경제 성장 지속, 식량 생산량의 급증(→ 세계 3대 쌀 수출국으로 성장) |
| 북한 | 협동농장 중심의 사회주의 경제 체제 확립, 천리마운동 추진 → 소련의 원조 중단, 과도한 군사비 지출 등으로 경제 침체 본격화 → 합영법 제정, 경제특구 지정 등의 노력 전개 |

천리마운동: 대중의 노동력을 동원하여 생산력 향상을 추구하였으나 자본과 기술 부족으로 한계를 드러냈다.

합영법: 북한이 서구의 자본과 기술을 도입하기 위해 1984년에 제정한 합작 투자법이다.

### 6. 동아시아 교역의 활성화와 경제 협력: 미국을 중심으로 한국·일본·타이완을 연결하는 교역 구조 형성 → 중국의 개혁·개방 정책 추진 → 한국·중국·일본의 교역 규모 급증, 동아시아 교역에서 중국의 비중 증가

## B 정치와 사회의 발전

### ★ 1. 일본의 정치 발전

(1) '55년 체제'의 성립

|  |  |
|---|---|
| 성립 | 사회당의 좌·우파 통합, 자유당과 민주당이 자유 민주당(자민당)으로 통합 → 자민당과 사회당의 양당 체제 형성, 자민당의 장기 집권(경제 우선 정책, 미·일 안보 조약 개정안 단독 통과 등) |
| 동요 | 1970년대 두 차례의 석유 파동과 록히드 사건으로 위기 봉착 |

록히드 사건: 일본의 정부 관리들이 미국의 군수 업체인 록히드사로부터 뇌물을 받은 사실이 드러났다.

(2) '55년 체제'의 붕괴

|  |  |
|---|---|
| 배경 | 1990년대 거품 경제 붕괴로 경제 침체, 정경 유착과 부정부패로 자민당의 지지 기반 약화 |
| 붕괴 | 1993년에 치러진 총선거 결과 비자민당 정당들이 과반수 획득 → 비자민당 연립 정부 수립, '55년 체제' 붕괴(1993) |

(3) 정권 교체: 2009년 민주당 집권(여·야 정권 교체 이룩) → 민주당의 정책 실패로 2012년 자민당 재집권(평화 헌법 개정 시도, 자위대 지위 강화 등 우경화 정책 추진)

★ 표시는 시험 전에 확인해 주세요.

## ★ 2. 한국의 민주주의 발전

| | |
|---|---|
| 이승만 정부 | • 6·25 전쟁 이후 개헌으로 장기 집권 도모<br>• 4·19 혁명(1960): 3·15 부정 선거에 반발해 학생과 시민들이 시위 전개 → 이승만 대통령 하야 |
| 장면 내각 | 장면 내각 수립 → 5·16 군사 정변으로 붕괴 |
| 박정희 정부 | • 3선 개헌을 단행하여 장기 집권 도모<br>• 유신 체제 성립: 유신 헌법 제정(1972) → 긴급 조치로 민주화 운동 탄압 → 10·26 사태로 박정희 대통령이 피살되면서 붕괴 |
| 전두환 정부 | • 5·18 민주화 운동(1980): 신군부의 계엄령 확대와 탄압에 저항하여 광주 시민들이 신군부의 퇴진과 민주화를 요구하며 시위 전개 → 군인들의 유혈 진압으로 많은 시민들이 희생<br>• 6월 민주 항쟁(1987): 박종철 고문치사 사건 계기, 시민들이 대통령 직선제 개헌 요구 → 6·29 민주화 선언 발표(대통령 직선제 개헌 수용) |
| 노태우 정부 | 북방 정책 추진 → 소련(1990)·중국(1992)과 수교 |
| 김영삼 정부 | 경제 협력 개발 기구(OECD) 가입(1996) |
| 김대중 정부 | 헌정 사상 최초로 여·야 간 평화적 정권 교체 이룩, 남북 정상 회담 개최 |

### 3. 타이완의 정치 발전

(1) **국민당의 일당 지배 체제 성립:** 1949년 타이완에 국민당 정부가 수립된 이후 1987년까지 계엄령 유지 → 국민당의 정치 독점, 국민의 언론·출판·집회·결사의 자유 제한

(2) **민주화의 진전:** 국민의 민주화 요구 → 복수 정당제 도입, 지방 선거 시행, 총통 직선제 개헌 등 제도적 민주화 이룩

(3) **정권 교체:** 야당인 민주 진보당 후보 천수이볜이 총통에 선출(2000, 최초로 여·야 간 정권 교체 이룩) → 민주 진보당과 국민당의 정권 교체 빈번

### 4. 중국의 정치와 사회 변화

(1) **문화 대혁명(1966~1976):** 대약진 운동의 실패로 마오쩌둥의 권력 기반 약화 → 자본주의 사상과 문화에 대한 투쟁 강조, 홍위병을 앞세워 반대파 제거 → 시민들의 저항, 사회적 혼란 초래 → 마오쩌둥 사망 후 중단

홍위병은 마오쩌둥의 사상을 따르며 자본주의와 전통 사상을 추종한다고 여겨지는 당 지도자 및 지식인을 공격하였다.

(2) **덩샤오핑 집권:** 1970년대 말 집권 → 실용적 경제 노선 추진

(3) **톈안먼 사건(1989):** 개혁·개방의 가속화, 일부 공산당원과 관료의 부패로 정치 개혁 요구 대두 → 시민들이 톈안먼 광장에서 정치 개혁·인권 보장 등 민주화를 요구하는 시위 전개 → 정부의 무력 진압에 따른 많은 희생자 발생

(4) **오늘날의 중국:** 공산당 일당 지배 체제 유지, 경제 성장을 통한 생활 수준 향상과 정치적 안정 도모, 애국주의 교육 강화, 중국 정부와 소수 민족 간의 갈등 지속

### 5. 베트남과 북한의 변화

| | |
|---|---|
| 베트남 | 캄보디아 내전 개입, 중국과의 국경 분쟁, 미국의 경제 제재 → 경제 사정 악화 → 도이머이 정책 추진, 외국과 관계 개선 |
| 북한 | 6·25 전쟁 이후 김일성 독재 체제 강화, 주석제를 명시한 사회주의 헌법 제정(1972) → 김정일·김정은으로 이어지는 3대 권력 세습 유지, 핵무기 개발로 인한 국제적 고립 심화 |

국방 위원장으로 취임하여 선군 정치를 펼쳤다.

### 6. 동아시아의 사회 변동:
사회 변화에 따라 노동, 도시, 환경 오염, 여성 차별, 인권, 다문화 등에 대한 사회 운동과 시민운동의 전개 → 국제 연대를 모색하는 움직임 활발

## C 동아시아의 갈등과 화해

### ★ 1. 동아시아 영토 분쟁

| | |
|---|---|
| 쿠릴 열도<br>(북방 도서) | 일본이 영유하고 있던 쿠릴 열도의 4개 섬을 제2차 세계 대전 중 소련이 점령 → 소련을 이은 러시아가 현재까지 영유, 일본이 4개 섬 반환 요구 |
| 센카쿠 열도<br>(댜오위다오) | • 일본: 청·일 전쟁 중에 선점하였다고 주장<br>• 중국·타이완: 본래 명과 청의 영토를 일본에 빼앗겼다고 주장 |
| 시사 군도<br>(파라셀 제도) | 베트남의 기상 관측소 설치·관리, 중국의 무력 점령 → 중국이 시설을 설치하면서 영토 분쟁 심화 |
| 난사 군도<br>(스프래틀리 군도) | 중국·베트남·필리핀·브루나이·말레이시아 등의 분쟁, 지하자원의 매장이 확인되면서 분쟁 심화 |
| 독도 | • 일본: 러·일 전쟁 중 시마네현 고시를 발표하여 자국의 영토로 편입하였다고 주장<br>• 한국: 삼국 시대 이래 한국 고유의 영토로 현재 영토 주권 행사, 「대한 제국 칙령 제41호」·「연합국 최고 사령관 각서(SCAPIN) 제677호」 등에서 한국 영토임이 입증되었음을 강조 |

최근에는 고유 영토론을 내세우고 있다.

### 2. 역사 인식을 둘러싼 갈등

1993년 일본 고노 요헤이 관방 장관이 일본군 '위안부'의 존재와 일본군의 관여를 인정하였다.

(1) **일본의 역사 교과서 왜곡:** 일부 우익 세력이 기존 역사관을 자학 사관이라 비판, 왜곡된 역사 인식이 담긴 교과서 발행

(2) **야스쿠니 신사 참배:** 주변국들이 침략 전쟁을 미화하는 것으로 받아들여 강력 비판 → 참배 지속, 주변국과 갈등 심화

(3) **일본군 '위안부' 문제:** 일본 정부가 일본군 '위안부' 동원 은폐 → 피해자들의 증언 이후 비난 고조 → 고노 담화를 통해 공식 사과 → 국제 사회에서 일본에 사과와 보상 요구

(4) **중국의 동북공정:** 고조선, 부여, 고구려, 발해를 중국의 지방 정권으로 규정 → 한국·중국 간의 갈등 심화

### 3. 화해를 위한 노력:
동아시아 협력체 결성, 시민 단체들의 국제 연대 확대, 한국·중국·일본 학자들의 공동 역사 교재 발간, 문화 교류를 통한 상호 이해의 폭 확대 도모 등

소수 민족의 동요를 방지하고 중국 국민으로서 정체성을 확립하는 데 그 목적이 있다.

# 1단계 개념 짚어 보기

**01** 1980년대 일본에서는 낮은 이자로 대출을 받은 기업과 개인이 부동산과 주식 등에 과잉 투자를 하면서 (        )가 형성되었다.

**02** 중국의 마오쩌둥이 죽은 후 정권을 잡은 (        )은 시장 경제 체제의 요소를 일부 수용하여 개혁·개방 정책을 시행하였다.

**03** 베트남은 1986년 개혁·개방을 표방하는 (        )을 채택하여 시장 경제 체제 일부를 수용하였다.

**04** 다음 설명에 해당하는 국가를 〈보기〉에서 골라 기호를 쓰시오.

보기
ㄱ. 북한 ㄴ. 일본 ㄷ. 한국

(1) 3저 현상에 힘입어 경제 성장을 이룩하였다. (    )
(2) 6·25 전쟁 특수로 경제 회복을 시작하였다. (    )
(3) 합영법을 제정해 외국 자본 유치에 힘썼다. (    )

**05** 1955년 일본에서 수립된 정치 체제로, 보수적인 자민당과 야당인 사회당의 양당 구조가 공존하는 정치 형태를 일컫는 말은?

**06** 마오쩌둥이 자본주의 사상과 문화에 대한 투쟁을 주장하며 홍위병을 동원하여 반대파를 제거한 운동은?

**07** 다음 설명이 맞으면 ○표, 틀리면 ×표를 하시오.

(1) 일본에서는 1970년대 록히드 사건으로 '55년 체제'가 동요하였다. (    )
(2) 한국에서는 3·15 부정 선거에 저항하여 6월 민주 항쟁이 일어났다. (    )
(3) 중국에서는 1989년 학생과 시민들이 모여 민주화를 요구하는 대약진 운동이 벌어졌다. (    )

**08** 중국은 (        )을 통해 고조선, 부여, 고구려, 발해의 역사를 중국의 지방사로 편입시키려 하였다.

# 2단계 내신 다지기

## A 경제 성장과 교역의 확대

출제가능성 90%

**01** 다음 학습 목표를 달성한 학생의 답변으로 옳은 것은?

> 학습 목표: 6·25 전쟁이 일본에 미친 영향에 대해 발표할 수 있다.

① 평화 헌법이 제정되었어요.
② '55년 체제'가 붕괴되었어요.
③ 부동산과 주식 투자가 과열되었어요.
④ 중·일 평화 우호 조약이 체결되었어요.
⑤ 군수품 생산에 힘입어 경제 회복이 시작되었어요.

**02** 그래프는 1981년～2001년의 1인당 국민 소득(GNI)을 나타낸 것이다. (가) 시기 일본 경제에 대한 설명으로 옳은 것은?

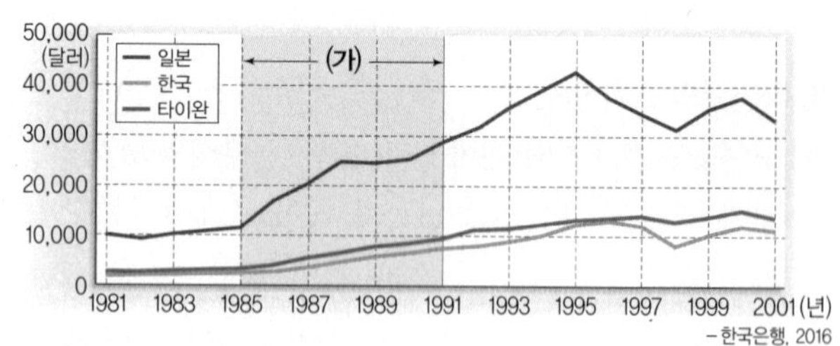

– 한국은행, 2016

① 거품 경제가 형성되었다.
② 베트남 전쟁의 특수를 누렸다.
③ 연 10% 이상의 고도성장을 이루었다.
④ 석유 파동으로 경제적 어려움을 겪었다.
⑤ 부동산과 주가 폭락으로 장기 불황이 시작되었다.

**03** 다음 기념우표가 발행되던 시기의 한국 경제에 대한 설명으로 옳은 것은?

① 외환 위기가 일어났다.
② 삼백 산업이 발달하였다.
③ 석유 파동으로 어려움을 겪었다.
④ 수출 주도형 경제 정책이 추진되었다.
⑤ 3저 현상에 힘입어 경제 성장을 이루었다.

**04** 다음은 한국의 경제 성장 과정에서 있었던 일이다. (가)에 들어갈 내용으로 옳은 것을 〈보기〉에서 고른 것은?

철강, 조선과 같은 중공업을 집중 육성하여 산업 구조의 고도화가 이루어졌다.

↓

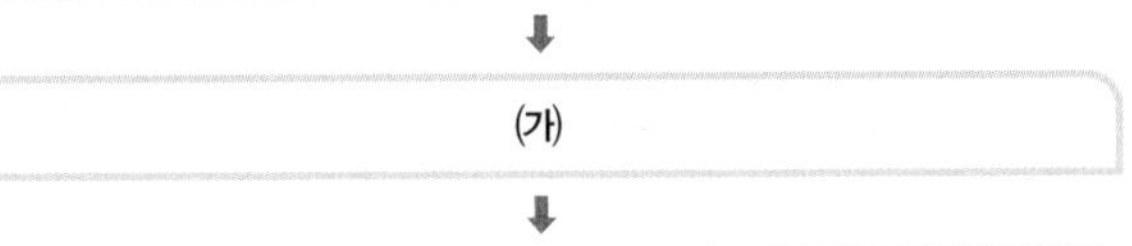


↓

외환 위기가 발생하면서 국제 통화 기금(IMF)의 긴급 구제 금융을 지원받았다.

보기
ㄱ. 제1차 경제 개발 5개년 계획이 추진되었다.
ㄴ. 경제 협력 개발 기구(OECD)에 가입하였다.
ㄷ. 3저 현상에 힘입어 경제 성장을 이룩하였다.
ㄹ. 미국의 원조에 의한 소비재 공업이 발달하였다.

① ㄱ, ㄴ ② ㄱ, ㄷ ③ ㄴ, ㄷ
④ ㄴ, ㄹ ⑤ ㄷ, ㄹ

**05** (가)에 들어갈 내용으로 가장 적절한 것은?

① 6·25 전쟁 특수를 누렸어.
② 농업의 집단화가 진행되었어.
③ 미국의 경제적 지원을 받았어.
④ 생산 수단의 국유화가 이루어졌어.
⑤ 아시아의 4대 신흥 공업국으로 성장하였어.

출제가능성 90%

**06** 밑줄 친 '이 운동'에 대한 설명으로 옳은 것은?

사진은 <u>이 운동</u> 당시 중국의 농촌 각지에 설치된 용광로의 모습이다. 마오쩌둥은 철강 생산에서 15년 내에 영국을 따라 잡을 것을 목표로 하여 <u>이 운동</u>을 시행하였다.

① 국·공 내전 과정에서 전개되었다.
② 민영 기업이 허용되는 계기가 되었다.
③ 인민공사를 통해 농업을 집단화하였다.
④ 베트남의 도이머이 정책에 영향을 주었다.
⑤ 사회주의 국가가 몰락하는 과정에서 추진되었다.

**07** 다음 원칙을 내세운 인물의 활동으로 옳은 것은?

새로운 역사 시기에 우리 당이 분투해야 할 목표는 현대적 농업, 현대적 공업, 현대적 국방, 현대적 과학 기술을 갖추고 고도의 민주주의와 고도의 문명을 가진 사회주의 강국으로 한걸음 한걸음 건설해 나가는 것이다.

① 유신 헌법을 공포하였다.
② 대약진 운동을 전개하였다.
③ 개혁·개방 정책을 추진하였다.
④ 전국 각지에 인민공사를 설립하였다.
⑤ 홍위병을 동원하여 반대파를 제거하였다.

**08** 그래프는 베트남의 국내 총생산(GDP)을 나타낸 것이다. 이와 같은 경제 변화의 배경으로 옳은 것은?

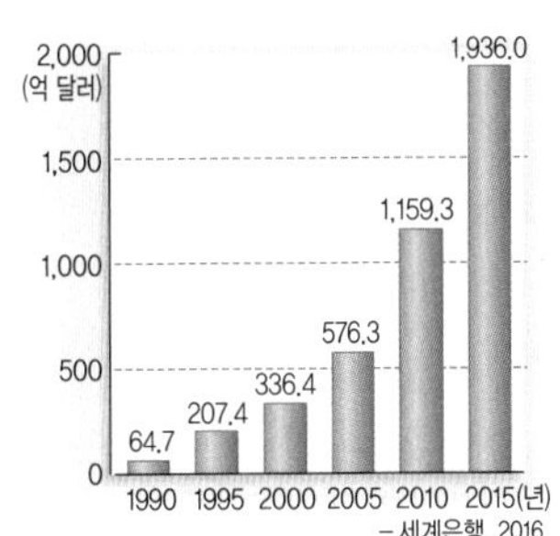


① 합영법 제정
② 6·25 전쟁 특수
③ 도이머이 정책 추진
④ 저유가, 저달러, 저금리의 경제 여건
⑤ 제1차 경제 개발 5개년 계획의 추진

**09** 자료에 나타난 경제 정책에 대한 설명으로 옳은 것은?

① 합작사를 중심으로 추진되었다.
② 시장 경제 체제 일부를 도입하였다.
③ 문화 대혁명이 시작되는 계기가 되었다.
④ 대중의 노동력을 동원하여 생산력 향상을 꾀하였다.
⑤ 농업, 공업, 국방, 과학 기술의 현대화를 목표로 하였다.

**10** 빈칸에 들어갈 내용으로 옳은 것을 〈보기〉에서 고른 것은?

> 북한은 1970년대에 들어서면서 소련의 원조 감소, 막대한 군사비 지출 등으로 경제가 침체되었다. 북한은 이러한 문제를 해결하기 위해 ______________

보기
ㄱ. 합영법을 제정하였다.
ㄴ. 경제특구를 지정하였다.
ㄷ. 천리마운동을 시작하였다.
ㄹ. 농업 집단화 사업을 진행하였다.

① ㄱ, ㄴ ② ㄱ, ㄷ ③ ㄴ, ㄷ
④ ㄴ, ㄹ ⑤ ㄷ, ㄹ

## B 정치와 사회의 발전

**11** 그래프는 어느 나라의 주요 정당별 의석 분포를 나타낸 것이다. 이 정치 체제와 관련된 설명으로 옳은 것은?

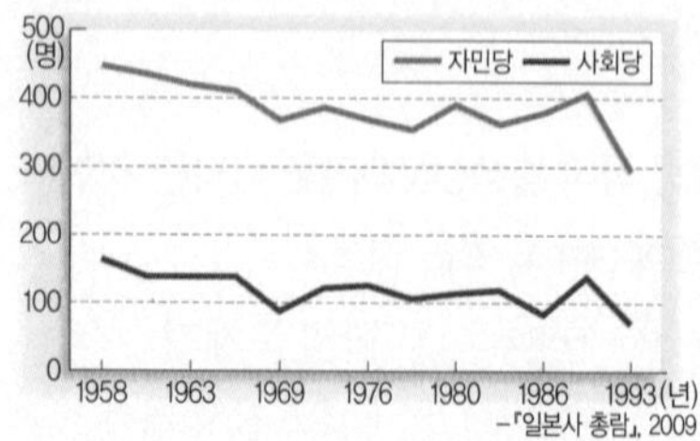

-『일본사 총람』, 2009

① 1987년에 계엄령이 해제되었다.
② 경제 호황을 바탕으로 유지되었다.
③ 거품 경제가 무너지면서 성립되었다.
④ 평화 헌법 제정의 토대를 마련하였다.
⑤ 록히드 사건이 일어나면서 붕괴되었다.

출제가능성 90%

**12** (가)에 들어갈 민주화 운동에 대한 설명으로 옳은 것은?

> 사진은 이승만 정부의 3·15 부정 선거로 촉발된 (가) 당시 시위에 참여하였던 시민들의 모습이다.

① 장면 내각의 수립에 영향을 미쳤다.
② 유신 체제가 붕괴되는 원인이 되었다.
③ 복수 정당제가 도입되는 배경이 되었다.
④ 대통령 직선제 개헌의 계기를 마련해 주었다.
⑤ 남북 정상 회담이 개최되는 데 영향을 주었다.

주관식

**13** 다음에서 설명하는 민주화 운동을 쓰시오.

> 한국에서는 유신 체제가 붕괴된 이후 전두환을 중심으로 한 신군부 세력이 정권을 잡았다. 신군부의 퇴진과 민주화를 요구하는 시위가 광주에서 벌어지자 정부가 이를 무력으로 진압하면서 많은 시민들이 희생되었다.

**14** 다음 선언을 읽고 학생들이 나눈 대화 내용으로 옳은 것은?

> • 여·야 합의하에 조속히 대통령 직선제 개헌을 하고 새 헌법에 의한 대통령 선거로 평화적 정부 이양을 실현하도록 하겠습니다. …… 국민은 나라의 주인이며, 국민의 뜻은 모든 것에 우선하는 것입니다.
> • 최대한의 공명정대한 선거 관리가 이루어져야 합니다.

① 갑: 4·19 혁명 당시 작성되었어.
② 을: 박정희 정부 시기에 표명되었어.
③ 병: 5·16 군사 정변의 배경이 되었어.
④ 정: 6월 민주 항쟁의 결과 발표되었어.
⑤ 무: 유신 체제가 무너지는 계기가 되었어.

**15** 기사에 실린 다음 사건이 미친 영향으로 옳은 것은?

> **역사 신문** 1987년
>
> **타이완 의회의 계엄령 해제 승인**
>
> 타이완 입법원은 지난 38년 동안 계속되어 온 계엄령의 해제안을 만장일치로 승인하였다. 이어 민주 진보당은 과거 계엄 아래에서 유죄 판결을 받은 수천 명의 반정부 인사들에 대한 복권 조치와 현재 수감 중인 정치범 약 200명의 사면을 촉구하였다.

① '55년 체제'가 붕괴되었다.
② 사회주의 헌법이 제정되었다.
③ 총통 직선제 개헌이 이루어졌다.
④ 5·18 민주화 운동이 전개되었다.
⑤ 국민당 집권의 계기가 마련되었다.

**16** (가), (나) 사이 시기에 동아시아에서 있었던 일로 옳은 것은?

> (가) 모든 권력이 대통령에게 집중된 10월 유신이 선포되었다.
> (나) 김대중이 대통령에 당선되면서 광복 이후 최초로 여·야 간 평화적 정권 교체가 이루어졌다.

① 한국에서 4·19 혁명이 일어났다.
② 북한에서 천리마운동이 시행되었다.
③ 중국에서 대약진 운동이 시작되었다.
④ 일본에서는 '55년 체제'가 성립되었다.
⑤ 타이완에서는 복수 정당제가 도입되었다.

**17** 밑줄 친 '이 혁명'에 대한 설명으로 옳은 것은?

사진은 <u>이 혁명</u> 당시 공산당 간부를 공개 심판하는 홍위병의 모습이다. <u>이 혁명</u>을 주도한 마오쩌둥은 자신을 추종하는 홍위병을 동원하여 내부의 반대파를 제거하려 하였다.

① 중화민국 수립의 계기가 되었다.
② 덩샤오핑이 사망하면서 중단되었다.
③ 시장 경제 체제의 수용을 주장하였다.
④ 인민공사가 설립되는 데 영향을 주었다.
⑤ 자본주의 사상과 문화에 대한 투쟁을 내세웠다.

**18** 다음 선언이 제기된 사건에 대한 설명으로 옳은 것은?

> 이러한 시각(1989년 5월)에 이르러, 물가는 폭등하였고 관료는 부패하였으며 강권은 높이 걸려 있고 민주 인사들은 해외로 망명하지 않을 수 없으며, 사회의 치안은 날로 혼란에 빠지고 있습니다. 중국 민족의 존망이 달린 생사의 갈림길에서 동포 여러분, 양심을 지닌 일부 동포 여러분, 우리의 외침을 들어 주십시오.

① 6월 민주 항쟁에 영향을 주었다.
② 군대에 의해 무력으로 진압되었다.
③ 대통령 직선제로의 개헌을 주장하였다.
④ 복수 정당제가 도입되는 계기가 되었다.
⑤ 여·야 간 정권 교체가 이루어지는 배경이 되었다.

출제가능성 90%

**19** (가), (나) 사건에 대한 설명으로 옳은 것은?

(가)

신군부의 퇴진을 요구하는 광주 시민들(1980)

(나)

베이징의 톈안먼 광장에 모여 시위를 전개하는 시민들(1989)

① (가) – 대통령 직선제 개헌을 이끌어 냈다.
② (가) – 4·19 혁명이 일어나는 계기가 되었다.
③ (나) – 대약진 운동의 추진 배경이 되었다.
④ (나) – 마오쩌둥이 반대파를 제거하는 데 이용되었다.
⑤ (가), (나) – 시민들이 민주적인 정치 개혁을 요구하였다.

**20** (가)에 들어갈 내용으로 옳은 것은?

> **북한의 시기별 변화**
> • 1960년대: 주체사상을 토대로 김일성 1인 지배 체제 구축
> • 1970년대: (가)
> • 1990년대: 김정일의 유훈 통치 실시

① 선군 정치 실시　② 천리마운동 추진
③ 사회주의 헌법 제정　④ 3대 독재 체제 확립
⑤ 농업 집단화 사업 진행

## C 동아시아의 갈등과 화해

**21** 다음 보고서에 포함될 내용으로 옳은 것은?

> 1. 주제: 일본과 러시아 사이의 영유권 분쟁 지역
> 2. 내용: 현재 러시아가 영유하고 있다. 일본은 역사적으로 자국의 영토라고 주장하며, 4개 섬의 반환을 요구하고 있다.

① 베트남이 기상 관측소를 설치하였다.
② 일본이 고유 영토론을 내세우고 있다.
③ 일본이 삼국 간섭으로 청에 반환하였다.
④ 제2차 세계 대전 중에 소련이 점령하였다.
⑤ 러·일 전쟁 중 일본 영토에 불법 편입되었다.

**22** 다음 내용에 해당하는 지역으로 옳은 것은?

> 사회자: 다음 내용을 듣고, 정답을 아는 출연자께서는 팀 이름을 크게 외쳐 주세요. 문제 나갑니다.
>
> 청·일 전쟁에서 승리한 일본이 영유하였다가 제2차 세계 대전 이후에는 미국이 점령하였습니다. 1972년 오키나와가 일본에 반환되면서 일본이 실효적으로 지배하고 있었지만, 이 지역에 상당량의 석유와 천연가스가 매장된 사실이 알려지자, 중국은 물론 타이완도 자국 영토라고 주장하면서 영토 분쟁 지역이 되었습니다. 이 지역은 어디일까요?

① 독도 ② 난사 군도 ③ 시사 군도
④ 쿠릴 열도 ⑤ 센카쿠 열도

**23** 밑줄 친 '이 섬'에 대한 설명으로 옳지 않은 것은?

> 역사적으로 이 섬이 한국의 영토라는 것은 많은 기록에서 확인된다. 신라의 이사부가 울릉도와 이 섬 일대에 있던 우산국을 정벌한 이래 이곳 주민이 신라에 토산물을 바쳤다는 내용을 비롯하여 이후 여러 문헌에서 이 섬에 대한 내용을 찾아볼 수 있다.

① 한국이 실효적으로 지배하고 있다.
② 안용복이 조선의 영토임을 확인하였다.
③ 대한 제국이 자국의 행정 구역에 편입하였다.
④ 일본이 러·일 전쟁 과정에서 불법 편입하였다.
⑤ 중국, 타이완, 브루나이 등이 영유권을 주장하고 있다.

출제가능성 90%

**24** 다음 담화문과 관련된 설명으로 옳은 것은?

> 장기간 또는 광범위한 지역에 걸쳐 위안소가 설치되고 수많은 '위안부'가 존재한 것이 인정되었다. 위안소는 당시 군 당국의 요청으로 설치된 것이며, 위안소 설치 관리와 '위안부' 이송에 관해서는 옛 일본군이 직접 혹은 간접으로 관여하였다. 정부는 이 기회에 이른바 종군 '위안부'로 많은 고통을 겪고 심신에 씻기 어려운 상처를 입은 모든 분께 진심으로 사과와 반성의 말씀을 드린다.

① 평화 헌법 제정의 계기가 되었다.
② 한·일 국교 수립과 동시에 채택되었다.
③ 한·일 시민 단체가 주도하여 발표하였다.
④ 일본 정부 차원에서 직접적인 배상이 논의되었다.
⑤ 일본군 '위안부'의 강제 동원에 대해 공식 사과하였다.

**25** 자료를 활용한 탐구 주제로 가장 적절한 것은?

> • 고구려는 중국의 소수 민족이 중국 영토 내에 세운 지방 정권으로, 중국 왕조의 책봉을 받고 조공을 하였다.
> • 발해는 말갈족 출신인 대조영이 세운 국가이므로 고구려와는 관계가 없으며, 당에 예속된 지방 정권이었다.

① 중국의 동북공정 추진
② 일본의 역사 교과서 왜곡
③ 일본의 우경화가 미친 영향
④ 동아시아 사회주의 정권의 붕괴
⑤ 야스쿠니 신사 참배와 주변국의 갈등

**26** 다음 내용을 뒷받침하는 사례로 적절하지 않은 것은?

> 한국, 중국, 일본은 동아시아의 평화 정착을 위해 다양한 노력을 전개하고 있다.

① 동아시아 학생들이 청소년 캠프 활동을 전개하고 있다.
② 한국, 중국, 일본 학자들이 공동 역사 연구를 진행하고 있다.
③ 일본이 평화 헌법을 개정하여 자위대 지위 강화를 추진하고 있다.
④ 동아시아의 시민 단체가 중심이 되어 국제 연대 활동을 펼치고 있다.
⑤ 동아시아의 다자간 협력체를 결성하여 공동 과제에 대한 해법을 모색하고 있다.

정답과 해설 33쪽

2018 평가원 응용

**01** 그래프는 동아시아 (가), (나) 국가의 국내 총생산(GDP)의 변화를 나타낸 것이다. A 시기에 (가), (나) 국가에서 있었던 일로 옳은 것은?

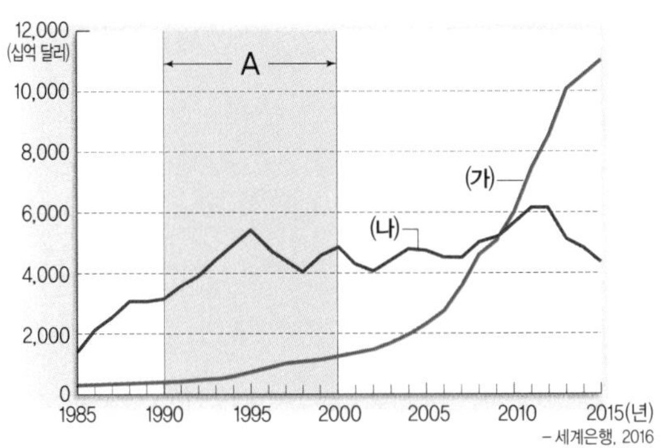


① (가) – 대약진 운동이 전개되었다.
② (가) – 도이머이 정책이 추진되었다.
③ (나) – '55년 체제'가 붕괴되었다.
④ (나) – 국제 통화 기금의 관리를 받았다.
⑤ (가), (나) – 양국 사이에 국교가 수립되었다.

최고난도

**02** 밑줄 친 '이 혁명'이 전개되던 시기에 동아시아 각국에서 있었던 일로 옳은 것은?

사진은 홍위병들이 대규모 군중집회를 열고 헤이룽장성 간부를 비판하고 있는 모습이다. 홍위병은 이 혁명 당시 정치 운동 조직으로, 교육자를 비롯한 지식인과 예술인을 탄압하고 마오쩌둥의 정적을 체포하여 처형하였다.

① 타이완에서 계엄령이 해제되었다.
② 중국에서는 경제특구가 설치되었다.
③ 일본에서는 거품 경제가 형성되었다.
④ 한국에서는 경제 개발 계획이 추진되었다.
⑤ 한국에서는 5·18 민주화 운동이 전개되었다.

**03** (가)~(마) 지역과 관련된 설명으로 옳은 것은?

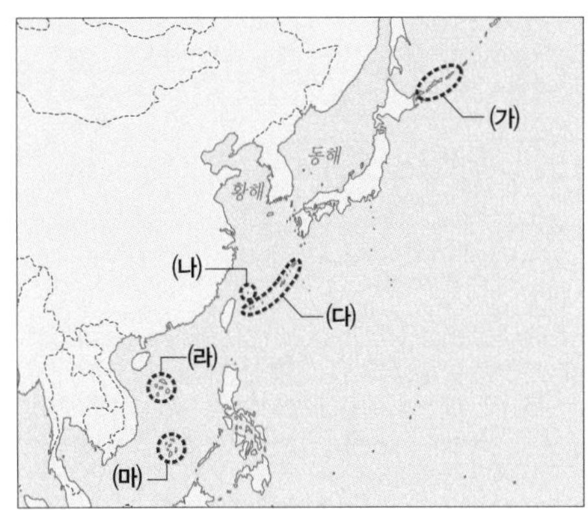


① (가) – 일본이 실효적으로 지배하고 있다.
② (나) – 일본과 중국 사이의 영토 분쟁 지역이다.
③ (다) – 중국과 동남아시아 여러 국가가 자국의 영토라고 주장하고 있다.
④ (라) – 제2차 세계 대전 이후 일본에 반환되었다.
⑤ (마) – 중국과 타이완이 본래 명과 청의 영토를 일본에 빼앗겼다고 내세우고 있다.

## 서술형 문제

**04** 다음을 읽고 물음에 답하시오.

나는 광둥에 와 본 적이 있습니다. 당시 농촌 개혁은 한지 몇 년 되지 않았고, 경제특구도 막 시작한 초보 단계였습니다. 이번에 와 보니 몇몇 지방은 내가 예상하지 못할 정도로 발전이 빠릅니다. …… 사회주의 경제 체제를 건립하고 생산력의 발전을 촉진하는 것이 개혁입니다. 따라서 개혁 역시 생산력을 해방하는 것입니다. 사회주의를 견지하지 않는다면, 개방을 하지 않는다면, 경제를 발전시키지 않는다면, 인민 생활을 개선하지 않는다면, 막다른 외길로 나아갈 뿐입니다.

(1) 윗글을 주장한 인물이 추진한 경제 정책을 쓰시오.

(2) (1) 정책의 내용에 대해 세 가지 이상 서술하시오.

memo

# 내공 점검

# 내공 점검

I. 동아시아 역사의 시작

점수
/100점

**01** 다음에서 설명하는 지역의 특징이 아닌 것은?

- 동서로는 일본 열도에서 티베트고원, 남북으로는 베트남에서 몽골고원에 이른다.
- 한민족, 한족, 일본 민족, 몽골족, 위구르족, 티베트족 등 다양한 민족이 거주하고 있다.

① 한자, 불교 등의 문화 요소를 공유한다.
② 경제적·문화적인 교류가 증가하고 있다.
③ 생업의 차이로 역사적 경험을 공유하지 못하였다.
④ 영토 주권 및 역사 인식을 둘러싼 갈등을 겪고 있다.
⑤ 현재 한국, 중국, 일본, 베트남, 몽골 등의 국가가 있다.

**02** 다음을 토대로 동아시아사 학습의 필요성과 자세에 대해 적절하게 말한 학생을 〈보기〉에서 고른 것은?

- 한·중·일을 상호 방문하는 사람 수가 2011년 1,605만 명에서 2015년 2,376만 명으로 증가하였다.
- 일본 내 왜곡된 역사 교과서에 대한 채택률이 2011년 3.8%였던 것에 비해 2015년에는 6.7%로 증가하였다.

보기
ㄱ. 역사 왜곡은 일본이 전적으로 책임져야 하는 문제야.
ㄴ. 역사 갈등을 해결하기 위해 동아시아 각국이 협력해야 해.
ㄷ. 동아시아 공동의 역사보다는 각국의 역사와 전통을 알기 위해 노력하는 것이 중요해.
ㄹ. 한·중·일 간 교류가 증대함에 따라 균형 잡힌 시각으로 각국의 역사를 이해할 필요성도 늘고 있어.

① ㄱ, ㄴ ② ㄱ, ㄷ ③ ㄴ, ㄷ
④ ㄴ, ㄹ ⑤ ㄷ, ㄹ

**03** 동아시아 자연환경의 특징으로 옳지 않은 것은?

① 북쪽의 초원 지대는 유목에 적합하다.
② 열대에서 한대까지 다양한 기후가 분포한다.
③ 겨울철에는 북서풍의 영향으로 춥고 건조한 편이다.
④ 황허강, 창장강 유역에는 평야 지대가 형성되어 있다.
⑤ 대체로 동쪽에서 서쪽으로 갈수록 점차 낮아지는 지형이다.

**04** 지도를 활용하여 보고서를 작성할 때 포함될 내용으로 옳지 않은 것은?

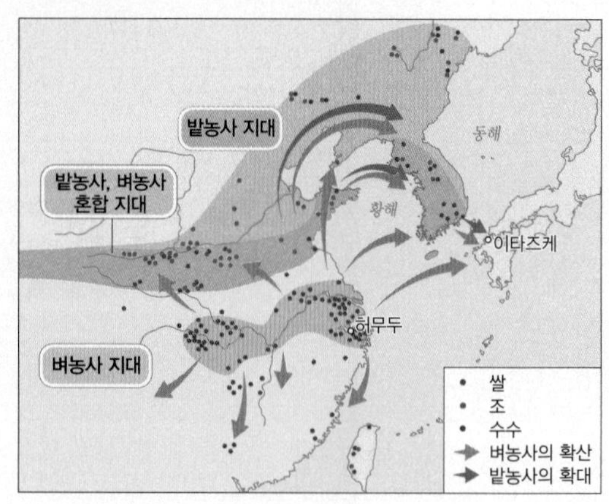


① 지형에 따라 농경의 분포가 변화한다.
② 강수량이 풍부한 지역에서 벼농사를 짓는 비중이 높다.
③ 몽골고원, 티베트고원에서는 벼농사를 주로 실시한다.
④ 농경이 발달한 지역과 인구가 밀집한 지역이 대체로 일치한다.
⑤ 일본 열도의 농업 발달은 중원 지역과 한반도의 영향을 받았다.

**05** 밑줄 친 내용에 해당하지 않는 것은?

나담 축제, 그 현장을 가다

축제의 한 장면

해마다 7월이면 몽골에서는 나담 축제가 개최된다. 몽골인들은 이 축제를 통하여 민족으로서의 일체감을 다지며, 자신들의 <u>전통적인 생활 방식</u>을 되새기는 기회를 갖는다.

① 계절에 따라 이동 생활을 하였다.
② 말을 이동과 전투 수단으로 활용하였다.
③ 가축으로부터 생활에 필요한 물품을 얻었다.
④ 경작지 부근에 대규모의 마을을 형성하였다.
⑤ 조립과 분해가 편리한 가옥에서 거주하였다.

**06** 다음 도구를 처음으로 사용한 시대에 동아시아 지역에서 볼 수 있었던 모습으로 옳은 것은?

① 돌괭이로 잡곡을 경작하는 여성
② 바위에 들소 그림을 그리는 남성
③ 회전판을 이용해 흑도를 만드는 여성
④ 점을 친 내용을 갑골문으로 기록하는 남성
⑤ 부족 간의 분쟁이 일어나자 회의를 주관하는 족장

**07** 밑줄 친 '이 시대'의 생활 모습으로 옳은 것을 〈보기〉에서 고른 것은?

> <u>이 시대</u>에 이르러 인류는 토기를 사용하기 시작하였다. 토기를 이용하여 음식을 조리하면서 더 많은 식물과 동물을 섭취할 수 있게 되었다. 한 사례로 도토리의 경우 날로는 먹을 수 없지만, 가루로 만들어 물과 섞은 다음 토기에 넣고 끓이면 사람이 먹을 수 있는 식량이 된다.

보기

ㄱ. 동굴이나 막집에 거주하였다.
ㄴ. 농경과 목축 생활을 시작하였다.
ㄷ. 정복 전쟁을 통해 국가를 세웠다.
ㄹ. 큰 강이나 해안가를 중심으로 마을을 형성하였다.

① ㄱ, ㄴ ② ㄱ, ㄷ ③ ㄴ, ㄷ
④ ㄴ, ㄹ ⑤ ㄷ, ㄹ

**08** 지도에서 동아시아 각 지역과 대표적인 신석기 시대의 유물이 <u>잘못</u> 연결된 것은?

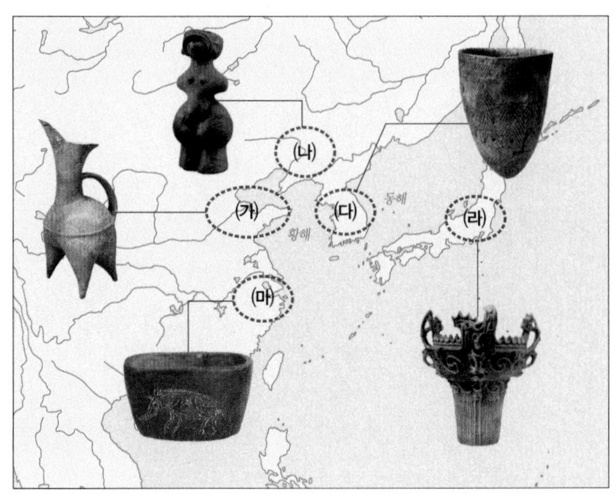


① (가) ② (나) ③ (다) ④ (라) ⑤ (마)

**09** 다음 설명에 해당하는 유적에서 출토된 유물로 옳은 것은?

> 황허강 중류 지역에서 건물터를 따라 도로망과 성벽을 갖추고 있는 대규모 건물 유적이 발견되었다. 이 유적은 중국 역사서에 등장하는 하 왕조의 유적인 것으로 추정되고 있다.

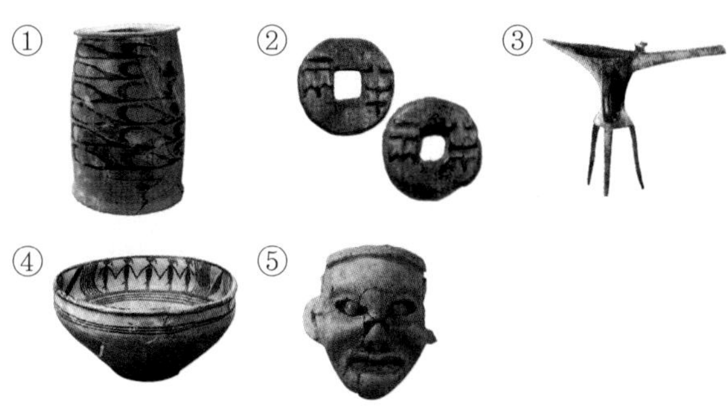


**10** (가)에 들어갈 왕조에 대한 설명으로 옳은 것은?

> [ (가) ]은/는 기원전 1600년경에 여러 도시가 연맹하여 만든 나라이다. [ (가) ]의 유적지에서 수렵이나 제사 등과 관련된 내용을 갑골문으로 기록한 짐승의 뼈가 다량으로 출토되었다.

① 야요이 문화의 영향을 받았다.
② 철기 문화를 바탕으로 성립하였다.
③ 흉노를 막기 위해 만리장성을 쌓았다.
④ 문헌상 등장하는 중국 최초의 왕조이다.
⑤ 왕이 정치적 지배자인 동시에 제사장이었다.

**11** (가), (나) 통치 이념에 대한 설명으로 옳은 것은?

> (가) 제왕은 하늘의 뜻을 받들어 다스려야 합니다. 따라서 덕과 교화의 힘을 빌려 다스릴 뿐 형벌의 힘을 빌려 다스리지는 않습니다. -『한서』 동중서 열전
> (나) 열 집 또는 다섯 집을 한 조로 묶어 서로 잘못을 감시하도록 하고, 한 집이 죄를 지으면 같은 조의 나머지 집이 똑같이 벌을 받는다. -『사기』

① (가) - 상앙, 이사가 대표적인 사상가이다.
② (가) - 진이 전국을 통일하는 밑바탕이 되었다.
③ (가) - 상 왕조 때부터 본격적으로 등장하였다.
④ (나) - 엄격한 상벌 제도로 백성을 통제하였다.
⑤ (나) - 한 무제 때 정치적인 영향력이 강화하였다.

**12** 밑줄 친 '황제'의 정책으로 옳은 것은?

> • 황제: 공이 이번에 서역으로 떠나니, 부디 흉노를 제압하기 위한 동맹에 성공하기를 바라겠소.
> • 장건: 신 장건은 황제 폐하의 기대에 어긋나지 않도록 최선을 다하겠습니다.

① 상앙을 등용하여 개혁을 추진하였다.
② 남월(남비엣)을 공격하여 멸망시켰다.
③ '황제'의 칭호를 처음으로 사용하였다.
④ 지방 통치를 위해 군국제를 실시하였다.
⑤ 위에 조공을 하여 '친위왜왕'의 칭호를 얻었다.

**13** 빈칸에 들어갈 내용으로 옳지 않은 것은?

> 안녕, 나는 오늘 이 민족의 유물전에 다녀왔어. 옆에 붙인 사진은 이 민족의 통치자들이 사용한 것으로 여겨지는 금관이래. 이 민족은 기원전 3세기경 동아시아 최초의 유목 국가를 세웠는데, ________

① 최고 지배자를 선우라고 불렀어.
② 한과 군사적인 충돌을 자주 일으켰어.
③ 3공 9경의 관료제를 국가 통치에 수용하였어.
④ 진 시황제의 공격을 받아 북방으로 밀려나기도 했어.
⑤ 후한 대에 통치자 계승을 두고 남북으로 분열하였어.

**14** 다음 법령을 제정한 국가에 대한 설명으로 옳은 것은?

> 사람을 죽인 사람은 사형에 처한다. 남을 다치게 한 사람은 곡식으로 갚는다. 도둑질한 사람은 노비로 삼는데 만약 용서를 받으려면 50만 전을 치러야 한다.

① 철기 문화를 기반으로 형성되었다.
② 소금과 철의 전매제를 실시하였다.
③ 만주·한반도 지역을 기반으로 성장하였다.
④ 이 국가의 유적지에서 갑골문이 많이 발견되고 있다.
⑤ 빗살무늬 토기의 분포 지역과 문화의 범위가 일치한다.

**15** (가), (나) 국가에 대한 설명으로 옳은 것은?

> (가) 귀신을 믿기 때문에 국읍에 각각 한 사람씩을 세워서 천신의 제사를 주관하게 하는데, 이를 '천군'이라 부른다.
> (나) 공동으로 한 여인을 왕으로 세우고 히미코라고 불렀다. 귀도(기괴한 술법)를 행하고 백성을 미혹하였다. 나이가 먹도록 남편을 맞지 않고, 남자 동생이 있어 통치를 보좌하였다.

① (가)는 유목 생활의 전통을 보존하였다.
② (가)는 만주·한반도 북부 지역에서 성장하였다.
③ (가)는 한이 설치한 군현을 몰아내면서 발전하였다.
④ (나)는 중원 지역의 위에 사신을 보내 교류하였다.
⑤ (나)에는 부족장이 다스리는 사출도라는 지역이 있었다.

## 주관식+서술형 문제

**16** 다음에서 설명하는 토기의 명칭을 쓰시오.

> 일본 열도에서는 신석기 시대에 새끼를 감은 나무 막대기를 토기 표면에 누르거나 굴려서 무늬를 낸 토기를 주로 제작하였다.

**17** 다음은 중원 왕조의 통치 제도를 나타낸 것이다. 이를 보고 물음에 답하시오.

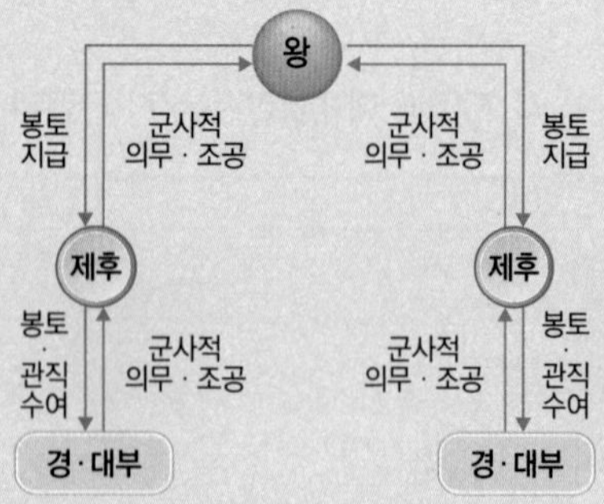


(1) 위 통치 제도의 명칭을 쓰시오.

(2) (1) 제도의 특징을 주 말기 왕실의 권위 약화와 연관 지어 서술하시오.

# 내공 점검

Ⅱ. 동아시아 세계의 성립과 변화

점수 /100점

**01** 기원 전후부터 8세기경에 일어난 (가)~(라)의 인구 이동에 대한 탐구 활동으로 옳은 것을 〈보기〉에서 고른 것은?

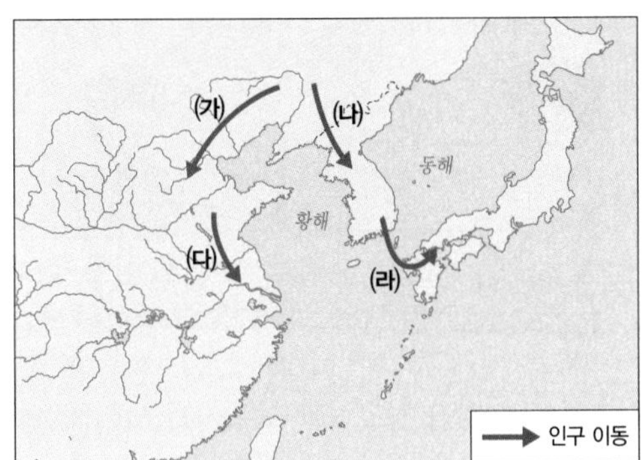


보기

ㄱ. (가) – 서하의 성장과 발전 과정을 조사한다.
ㄴ. (나) – 유목 민족의 호한 융합 정책을 살펴본다.
ㄷ. (다) – 강남 지방에 세워진 한족 왕조를 검색한다.
ㄹ. (라) – 도왜인이 야마토 정권에 끼친 영향을 알아본다.

① ㄱ, ㄴ ② ㄱ, ㄷ ③ ㄴ, ㄷ
④ ㄴ, ㄹ ⑤ ㄷ, ㄹ

**02** 빈칸에 들어갈 내용으로 옳은 것은?

역사 신문 4○○. ○○. ○○

효문제, 한화 정책을 추진하다

중국의 화북 일대를 통일한 북위는 한족의 통치 체제를 받아들였다. 특히, 북위의 효문제는 적극적인 한화 정책을 실시하였다. 수도를 뤄양으로 옮기고, 한족과 선비족의 혼인을 장려하였으며, 지방 통치에 한족 귀족을 활용하였다. 또한 ________________

① 씨성 제도를 시행하였다.
② 도왜인을 등용하여 체제를 정비하였다.
③ 강남과 화북을 연결하는 대운하를 건설하였다.
④ 선비족의 언어 사용과 의복 착용을 금지하였다.
⑤ 북면관제·남면관제의 지배 체제를 실시하였다.

**03** 다음과 같은 개혁이 일어난 목적으로 가장 적절한 것은?

7세기 중반 일본에서는 권신 소가 씨를 몰아내고 당 유학생을 중심으로 개혁이 단행되었다. 이에 따라 관료제를 도입하였으며, 지방관을 파견하였다.

① 율령 체제의 동요를 막기 위해
② 호족들의 권위를 과시하기 위해
③ 민족 고유의 독자성을 유지하기 위해
④ 자국 중심의 조공·책봉 관계를 수립하기 위해
⑤ 군주 중심의 중앙 집권적 통치 체제를 확립하기 위해

**04** (가)에 들어갈 국가에 대한 설명으로 옳지 않은 것은?

⊙ 견당선

야마토 정권과 나라 시대 및 헤이안 시대에 일본에서는 (가) 에 사절을 파견하였다. 견당선에는 유학생, 유학승도 함께 승선하여 선진 문물을 배우고 불교 경전 등을 수집하였다.

① 신라와 조공·책봉 관계를 맺었다.
② 중앙 통치 기구를 3성 6부제로 정비하였다.
③ 대운하를 건설하고, 과거제를 최초로 도입하였다.
④ 수도 장안성이 주변 국가의 수도 건설에 영향을 주었다.
⑤ 변경 지역의 통치를 위해 도호부를 설치하고 기미 정책을 실시하였다.

**05** 밑줄 친 '이 국가'의 외교 정책에 대한 설명으로 옳은 것은?

489년, 남제의 사신이 북위에 갔을 때 이 국가의 사신과 나란히 앉게 되었다. 남제 사신이 "이 국가는 우리의 신하로 따르고 있는데 어찌 우리와 나란히 설 수 있는가?"라고 항의하였다. –『남제서』

① 유목 민족 국가에게 화번공주를 파견하였다.
② 조공과 책봉의 형식을 국제 의례로 확장하였다.
③ 북조, 남조 모두와 조공·책봉 관계를 형성하였다.
④ 남조를 통해 불교, 유학, 건축 기술을 수용하였다.
⑤ 6세기경 한강 유역을 장악한 이후 중국과 직접 교류하였다.

**06** 송이 다음 화의를 맺게 된 배경으로 옳은 것을 〈보기〉에서 고른 것은?

- 송의 황제와 요의 황제는 형제의 교분을 갖는다.
- 송은 요에 해마다 비단 20만 필, 은 10만 냥을 보낸다.
- 양국의 국경은 현 상태로 한다.

보기
ㄱ. 문치주의 정책을 채택하였다.
ㄴ. 유목 민족에 비해 군사력이 약하였다.
ㄷ. 비단길을 장악하여 동서 교역을 중계하였다.
ㄹ. 북면관제·남면관제의 이원적인 지배 체제를 실시하였다.

① ㄱ, ㄴ ② ㄱ, ㄷ ③ ㄴ, ㄷ
④ ㄴ, ㄹ ⑤ ㄷ, ㄹ

**07** (가), (나)에 들어갈 국가에 대한 설명으로 옳은 것은?

우리는 고구려의 옛 땅에서 일어난 나라이기에 나라 이름을 (가) (이)라 하고 평양에 도읍하였소. 만일 영토의 경계로 따진다면 (나) 의 동경이 모두 우리 땅이거늘 어찌 침범이라 하리오. …… 우리의 옛 땅을 되찾은 다음에 성을 쌓고 도로를 통하게 하면 어찌 친선 관계를 맺지 않으리오.

① (가) – 『대월사기』를 편찬하였다.
② (가) – 금과 군신 관계를 맺고 조공을 바쳤다.
③ (나) – 유목 민족에게 맹안·모극제를 실시하였다.
④ (나) – 유목 민족 최초로 중국 전역을 지배하였다.
⑤ (가), (나) – 송과 화약을 맺고 막대한 세폐를 받았다.

**08** 빈칸에 들어갈 내용으로 옳은 것은?

- 선생님: 칭기즈 칸은 유목민을 통합하여 천호라는 조직을 편성하고, 친위대인 케식을 조직하였지요. 칭기즈 칸이 이 조직들을 바탕으로 펼친 정복 활동에 대해 이야기해 볼까요?
- 학생: ______________________

① 남월(남비엣)을 정복하였어요.
② 송을 공격하여 화북 지역을 차지하였어요.
③ 호라즘을 정복하고 비단길을 장악하였어요.
④ 고조선을 공격하여 왕검성을 함락하였어요.
⑤ 만리장성 이남의 연운 16주를 점령하였어요.

**09** (가)에 들어갈 내용으로 옳지 않은 것은?

① 마르코 폴로가 원을 방문하고 여행기를 썼어.
② 고려와 원의 학자들이 만권당에서 교류하였어.
③ 원에서 이슬람교, 경교 등 외래 종교가 발달하였어.
④ 서아시아의 역법이 원에 전해져 수시력이 제작되었어.
⑤ 동아시아 각국이 견당사를 보내 중국의 문물을 수용하였어.

**10** 밑줄 친 '나라'의 대외 정책으로 옳은 것은?

- 농민: 주원장이 난징을 수도로 나라를 세웠다는군!
- 상인: 들었네, 반란 세력을 통합하고 대도를 점령하였다지?

① 금과 군신 관계를 체결하였다.
② 베트남의 쩐 왕조를 침략하였다.
③ 바투를 서방으로 보내 원정을 실시하였다.
④ 아시카가 요시미쓰를 일본 국왕으로 책봉하였다.
⑤ 조선과는 조공·책봉 관계를 맺지 않고 사무역만 실시하였다.

**11** (가) 시기 율령의 정비에 대한 설명으로 옳은 것은?

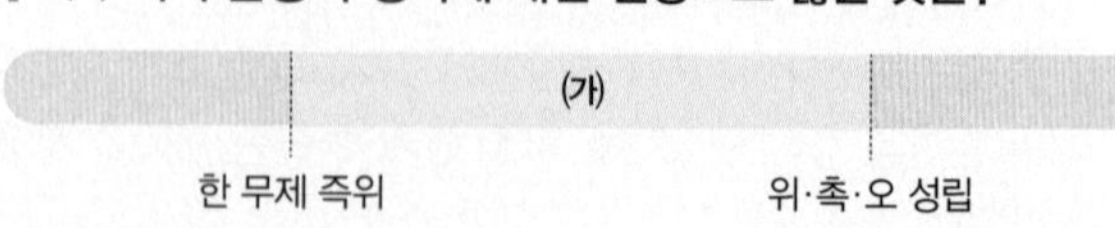


① 영과 율이 분리되었다.
② 율령격식 체제가 완성되어 주변국에 전파되었다.
③ 법가적 원리와 유가적 원리가 결합하기 시작하였다.
④ 태형·장형·도형·유형·사형으로 형벌이 정비되었다.
⑤ 법가 사상가인 상앙, 이사를 중용하여 국가 제도를 정비하였다.

**12** 밑줄 친 '이 시기' 동아시아의 상황으로 옳지 않은 것은?

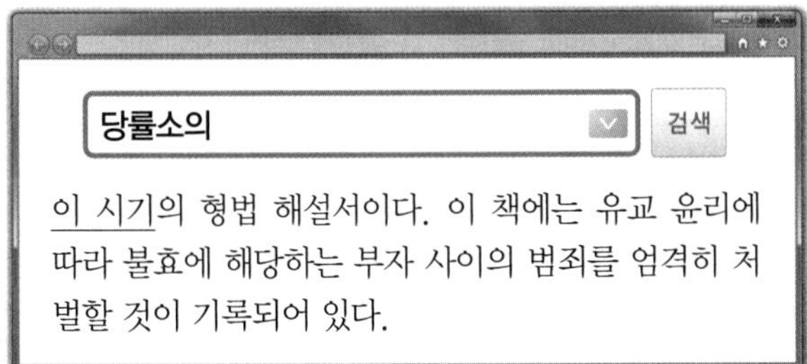


① 한국 – 독서삼품과를 시행하였다.
② 한국 – 서원에서 성리학을 연구하였다.
③ 중국 – 중앙 통치 제도를 3성 6부제로 운영하였다.
④ 중국 – 균전제를 실시하여 농민에게 토지를 지급하였다.
⑤ 일본 – 중국의 율령을 수용하여 다이호 율령을 반포하였다.

**13** 다음 보고서에 포함될 내용으로 옳은 것은?

> **당 대 동아시아에서 활약한 인물들**
> • 최치원이 당의 빈공과에 합격하였다.
> • 현장이 인도에 유학한 후 『대당서역기』를 저술하였다.

① 주희가 성리학을 집대성하였다.
② 엔닌이 『입당구법순례행기』를 지었다.
③ 이황의 성리학 사상이 일본에 전해졌다.
④ 법현이 인도에 다녀와 『불국기』를 저술하였다.
⑤ 후지와라 세이카가 『사서오경왜훈』을 간행하였다.

**14** 다음과 같은 상황이 전개된 동아시아 국가의 성리학 발달과 관련된 설명으로 옳은 것은?

> 본조에는 …… 귀천도 없고, 불교식으로 장례를 치른다. 근세에 뜻이 있는 사람이 『(주자)가례』에 마음을 둔다 해도, 풍속이 가로막혀 하고자 해도 할 수 없는 이들이 있다.

① 왕수인이 성리학의 성즉리를 비판하였다.
② 『성리대전』이 과거 시험의 교재로 활용되었다.
③ 이이가 다양한 사회 개혁 방안을 제시하였다.
④ 사림의 성장과 함께 성리학이 향촌에 확산되었다.
⑤ 막부가 하야시 라잔을 중용하여 성리학을 바탕으로 제도와 의례를 정비하게 하였다.

## 주관식+서술형 문제

**15** 밑줄 친 '문화'의 명칭을 쓰시오.

> 일본에서는 헤이안 시대에 이르러 견당사 파견이 중단되면서 귀족을 중심으로 일본 고유의 색채가 강한 문화가 발달하였다. 이러한 경향은 가나 문학, 주거 문화 등에서 두드러졌다.

**16** 당과 백제가 다음과 같은 외교 관계를 맺은 목적에 대해 양국의 입장에서 각각 서술하시오.

> 당 고조 4년(621), 백제 무왕이 사신을 보내와 과하마를 바쳤다. 7년에 또 표문을 올리고 조공을 바쳤다. 고조는 …… 대방군왕 백제왕으로 책봉하였다. (백제가) 고구려가 길을 막고 중국과의 왕래를 허락하지 않는다고 호소하므로, 조서를 내려 주자사를 사신으로 보내 (두 나라를) 화해시켰다. –『구당서』, 동이 열전

**17** 다음을 읽고 물음에 답하시오.

> 당은 3년마다 호적을 작성하고 이를 근거로 농민에게 일정한 면적의 토지를 보유하도록 하는 (가) 을/를 실시하였다. 당 정부는 토지 제도를 바탕으로 조세 제도, 군사 제도를 연결하여 운영하였다.

(1) (가)에 들어갈 토지 제도를 쓰시오.

(2) 밑줄 친 부분과 관련하여 운영 방식을 서술하시오.

**18** 다음과 같은 동아시아 불교의 성격을 보여 주는 사례를 세 가지 서술하시오.

> 동아시아 불교는 국가 권력을 장악한 군주를 중심으로 수용되어 군주의 권한을 종교적으로 정당화하고 사회를 안정화시키는 역할을 하였다.

# 내공 점검

Ⅲ. 동아시아의 사회 변동과 문화 교류

점수 ／100점

**01** 다음 상황이 일어난 시기의 동아시아 각국의 정세로 옳지 않은 것은?

- 북쪽의 몽골이 남하하여 명의 황제를 포로로 잡아갔다.
- 왜구가 중국의 동남 해안 지방을 침입하여 약탈을 일삼고 밀무역에 간여하기도 하였다.

① 한국 – 사림이 붕당을 형성하였다.
② 한국 – 3포의 왜관에서 왜란이 일어났다.
③ 중국 – 환관 세력의 득세로 정치가 혼란하였다.
④ 중국 – 장거정이 재상이 되어 개혁을 추진하였다.
⑤ 일본 – 도쿠가와 이에야스가 에도 막부를 수립하였다.

**02** 다음 정책이 실시되면서 나타난 결과로 옳은 것은?

도검몰수령에 따라 농민의 무기를 거두어들이도록 하라. 무사, 상공업자, 농민 간 신분 이동도 금지한다.

① 신국 의식이 확산되었다.
② 하극상의 풍조가 극심해졌다.
③ 병농 분리의 사회 질서가 확립되었다.
④ 양천제가 붕괴하고 새로운 신분제가 형성되었다.
⑤ 센고쿠 다이묘들이 패권을 노리며 항쟁을 벌였다.

**03** 다음 글과 관련된 전쟁에 대한 설명으로 옳은 것은?

> 적군의 배에 태워져 순천 앞바다까지 왔을 때 그곳에는 적군의 배 600~700척이 몇 리에 걸쳐 바다를 메우고 있었다. 이들 배에는 우리나라의 남녀가 일본인과 거의 같은 수로 있었는데, 배마다 나오는 통곡 소리가 바다와 산을 진동시킬 정도였다. – 강항, 『간양록』

① 홍타이지의 침략으로 시작되었다.
② 조선의 친명배금 정책이 원인이 되었다.
③ 인조가 남한산성으로 피신하여 저항하였다.
④ 한·중·일이 참전하는 국제전으로 전개되었다.
⑤ 여진이 쇠퇴하고 명의 국력이 강해지는 계기가 되었다.

**04** (가), (나) 주장과 관련된 설명으로 옳지 않은 것은?

> (가) 아무리 생각해 보아도 국력은 고갈되었고 오랑캐는 병력이 강성합니다. 정묘년 때의 맹약을 지켜서 몇 년이라도 화를 늦춰야 합니다. 그 사이 어진 정치를 베풀어 민심을 수습하고 성을 쌓고 군량을 저축해야 합니다. – 최명길
>
> (나) 명은 우리나라에 부모의 나라이고 청은 우리나라에 부모의 원수입니다. 신하된 자로서 부모의 원수와 형제의 의를 맺고 부모의 은혜를 저버릴 수 있겠습니까? …… 정벌에 나가지 못하였지만, 차마 이런 시기에 어찌 다시 화의를 제창할 수 있겠습니까? – 윤집

① (가) – 명에 대한 의리를 강조하였다.
② (가) – 외교적으로 해결하자는 입장이다.
③ (나) – 청에 맞서서 싸울 것을 주장하였다.
④ (나) – 청의 군대가 조선을 재침략하는 배경이 되었다.
⑤ (가), (나) – 군신 관계를 요구하는 청의 압력을 둘러싸고 대립하였다.

**05** 밑줄 친 '이 전쟁'으로 인한 문물 교류의 사례로 옳은 것은?

사진은 충북 괴산에 있는 만동묘 비석이다. 만동묘는 이 전쟁 당시 조선에 지원군을 보내준 명의 황제인 만력제를 모신 사당이다. 북벌을 주장한 서인들이 주도하여 만들었다고 한다.

① 일본에서 중국의 동전이 화폐로 널리 사용되었다.
② 조선에 감자, 고구마 등 신대륙 작물이 전래되었다.
③ 항왜를 통해 조선에 조총과 사격 기술이 전해졌다.
④ 만권당에서 중원과 한반도의 학자들이 교류하였다.
⑤ 조선의 소현 세자가 귀국하면서 서양 문물을 가져왔다.

**06** (가)에 들어갈 국가의 대외 정책으로 옳은 것은?

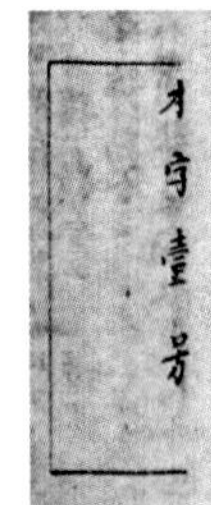

(가) 은/는 일련번호가 붙은 감합부의 반쪽을 보관하고 나머지 반쪽을 상대국에게 보내 지정된 교역항으로 들어왔을 때 이를 맞춰 보며 공식 사절임을 확인하였다. 일본은 무로마치 막부 때 (가) 와/과 감합 무역을 시작하였다.

▲ 감합부

① 사대교린을 외교 정책으로 삼았다.
② 정성공 세력을 막고자 천계령을 내렸다.
③ 서양 상인의 자유로운 왕래를 허용하였다.
④ 신패를 이용해 외국과의 무역을 통제하였다.
⑤ 정화의 함대를 파견하여 조공 질서를 강화하려 하였다.

**07** 다음은 17~19세기 동아시아 각국의 교역 창구를 정리한 것이다. 밑줄 친 ㉠~㉢ 상인의 활동으로 옳지 않은 것은?

| 국가 | 교역 창구 |
|---|---|
| 청 | 광저우에만 ㉠ 유럽 상인의 입항 가능 |
| 조선 | 부산 초량 왜관에서 ㉡ 일본 상인의 무역 허가 |
| 에도 막부 | 나가사키에 ㉢ 네덜란드 상인의 출입 허용 |

① ㉠ – 공행을 통해 비단, 차를 사들였다.
② ㉡ – 구리, 유황, 향신료 등을 판매하였다.
③ ㉡ – 조선의 인삼을 대량으로 구입하였다.
④ ㉢ – 일본에 서양에서 개발된 조총을 처음 전하였다.
⑤ ㉢ – 데지마에 머물며 의학·천문학 등을 일본인에게 전하였다.

**08** 밑줄 친 조치가 시행된 배경으로 가장 적절한 것은?

에도 막부에서 우리나라의 상선을 포함하여 외국 상선들이 나가사키에 입항하는 것을 제한하는 정책을 취하고 있다고 합니다. 신패를 소지하지 않은 상선은 나가사키항에 들어가서 무역을 할 수 없게 하는 것이 이번 정책의 주요 내용이라고 합니다.

① 조총의 도입으로 전투 방식이 크게 바뀌었다.
② 일본에서 자국 중심의 화이사상이 대두하였다.
③ 청과의 무역량 증가로 일본 은의 유출이 많아졌다.
④ 포르투갈인이 크리스트교를 포교한 사실이 드러났다.
⑤ 네덜란드 상인을 통해 유럽의 학문이 일본에 전해졌다.

**09** 밑줄 친 '당시'에 동아시아에서 볼 수 있었던 모습으로 적절하지 않은 것은?

그림은 나가사키의 상관에 머물고 있는 네덜란드 상인을 훔쳐보고 있는 일본인을 묘사하고 있다. 당시 일본은 크리스트교 포교를 금지하는 명령을 내리고 서양 상인의 통상을 금지하였으나, 네덜란드 상인에 한해서는 나가사키를 통한 교역을 허용하였다.

① 한국 – 토지 제도의 개선을 주장하는 실학자
② 한국 – 모내기법이 확산되자 이를 배우는 농부
③ 중국 – 전시 제도의 도입을 알리는 중앙의 관리
④ 중국 – 지정은제에 따라 은으로 세금을 내는 농민
⑤ 일본 – 이와미 은광에서 은을 채굴하고 있는 광부

**10** 다음의 상황이 나타난 배경을 파악하기 위한 탐구 활동으로 적절한 것은?

16세기 이후 중국에서는 은의 유통이 활발해지고, 조세의 은납화가 시행되면서 은 본위 경제 체제가 확립되었다.

① 천계령이 해제된 이유를 조사한다.
② 중국 정부가 실시한 해금 정책을 살펴본다.
③ 멕시코의 은이 중국으로 유입된 경로를 분석한다.
④ 역참을 이용한 동서 교류가 가져온 변화를 정리한다.
⑤ 영국의 삼각 무역이 중국 사회에 미친 영향을 알아본다.

**11** 빈칸에 들어갈 내용으로 적절하지 않은 것은?

**동아시아사 탐구 계획서**

- 탐구 주제: 농업 생산력의 발달
- 탐구 목적: 17세기 이후 동아시아 각 지역에서 농업 생산력이 증대된 배경을 파악한다.
- 탐구 내용: ______________________

① 상품 작물의 재배 효과
② 연은 분리법 도입에 따른 변화
③ 거름의 종류와 시비법의 개선 과정
④ 농서의 보급이 농촌 경제에 끼친 영향
⑤ 옥수수, 감자, 고구마 등 신대륙 작물의 역할

**12** 일본의 막부 정권이 밑줄 친 '이 제도'를 실시한 목적으로 옳은 것은?

> • 무사1: 이 제도가 실시되면서 1년마다 영지와 에도를 왕래하니 그 비용이 만만치가 않네.
> • 무사2: 쇼군께서 시키시는 일이니 따르는 것이 우리의 도리라네.

① 국가 재정을 호전시키려 하였다.
② 다이묘의 세력을 약화시키려 하였다.
③ 해외로의 은 유출을 억제하려 하였다.
④ 병농 분리의 사회 질서를 확립하려 하였다.
⑤ 사절단을 통해 선진 문물을 수용하려 하였다.

**13** 다음은 동아시아의 서민 문화를 정리한 것이다. (가)에 들어갈 내용으로 옳은 것을 〈보기〉에서 고른 것은?

| 명·청 | 조선 | 에도 막부 |
|---|---|---|
| •『서유기』, 『홍루몽』 등의 소설이 유행하였다.<br>• '베이징 오페라'라고 불리는 경극이 발달하였다. | (가) | • 우키요에가 많이 제작되었다.<br>• 배우가 대사를 읊으며 연기하거나 춤을 추는 가부키가 발달하였다. |

**보기**
ㄱ. 전통 인형극인 분라쿠가 많이 공연되었다.
ㄴ. 정월에 집안에 연화를 붙여 복을 기원하였다.
ㄷ. 김홍도와 신윤복이 그린 풍속화가 인기를 얻었다.
ㄹ. 양반의 위선과 부패를 풍자하는 탈춤이 유행하였다.

① ㄱ, ㄴ ② ㄱ, ㄷ ③ ㄴ, ㄷ
④ ㄴ, ㄹ ⑤ ㄷ, ㄹ

**14** 다음에서 설명하는 서적으로 옳은 것은?

> 청 대에 건륭제의 명에 의해 편찬되었다. 한인의 반청 사상을 통제하고, 중국 문화의 핵심을 보존하기 위한 목적을 지녔다. 당시에 있는 모든 서적 1만여 종의 책들을 수집하여 경(경전), 사(역사), 자(사상·철학), 집(문학)으로 분류하였다.

① 기하원본 ② 사고전서 ③ 유림외사
④ 천주실의 ⑤ 해체신서

**15** 다음과 같은 작품이 유행할 당시 동아시아 각국의 문화에 대한 설명으로 옳지 않은 것은?

① 한국 – 『홍길동전』, 『춘향전』이 유행하였다.
② 한국 – 소론 학자들이 양명학을 연구하였다.
③ 중국 – 실증적인 연구를 강조하는 고증학이 발달하였다.
④ 일본 – 에도에 난학 교습서와 난학 담당 부서가 설치되었다.
⑤ 일본 – 귀족을 중심으로 일본 고유의 국풍 문화가 발달하였다.

## 주관식+서술형 문제

**16** 다음에서 설명하는 조세 제도를 쓰시오.

> 청의 옹정 연간에 도입한 조세 제도이다. 인두세를 고정시키고 이를 토지세에 합산하여 은으로 납부하게 하였다. 이 제도가 실시되면서 사실상 토지세만 남게 되었다.

**17** 다음을 읽고 물음에 답하시오.

> 일본에서는 17세기 후반에 고대 성인의 가르침으로 돌아가기 위해 유교 경전에 따른 해석을 강조하는 (가) 이/가 등장하였다. 이토 진사이나 오규 소라이 등이 대표적인 학자였다. 18세기 후반에는 (나) 이/가 등장하였는데, 모토오리 노리나가와 같은 학자는 『고사기전』을 저술하였다.

(1) (가), (나)에 들어갈 학문의 명칭을 각각 쓰시오.

(2) (나)의 학문적 경향을 간략히 서술하시오.

# 내공 점검

Ⅳ. 동아시아의 근대화 운동과 반제국주의 민족 운동

점수 /100점

**01** 밑줄 친 '이 전쟁'의 결과로 옳은 것을 〈보기〉에서 고른 것은?

그림은 이 전쟁 당시 영국 전함 네메시스호의 공격을 받는 청의 군함을 표현한 것이다. 영국은 청 정부의 아편 단속을 빌미로 이 전쟁을 일으켰다.

보기

ㄱ. 공행이 폐지되었다.
ㄴ. 홍콩이 영국에 할양되었다.
ㄷ. 러시아가 연해주를 차지하였다.
ㄹ. 크리스트교의 선교가 공인되었다.

① ㄱ, ㄴ ② ㄱ, ㄷ ③ ㄴ, ㄷ
④ ㄴ, ㄹ ⑤ ㄷ, ㄹ

**02** (가), (나) 조약에 대한 설명으로 옳은 것은?

(가) 제3조 시모다, 하코다테 외에 다음 장소를 개항한다. 가나가와, 나가사키, 니가타, 효고 등
제4조 일본에 수출입하는 모든 상품은 미국과 일본 정부가 협의하여 정한 세율에 따라 일본 정부에 관세를 납부한다.
(나) 제1관 조선국은 자주국이며 일본국과 평등한 권리를 갖는다.
제4관 조선국은 부산 이외에 두 곳의 항구를 개항하고 일본인이 왕래 통상함을 허락한다.

① (가) – 영토 할양을 명시하였다.
② (가) – 최혜국 대우를 규정하였다.
③ (나) – 관세 자주권을 상실하게 되었다.
④ (나) – 제2차 아편 전쟁 결과로 체결되었다.
⑤ (가), (나) – 영사 재판권 관련 내용이 포함되어 있다.

**03** 다음 상소문에 의거하여 추진된 근대화 운동에 대한 설명으로 옳은 것은?

신이 애써 밝히고자 하는 것은 서구식 기계는 농사나 직포, 인쇄, 도자기 제조 등에 필요한 물건을 모두 만들 수 있고, 백성의 생계와 일상용품에 도움이 되는 것이기도 하며 …… 서구의 장점을 취하여 중국의 장점으로 삼으면서도 서로 비교해 보아도 뒤처지지 않을 것입니다.

① 의회제 도입을 내세웠다.
② 갑신정변에 영향을 미쳤다.
③ 메이지 유신을 모델로 하였다.
④ 청·일 전쟁의 패배로 한계가 드러났다.
⑤ 서양 관련 시설을 파괴하는 활동을 펼쳤다.

**04** (가)에 들어갈 내용으로 옳지 않은 것은?

메이지 유신

1. 목표: 천황 중심의 신정부가 문명개화론에 입각하여 부국강병을 목표로 근대적 개혁 추진
2. 내용: (가)

① 징병제 실시 ② 폐번치현 단행
③ 이와쿠라 사절단 파견 ④ 소학교 의무 교육 도입
⑤ 미·일 수호 통상 조약 체결

**05** 다음 주장에 따라 추진된 운동의 영향으로 옳은 것은?

현재 정권이 누구에게 있나 살펴보니 …… 오로지 일부 실권자에게 있습니다. …… 애초에 정부에 조세를 낼 의무가 국민에게 있다는 것은, 국민이 정부의 정치를 알고 시비를 판단할 권리가 있다는 것을 말합니다. 결국 국민이 뽑은 의원을 설립하는 길밖에는 없습니다.

– 이타가키 다이스케

① 막부가 타도되었다.
② 만주 사변이 일어났다.
③ 태평천국 운동이 추진되었다.
④ 대일본 제국 헌법이 제정되었다.
⑤ 공화 정체의 국가가 수립되었다.

**06** (가), (나) 헌법에 대한 설명으로 옳은 것은?

> (가) 제3조 대한국 대황제는 무한한 주권을 가진다.
> 제6조 대한국 대황제는 법률을 제정하여 그 반포와 집행을 명한다.
> (나) 제3조 황제는 반포하는 법률을 흠정하고 의안을 제안할 수 있는 권한을 가진다. 의회에서 의결하였어도 황제의 명령으로 비준하고 반포된 것이 아니면 실행할 수 없다.
> 제6조 황제는 육해군을 통솔하고 군제를 감독할 권리를 가지며 의회는 이에 간섭할 수 없다.

① (가) - (나)의 영향을 받아 제정되었다.
② (가) - 독립 협회의 건의를 수용하였다.
③ (나) - 의회의 설치가 규정되었다.
④ (나) - 신해혁명을 계기로 제정되었다.
⑤ (가), (나) - 군주의 권한을 제한하고자 하였다.

**07** 다음과 같이 전개된 사건에 대한 설명으로 옳은 것은?

> 청 정부는 개혁 추진 자금을 마련하기 위해 민영 철도를 국유화하고, 이를 담보로 외국에서 차관을 들여왔다. 이에 철도 국유화를 반대하는 투쟁이 전국에서 일어났으며, 이어 우창에서 혁명파가 지원하는 군대가 봉기하였다.

① 중화민국 수립의 배경이 되었다.
② 신축 조약의 체결로 마무리되었다.
③ 5·4 운동이 일어나는 원인이 되었다.
④ 서태후 등 보수 세력의 반발로 실패하였다.
⑤ 일본이 국제 연맹을 탈퇴하는 계기가 되었다.

**08** 다음 조약의 체결 직후 동아시아의 정세로 옳은 것은?

> 제1조 청국은 조선국이 완전무결한 독립 자주국임을 확인한다.
> 제2조 청국은 아래에 기록한 지역의 관리 권한 및 해당 지방에 있는 성루, 무기 공장과 모든 공공 기물을 영원히 일본에 할양한다.
> 1. 봉천(펑톈) 남부의 땅
> 2. 타이완 전체와 그에 딸린 여러 섬

① 중국에서 신해혁명이 일어났다.
② 한국에서 광무개혁이 추진되었다.
③ 일본에서 존왕양이 운동이 전개되었다.
④ 러시아가 주도하여 삼국 간섭이 일어났다.
⑤ 일본이 한국에 을사늑약 체결을 강요하였다.

**09** 다음과 같이 추진된 민족 운동에 대한 설명으로 옳은 것을 〈보기〉에서 고른 것은?

> 보기
> ㄱ. 중국 공산당이 주도하였다.
> ㄴ. 워싱턴 회의 결과에 반발하였다.
> ㄷ. 3·1 운동의 영향을 받아 일어났다.
> ㄹ. 중국 정부가 베르사유 조약 조인을 거부하는 계기가 되었다.

① ㄱ, ㄴ ② ㄱ, ㄷ ③ ㄴ, ㄷ
④ ㄴ, ㄹ ⑤ ㄷ, ㄹ

**10** 지도에 나타난 전쟁이 전개되던 중 동아시아에서 있었던 사실로 옳은 것은?

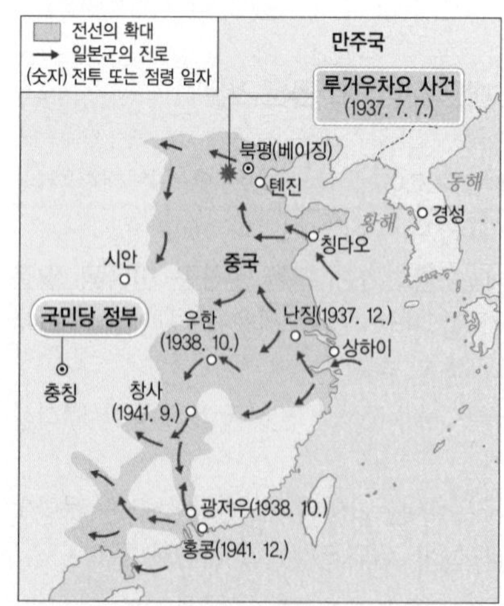


① 아주 화친회가 조직되었다.
② 일본이 독일에 선전 포고하였다.
③ 일본이 국가 총동원법을 제정하였다.
④ 고토쿠 슈스이가 전쟁 반대 선언을 하였다.
⑤ 한국 독립군이 쌍성보 전투에서 일본군을 물리쳤다.

**11** 다음 내용을 발표하게 된 배경으로 옳은 것은?

> • 일본군을 향하여 작전할 때 쌍방이 호응 원조함으로써 작전의 임무를 완성할 것
> • 조선 혁명군이 압록강을 건너 한국 본토 작전을 전개할 때 중국군은 전력을 다해 한국 독립 전쟁을 원조할 것

① 무정부주의가 확산되었다.
② 워싱턴 회의가 개최되었다.
③ 루거우차오 사건이 벌어졌다.
④ 일본이 만주 지역을 점령하였다.
⑤ 국민 혁명군이 북벌을 완성하였다.

**12** (가)에 들어갈 독립군 부대에 대한 설명으로 옳은 것을 〈보기〉에서 고른 것은?

> • 대한민국 임시 정부는 중화민국 총통의 허락으로 중화민국 영토 내에 군대를 조직하고, 대한민국 22년 9월 17일 [ (가) ] 창설을 선언한다.
> • [ (가) ]은/는 중화민국 국민과 합작하여 두 나라의 독립을 회복하고자 공동의 적인 일본 제국주의자들을 타도하기 위하여 연합군의 일원으로 항전을 계속한다.

보기
ㄱ. 국내 진공 작전을 계획하였다.
ㄴ. 조선 의용대 일부가 합류하였다.
ㄷ. 청산리 전투에서 일본군에 승리하였다.
ㄹ. 중국 팔로군과 함께 합동 작전을 전개하였다.

① ㄱ, ㄴ ② ㄱ, ㄷ ③ ㄴ, ㄷ
④ ㄴ, ㄹ ⑤ ㄷ, ㄹ

**13** (가), (나) 신문에 대한 설명으로 옳은 것은?

(가)

申報

(나)

독닙신문

① (가) – 요코하마에서 발행되었다.
② (가) – 신문지법에 의해 탄압받았다.
③ (나) – 한문으로 발행되었다.
④ (나) – 영국 상인에 의해 발간되었다.
⑤ (나) – 국권 수호를 위한 여론을 조성하였다.

**14** (가)에 들어갈 내용으로 옳지 않은 것은?

20세기를 전후하여 동아시아 지역에 건설된 철도에 대해 말해 볼까?
인구 이동과 물자 유통을 촉진해 주었어.
(가)

① 한국에서는 경인선이 최초로 개통되었어.
② 근대적 시간관념이 확산되는 데 영향을 주었어.
③ 중국에서는 초기부터 철도 부설 유치에 적극적이었어.
④ 러·일 전쟁 당시 일본의 군수 물자 수송에 활용되었어.
⑤ 일본에서 도쿄와 요코하마 사이에 최초로 건설되었어.

## 주관식+서술형 문제

**15** 자료에 나타난 이론이 조선과 일본에 미친 영향을 각각 서술하시오.

> 약자는 언제나 강한 자의 먹이가 되고, 어리석은 자는 지혜로운 자에게 부림을 당한다. 스스로 살아남아 종을 남기게 되는 것은 반드시 강인하고 지혜와 기교가 뛰어나 당시의 천시·지리·인사에 가장 잘 적응한 자이다. …… 이는 인간도 마찬가지이다. – 옌푸

**16** 다음을 읽고 물음에 답하시오.

> 제1차 세계 대전이 끝난 이후 열강들은 이 회의를 통해 동아시아 지역에 대한 열강의 이해관계를 조정하고 해군의 군비를 축소하였다. 이 회의에 따라 중국은 주권과 독립은 보장받았지만, 관세 자주권 회복과 조차지 반환 등의 요구는 관철하지 못하였다.

(1) 밑줄 친 '이 회의'를 쓰시오.

(2) (1)의 결정 사항을 일본과 관련된 내용을 중심으로 간략히 서술하시오.

# 내공 점검

V. 오늘날의 동아시아

점수 ／100점

**01** 다음 인물들이 주도한 회담에 대한 설명으로 옳은 것은?

① 한국의 독립이 언급되었다.
② 소련의 참전이 결의되었다.
③ 포츠담 선언을 재확인하였다.
④ 한국의 신탁 통치가 결정되었다.
⑤ 냉전 체제가 완화되는 배경이 되었다.

**02** 다음 헌법이 제정될 당시 상황으로 옳은 것은?

제1조 천황은 일본국의 상징이자 일본 국민 통합의 상징이며, 이 지위는 주권을 지닌 일본 국민의 총의에 근거한다.
제3조 천황의 국사에 관한 모든 행위는 내각의 조언과 승인을 필요로 하며, 내각이 그 책임을 진다.
제9조 ① 일본 국민은 정의와 질서를 기조로 하는 국제 평화를 성실히 희구하며, 국제 분쟁을 해결할 수단으로서 국권의 발동인 전쟁과 무력에 의거한 위협 또는 무력행사를 영구히 포기한다.
② 전 항의 목적을 달성하기 위하여 육·해·공군 그 외 전력을 보유하지 아니한다. 국가의 교전권을 인정하지 아니한다.

① 중국이 공산화하였다.
② 냉전 체제가 완화되었다.
③ 미 군정이 일본을 점령 통치하였다.
④ 중국과 미국이 국교를 정상화하였다.
⑤ 베트남 사회주의 공화국이 수립되었다.

**03** 밑줄 친 '이 재판'이 진행되던 시기의 일로 옳은 것은?

사진은 이 재판의 모습을 찍은 것이다. 이 재판은 일본의 군국주의자들을 공직에서 추방하고, 주요 전쟁 책임자를 처벌하기 위해 개최되었다.

① 닉슨 독트린이 발표되었다.
② 카이로 회담이 진행되었다.
③ 국·공 내전이 본격화되었다.
④ 한·미 상호 방위 조약이 체결되었다.
⑤ 샌프란시스코 강화 조약이 체결되었다.

**04** 다음 조약의 체결 배경으로 옳지 않은 것은?

• 연합국은 일본 및 그 영해에 대한 일본 국민의 완전한 주권을 승인한다.
• 일본은 전쟁으로 준 피해에 대해 연합국에 배상하는 것이 마땅하나 현재의 일본 경제 상태로는 어렵다. 연합국은 일본인이 일하여 갚도록 하는 배상에 대한 교섭을 시작한다. 그렇지 않으면 연합국은 배상을 포기한다.

① 6·25 전쟁의 발발
② 통킹만 사건의 발발
③ 중화 인민 공화국의 수립
④ 미국과 소련의 대립 심화
⑤ 조선 민주주의 인민 공화국의 수립

**05** 다음 검색창에 추가로 검색될 내용으로 옳은 것은?

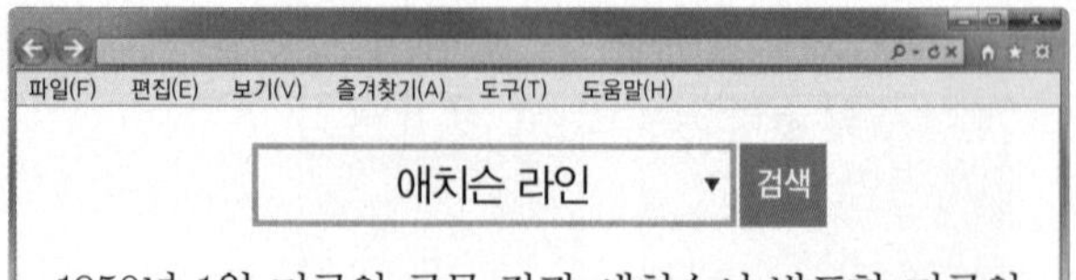


1950년 1월 미국의 국무 장관 애치슨이 발표한 미국의 태평양 지역 방위선이다. 한반도와 타이완이 미국의 방위 대상에서 제외되어 있다.

① 국·공 내전 중에 설정되었다.
② 베트남 전쟁이 종결되는 계기가 되었다.
③ 6·25 전쟁이 발발하는 데 영향을 주었다.
④ 일본이 진주만을 기습 공격하는 원인이 되었다.
⑤ 한국과 일본의 국교 정상화 계기를 마련해 주었다.

**06** (가), (나) 협정 사이 시기에 있었던 일로 옳은 것은?

(가) • 북위 17도선을 경계로 300일 이내에 호찌민 정부군은 그 이북으로, 프랑스군은 그 이남으로 이동한다.
• 군사 경계선은 잠정적이며, 정치적 통일 문제는 1956년 총선거를 시행하여 결정한다.

(나) 제6조 남베트남에 있는 미군과 다른 동맹국들의 군사 기지는 조약 서명 후 60일 이내에 철거되어야 한다.
제15조 베트남의 재통일은 남·북 베트남 간의 논의와 협의에 따라 평화적인 방법으로 서서히 이루어져야 한다.

① 중국이 공산화되었다.
② 베트남 공화국이 수립되었다.
③ 일본과 중국이 국교를 수립하였다.
④ 베트남 사회주의 공화국이 수립되었다.
⑤ 디엔비엔푸 전투에서 베트남이 승리하였다.

**07** (가)에 들어갈 내용으로 옳은 것은?

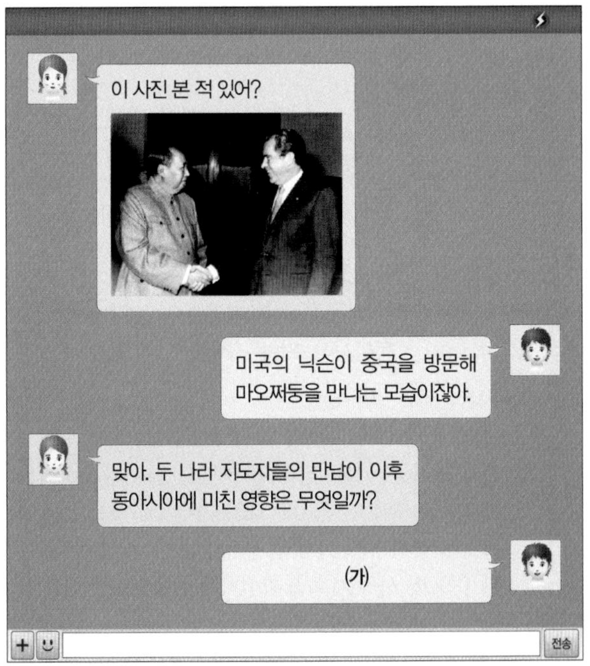


① 중국이 유엔에 가입하였어.
② 닉슨 독트린이 발표되었어.
③ 중·일 공동 성명이 발표되었어.
④ 중국이 대약진 운동을 추진하였어.
⑤ 6·25 전쟁의 휴전 협정이 체결되었어.

**08** 그래프는 동아시아 (가), (나) 국가의 1인당 국민 소득(GNI)을 나타낸 것이다. A 시기 (가), (나) 국가의 경제 상황으로 옳은 것은?

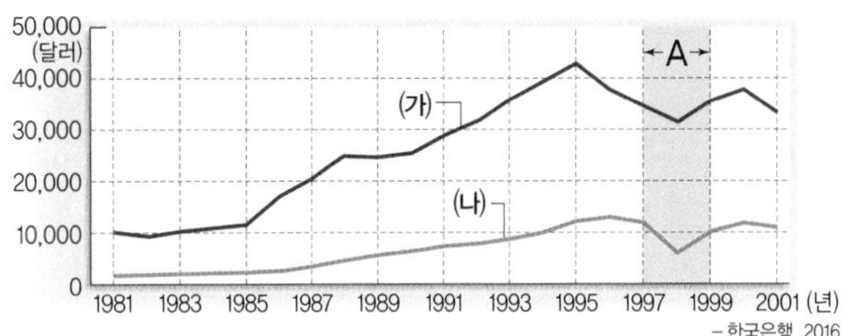


① (가) – 거품 경제가 형성되었다.
② (가) – 제2차 석유 파동으로 위기를 겪었다.
③ (나) – 국제 통화 기금(IMF)의 관리를 받았다.
④ (나) – 저금리·저유가·저달러에 따른 호황을 누렸다.
⑤ (나) – 경공업 중심의 수출 주도형 정책이 추진되었다.

**09** 다음 보고서에 들어갈 내용으로 옳은 것은?

수행 평가 보고서
• 정치: 장제스의 국민당 정권이 1949년 이후 계엄 통치를 지속하였다.
• 경제: 한국, 싱가포르, 홍콩과 함께 아시아의 4대 신흥 공업국으로 성장하였다.

① 도이머이 정책을 실시하였다.
② 합영법을 통해 외자 유치를 추진하였다.
③ 1960년대 경제 건설 4개년 계획을 시행하였다.
④ 1980년대 후반 세계 3대 쌀 수출국으로 성장하였다.
⑤ 1990년대 부동산과 주가 폭락으로 장기 불황을 겪었다.

**10** 밑줄 친 '이 정책'과 관련된 설명으로 옳지 않은 것은?

역사 신문 197○년

[칼럼] 지금 중국이 나아갈 길

검은 고양이든 흰 고양이든 쥐만 잘 잡으면 된다. 마찬가지로 자본주의든 공산주의든 상관없이 중국 인민이 잘살면 그것이 제일이다. 이 정책은 중국의 경제 성장을 이끌어 인민이 잘사는 나라를 만들어 줄 것이다.

① 경제특구가 설치되었다.
② 합작사를 중심으로 전개되었다.
③ 민간 기업의 설립이 허용되었다.
④ 인민공사가 해체되는 계기가 되었다.
⑤ 농업, 공업, 국방, 과학 기술의 현대화가 추진되었다.

**11** 다음 결의문이 발표된 사건에 대한 설명으로 옳은 것은?

> 우리는 이 땅에 민주 헌법이 서고 민주 정부가 확고히 수립될 때까지 지칠 줄 모르게 운동을 전개해 나갈 뿐만 아니라, 그렇게 되었을 때 동장에서부터 대통령까지 국민의 손으로 뽑게 될 수 있을 때에도 …… 온 국민의 이름으로 결의한다.

① 3·15 부정 선거로 촉발되었다.
② 유신 체제 붕괴의 배경이 되었다.
③ '55년 체제'가 붕괴되는 원인이 되었다.
④ 복수 정당제가 도입되는 결과를 가져왔다.
⑤ 대통령 직선제 개헌이 이루어지는 계기가 되었다.

**12** 다음 게시판에서 옳은 댓글을 작성한 사람을 고른 것은?

> ▶ 지식 Q&A
> 중국의 문화 대혁명에 대해 알려 주세요.
> ▶ 답변하기
> └→ 갑: 덩샤오핑이 주도하였어요.
> └→ 을: 농업의 집단화가 진행되었어요.
> └→ 병: 각지에 인민공사가 조직되었어요.
> └→ 정: 자본주의 사상에 대한 투쟁을 내세웠어요.
> └→ 무: 중화 인민 공화국의 수립에 영향을 주었어요.

① 갑 ② 을 ③ 병 ④ 정 ⑤ 무

**13** 다음에서 설명하는 지역을 지도에서 고른 것은?

> 제2차 세계 대전 이후 베트남이 기상 관측소를 관리하고 있던 지역이다. 그러나 베트남 전쟁이 끝날 무렵 중국이 무력으로 점령하면서 분쟁이 시작되었다. 영토 분쟁은 이후 중국이 각종 시설을 설치하면서 더욱 심해졌다.

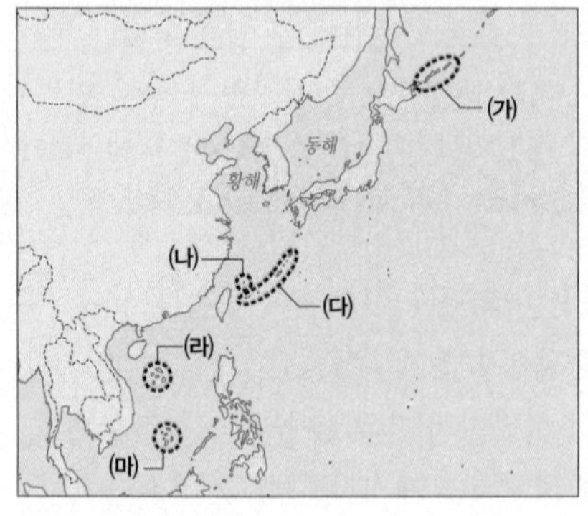


① (가) ② (나) ③ (다) ④ (라) ⑤ (마)

**14** (가)에 들어갈 주장에 대한 설명으로 옳은 것은?

> 중국은 자국의 동북 지방인 랴오닝성, 지린성, 헤이룽장성의 역사와 현재 상황을 연구하는 (가) 을/를 진행하였다. 이에 한국의 고대사에 해당하는 고조선, 부여, 고구려, 발해를 중국 왕조의 지방 정권으로 규정하였다.

① 야스쿠니 신사 참배를 비판하였다.
② 고노 담화가 발표되는 계기가 되었다.
③ 톈안먼 사건이 일어나는 배경이 되었다.
④ 일본의 역사 왜곡에 대한 반발로 제기되었다.
⑤ 중국 소수 민족의 동요를 방지하고자 진행되었다.

## 주관식+서술형 문제

**15** 다음을 읽고 물음에 답하시오.

> 제2조 1910년 8월 22일 및 그 이전에 대한 제국과 일본 간에 체결된 모든 조약 및 협정이 이미 무효임을 확인한다.
> 제3조 대한민국 정부가 유엔 승인에 의해 한반도의 유일한 합법 정부임을 확인한다.

(1) 위 조약의 명칭을 쓰시오.

(2) (1) 조약 체결의 배경을 미국, 일본, 한국의 입장에서 각각 서술하시오.

**16** 다음을 읽고 물음에 답하시오.

> **동아시아 소논문 구성안**
> 1. 주제: (가) 의 실시
> 2. 배경: 통일 이후 사회주의 정책 아래 경제적 어려움이 가중되자 시장 경제 체제를 일부 도입
> 3. 관련 사료: 「베트남 공산당 제6차 전당 대회 보고문」
> 소비재 생산지는 시장과 밀착해야 하고, 소비자의 수요 및 시장 기호를 확실하게 붙들어야 한다.

(1) (가)에 들어갈 정책을 쓰시오.

(2) (1) 정책이 베트남 경제에 미친 영향을 서술하시오.

심만 빠르게~ 단기간에
신 공부의 힘을
운다

# 정답과 해설

# 동아시아사

책 속의 가접 별책 (특허 제 0557442호)
답과 해설'은 본책에서 쉽게 분리할 수 있도록 제작되었으므로
통 과정에서 분리될 수 있으나 파본이 아닌 정상제품입니다.

내공의 힘

# 정답과 해설

## 동아시아사

# 01 동아시아의 자연환경과 선사 문화

## 1단계 개념 짚어 보기

본문 9쪽

01 몽골고원 02 계절풍 03 유목 04 ㉠ 황허강, ㉡ 창장강 05 (1) ㄹ, ㅁ, ㅂ (2) ㄱ, ㄴ, ㄷ 06 주먹도끼 07 토기 08 (1) × (2) ○ 09 조몬 토기

## 2단계 내신 다지기

본문 10~12쪽

01 ② 02 ③ 03 ① 04 ③ 05 ⑤
06 ⑤ 07 ① 08 ③ 09 ③ 10 ②
11 ⑤ 12 ④ 13 룽산 문화 14 ① 15 ②

**01** 동아시아는 동서로는 일본 열도에서 티베트고원, 남북으로는 베트남에서 몽골고원에 이른다. 대체로 서쪽에서 동쪽으로 가면서 점차 낮아지는 지형적 특징을 보인다. 동아시아 지역에는 현재 한국, 중국, 일본, 베트남, 몽골 등의 나라가 있으며 이 국가들 사이에 교류가 활발하게 이루어지고 있다.

바로 알기 ② 동아시아 지역에서는 한족, 한민족, 일본 민족, 비엣족이 다수를 차지한다.

**극비 노트** 동아시아 세계의 특징

| | |
|---|---|
| 국가와 민족 | • 국가: 한국, 중국, 일본, 베트남, 몽골 등<br>• 민족: 한족, 한민족, 일본 민족, 비엣족 등 |
| 범위와 지형 | • 지리적 범위: 동서로 일본 열도에서 티베트고원, 남북으로 베트남에서 몽골고원에 이름<br>• 지형: 서쪽에서 동쪽으로 가면서 점차 낮아지는 지형 |
| 기후 | • 다양한 기후 분포: 온대가 가장 넓게 분포, 지역에 따라 열대·한대·건조 기후도 나타남<br>• 계절풍의 영향: 겨울철에 춥고 건조, 여름철에 덥고 습함 |

**02** 동아시아의 여러 민족과 국가는 오랜 시간 동안 교류와 충돌을 통해 영향을 주고받았다. 또한 인구 이동과 정착 과정에서 문화의 전파와 확산이 일어나면서 한자, 불교, 유교, 율령 등 공통의 문화 요소를 공유하였다.

바로 알기 ③ 동아시아 각국은 법가와 유가의 영향을 받은 율령을 기반으로 통치 체제를 정비하였다.

**03** 동아시아의 서쪽에는 평균 해발 고도 4,500m 이상의 높고 험준한 티베트고원이 위치하고 있다.

바로 알기 ② (나) 몽골고원 일대에는 사막과 초원이 분포한다. ③ (다) 만주 남부에서는 밭농사 위주의 농업이 행해진다. ④ (라) 일본 열도에서는 해안 지형과 산악 지형이 함께 나타난다. ⑤ (마) 화이허강 이남 지역은 벼농사의 중심지이다.

**04** 지도의 (가)는 몽골고원 일대이고, (나)는 화이허강 이남 지역이다. 화이허강 이남 지역은 연평균 기온이 높고, 강수량이 풍부하기 때문에 벼농사가 발달하였다.

바로 알기 ① 일본 열도 일대가 환태평양 조산대에 속한다. ② 중국 동부와 한반도 지역에 강을 따라 넓은 평야가 분포한다. ④ 몽골고원 일대에 사막과 초원이 펼쳐져 있다. ⑤ 동아시아 사람들은 대부분 만주와 한반도, 중국 본토, 일본 열도에 거주한다. 몽골고원 일대의 인구 밀도는 낮은 편이다.

**05** 지도는 벼농사의 전파 경로를 나타내고 있다. 벼농사는 중국의 창장강 유역에서 시작되어 화북 지역을 거쳐 한반도로 전해졌고, 그 후 일본 열도로 전파되었다. 강수량이 풍부한 중국의 화이허강 이남, 일본의 규슈 남부 등지에서는 1년에 벼를 두 번 재배하는 이기작이 행해진다.

바로 알기 ① 벼농사는 창장강 유역에서 시작되었다. ② 만주 일대에서는 주로 밭농사가 행해진다. ③ 벼농사는 한반도에서 일본 열도로 전파되었다. ④ 벼농사는 연 강수량 600㎜ 이상인 지역에서 주로 이루어진다.

**극비 노트** 강수량에 따른 생업

| 강수량 | 생업 | 지역 |
|---|---|---|
| 연 강수량 600mm 이상 | 벼농사 | 중국 화이허강 이남, 한반도 중·남부, 일본 혼슈 이남 등 |
| 연 강수량 400~600mm | 밭농사 | 중국 화북 지역, 만주 남부, 한반도 북부, 일본 홋카이도 등 |
| 연 강수량 400mm 이하 | 유목 | 몽골고원, 티베트고원 일대 |

**06** 몽골 지역에 있는 톤유쿡 비는 유목 민족인 돌궐이 남긴 비석이다. 이 비석에는 돌궐 제국의 부활을 이끈 명장 톤유쿡의 업적이 기록되어 있다. 비문 중 '성을 쌓고 사는 자'는 정착 생활을 하는 농경민을 뜻하고, '끊임없이 이동하는 자'는 이동 생활을 하는 유목민을 뜻한다. 농경민은 계절 변화와 식물의 성장에 따라 농번기와 농한기가 구분되는 삶을 살았다.

바로 알기 ① 농경민은 농업을 주된 생업으로 삼았다. ② 삼림 지대에서는 수렵이 발달하였다. ③, ④는 유목민에 해당하는 설명이다.

**07** 「몽골의 하루」라는 그림으로, 유목민의 생활 방식을 보여 주고 있다. 유목민은 부족을 단위로 계절의 변화에 따라 가축을 이끌며 이동 생활을 하였다. 유목민은 가축으로부터 식량, 의복, 땔감 등 대부분의 생필품을 얻었기 때문에 이들에게 있어 가축은 가장 중요한 재산이다.

바로 알기 ㄷ, ㄹ. 농경민의 생활 모습에 해당한다.

**08** 표는 농경 문화와 유목 문화를 비교한 것이다. ① 유목 문화는 고원과 초원 지대에서 주로 나타난다. ② 농경민은 농사의 성공과 실패에 중요한 영향을 미치는 태양, 하늘, 비 등의 자연 현상을 숭배하였다. ④ 유목민은 이동 생활에 편리하도록 이동식 가옥에 거주하였다. ⑤ 유목민은 가축으로부터 고기와 유제품 등의 식량을 얻었을 뿐만 아니라 가축의 털과 가축을 이용해 의복과 가옥 등 생활에 필요한 물품을 만들었다.

바로 알기 ③ 농경민은 경작지 주변에서 정착 생활을 하였다.

**09** 가을의 화창한 날씨를 의미하는 '천고마비'는 원래 유목민의 약탈에 대한 농경민의 두려움을 담고 있는 고사성어이다. 유목민에 비해 인구가 많고 이른 시기부터 사회·국가 조직이 발달한 농경민이 유목민의 침략을 두려워했던 이유는 기마 전술에 능숙한 유목민의 전투력 때문이다.
바로 알기 ①, ②, ⑤는 농경 사회의 특징에 해당한다. ④는 진과 관련된 설명으로 유목 사회의 특징으로 보기 어렵다.

**10** 유목민과 농경민은 오랜 시간 동안 끊임없이 교역과 충돌을 이어왔다. 유목민은 부족한 생필품을 농경민과의 교역이나 약탈을 통해 확보하였으며, 농경민은 유목민의 약탈에 대응하여 유목민을 공격하기도 하였다.
바로 알기 ㄴ. 유목민은 가축, 모피, 말 등을 농경민의 곡물, 차, 황금, 비단 등과 바꾸었다. ㄹ. 농경민과 유목민은 서로를 비판하거나 얕잡아 보며 충돌하기도 하였다.

**11** 베이징인, 만달리인, 미나토가와인은 동아시아 지역의 대표적인 구석기 인류이다. 구석기 시대의 사람들은 사냥·채집·어로로 식량을 확보하였다. 먹잇감을 찾아 무리를 지어서 이동 생활을 하였기 때문에 주로 동굴이나 막집에 거주하였다. 또한 언어를 사용하였으며, 불을 이용하여 음식을 조리해 먹었다.
바로 알기 ⑤ 자연 현상, 특정 동물, 조상을 신으로 숭배하는 원시 신앙은 신석기 시대에 이르러 등장하였다.

**12** 그림의 움집, 토기, 가축 사육을 통해 신석기 시대의 생활 모습을 나타내고 있음을 알 수 있다. 신석기 시대에는 조·수수 등을 재배하는 농경이 시작되었고, 특정한 동물을 숭배하는 원시 신앙이 등장하였다. 신석기 시대의 인류는 그물을 이용한 어로, 도토리 등의 채집을 통해 농경 활동만으로는 부족한 식량을 보충하였다. 이 시기의 사람들은 뼈바늘과 갈돌·갈판 등의 간석기를 사용하였다.
바로 알기 ④는 청동기 시대에 볼 수 있었던 모습이다.

**13** 중원 지역의 대표적인 신석기 문화인 황허강 중류 유역의 양사오 문화와 황허강 하류 유역의 다원커우 문화가 신석기 시대 후기에 룽산 문화로 발전하였다.

**14** (가)에 들어갈 문화는 허무두 문화이다. 신석기 시대 중국의 창장강 유역에서는 허무두 문화가 발달하였다. 허무두 문화권에서는 흑도, 회도, 홍회도 등을 만들어 사용하였다. 허무두 문화의 유적에서 농기구와 볍씨가 발견되면서 이 지역에서 일찍부터 벼농사를 실시하였음을 알 수 있다. 허무두 문화는 량주 문화로 발전하였다.
바로 알기 ②는 홍산 문화, ③은 만주·한반도의 신석기 문화, ④는 조몬 문화에 대한 설명이다. ⑤ 허무두 문화에서는 움집 대신 고상 가옥을 만들어 생활한 것이 특징이다.

**15** (가)는 빗살무늬 토기, (나)는 양사오 토기이다. 만주와 한반도, 시베리아 지역에서는 토기의 겉면에 짤막한 사선 무늬를 낸 빗살무늬 토기를 제작하였다. 황허강 중류의 양사오 문화에서는 사람 얼굴 무늬, 물고기 무늬 등을 그려 넣은 채도를 주로 제작하였다.
바로 알기 ㉡ 랴오허강 유역의 홍산 문화에서는 채도와 용 모양의 옥기를 제작하였다. ㉣ 일본 열도의 조몬 문화에서는 조몬 토기를 제작하였다. ㉤ 창장강 유역의 허무두 문화에서는 흑도와 회도, 홍회도 등을 제작하였다.

## 3단계 등급 올리기

본문 13쪽

01 ②　02 ⑤　03 ①　04 해설 참조

**01** 동아시아의 서쪽에는 평균 해발 고도가 4,500m 이상인 티베트고원이 위치한다. 티베트고원에서 동쪽으로 갈수록 고도가 점차 낮아진다. 대륙의 동쪽에는 일본 열도를 비롯한 여러 섬이 있다. 일본 열도는 해안 지형과 산악 지형이 결합된 형태로, 환태평양 조산대에 속해 화산 활동과 지진이 자주 일어난다. 동아시아 지역에는 열대부터 한대까지 다양한 기후가 분포하나 온대 기후가 우세하며, 대륙 내부로 갈수록 건조하고 기온의 연교차가 큰 대륙성 기후가 뚜렷해진다.
바로 알기 ② 동아시아의 북쪽에 해당하는 몽골 지역에는 초원과 사막이 분포한다.

**02** 제시된 글을 보면 한에서 온 사자(사신)가 흉노의 가족 윤리에 대해 비판하고 있음을 알 수 있다. 반면 한의 관리로 한의 공주를 모시고 흉노로 간 중항열은 흉노의 풍습은 나름의 이유가 있어서 생겨난 것이라 반박하고 있다. 농경과 유목은 문화의 우열을 나타내는 것이 아닌 주어진 자연환경에 맞춰 오랜 시간 적응한 결과 나타난 생활 모습이다.
바로 알기 ① 문화에 있어 우열은 존재하지 않는다. ② 유목민을 야만적이라고 생각한 것은 농경민의 일방적인 생각이다. ③ 농경민과 유목민은 교역을 통해 서로에게 필요한 것을 보완하였다. ④ 농경민에 대한 유목민의 일방적인 생각이다.

**03** 신석기 시대에 간석기와 토기를 사용하였고, 농경과 목축을 시작하였다. 이에 따라 (가)에는 일본 열도의 신석기 시대 유물인 조몬 토기가 들어가야 한다.
바로 알기 ②는 다원커우 문화의 토기, ③은 홍산 문화의 토기, ④는 허무두 문화의 토기, ⑤는 홍산 문화의 옥기이다.

### 서술형 문제

**04** (1) 게르
(2) 예시 답안 유목민들은 초원과 사막이 넓게 분포한 지역에 살았기 때문에 가축의 먹이가 될 만한 물과 풀을 찾아 계절에 따라 이동 생활을 하였다. 이 때문에 조립과 분해가 쉬운 이동식 가옥을 만들었다.

| 채점 기준 | 배점 |
|---|---|
| 초원과 사막에 거주, 이동 생활을 하였음을 모두 서술한 경우 | 상 |
| 위 내용 중 한 가지만 서술한 경우 | 하 |

# 02 국가의 성립과 발전

## 1단계 개념 짚어 보기

본문 15쪽

01 얼리터우 문화　02 고인돌　03 야요이 시대
04 (1) ㄷ (2) ㄴ (3) ㄱ　05 ㉠ 군국제, ㉡ 전매제　06 선우
07 8조법　08 (1) ○ (2) ×

## 2단계 내신 다지기

본문 15~18쪽

| | | | | |
|---|---|---|---|---|
| 01 ④ | 02 ⑤ | 03 ① | 04 ② | 05 ② |
| 06 갑골문 | 07 ⑤ | 08 ⑤ | 09 ① | 10 ① |
| 11 ① | 12 ④ | 13 ④ | 14 ⑤ | 15 ③ |
| 16 ⑤ | 17 ④ | 18 ④ | 19 ② | |

**01** 청동기 시대에는 농사 기술이 발달하면서 농업 생산력이 크게 증대되었다. 이에 따라 사유 재산제가 확산되고, 지배 계급과 피지배 계급의 분화가 이루어졌다. 청동기를 보유한 집단이 주변 집단을 통합하면서 국가도 출현하였다.
바로 알기 ④ 신석기 시대에 농경이 시작되면서 사람들이 한곳에 정착하여 살기 시작하였다.

**02** 제시된 글은 황허강 중류 지역에서 발달한 청동기 문화인 얼리터우 문화에 대한 설명이다. 얼리터우 문화 유적에서 대규모 궁전 유적이 발견되어 얼리터우 문화를 문헌에 등장하는 중원 지역 최초의 왕조인 하 왕조로 추정하고 있다.
바로 알기 ① 얼리터우 문화는 청동기 문화이다. ②는 만주·한반도의 신석기 문화, ③은 일본 열도의 야요이 문화, ④는 몽골 지역 청동기 문화의 특징이다.

**03** 왼쪽 사진은 제사 의식에 사용된 것으로 여겨지는 동탁이고, 오른쪽 사진은 붉은빛을 띠는 것이 특징인 야요이 토기이다. 일본 열도에서는 기원전 3세기경부터 야요이 시대가 시작되었는데, 동탁과 야요이 토기는 야요이 문화를 대표하는 유물들이다.

**04** 몽골 지역에서는 기원전 2000년경~기원전 1700년경 청동기 문화가 시작되었다. 이 지역에서는 동물 모양의 청동기와 재갈을 제작하였고, 기마에 적합하도록 고리가 달린 단검을 만들었다.
바로 알기 ①은 홍산 문화의 유적에서 출토된 여신상, ③은 일본 열도에서 출토된 여성 모양의 토우, ④는 얼리터우 문화의 청동 술잔, ⑤는 상의 유적지에서 출토된 청동 솥이다.

**05** 만주·한반도의 청동기 시대에는 지배층의 무덤으로 고인돌을 제작하였다. 일본 열도에서는 기원전 3세기경부터 야요이 시대가 시작되었다.
바로 알기 사슴돌은 몽골 지역에 분포하는 후기 청동기에서 초기 철기 시대에 제작된 거석 기념물로, 표면에 사슴을 비롯한 동물이 새겨져 있다. 몽골 지역에 분포하는 청동기 시대의 무덤인 판석묘는 시신을 매장한 주변에 판석을 세워 만들었다. 조몬 시대는 일본 열도의 신석기 시대를 일컫는 용어이다.

**06** 밑줄 친 '이 문자'는 갑골문이다. 상의 왕은 국가의 중요한 일이 있을 때 점을 쳐서 결정하였고, 이를 갑골문으로 기록하였다. 상의 유적지에서 갑골문을 새긴 짐승의 뼈가 다량 발굴되었다.

**07** (가)는 상에 해당한다. 상은 실재가 확인된 중원 지역 최초의 왕조이다. 상은 왕권이 강하지 않았기 때문에 주변 세력과 연합하여 연맹 형태의 국가로 발전하였다.
바로 알기 ①은 주, ②는 전국 시대에 해당한다. ③ 상은 주에 의해 멸망하였다. ④는 진에 해당한다.

**08** (가)는 주에 해당한다. 하와 상의 세력 범위는 황허강 유역에 한정되었지만, 주는 정복 활동을 통해 창장강 유역까지 영토를 확장하였다. 주는 수도와 그 부근은 왕이 직접 통치하고 지방에는 왕의 친족이나 공신을 제후로 임명하여 통치하는 봉건제를 실시하였다. 주의 봉건제는 혈연관계를 바탕으로 한 종법적 봉건제였다. 주의 왕은 자신을 천자라 부르고, 백성을 덕으로 다스려야 한다는 덕치를 강조하였다.
바로 알기 ㄱ. 3공 9경은 진의 관료 조직이다. ㄴ. 선우는 흉노의 최고 군주를 일컫는 명칭이다.

**극비 노트** 주의 봉건제

| | |
|---|---|
| 특징 | • 혈연관계를 바탕으로 한 종법적 통치 제도<br>• 왕이 수도 부근은 직접 통치하고 지방에는 친족이나 공신을 제후로 임명하여 통치. 제후는 정기적으로 왕을 알현하고 공납을 바침 |
| 변화 | • 후대로 갈수록 왕과 제후의 혈연관계가 멀어지면서 봉건제 약화<br>• 제후들이 주 왕의 통제에서 벗어나면서 왕실의 권위 하락 |

**09** 지도는 춘추·전국 시대를 나타내고 있다. 춘추·전국 시대에는 우경과 철제 농기구가 보급되어 농업 생산력이 증대되고, 철제 무기가 제작되었다. 제후국들이 부국강병을 추진하면서 군현제가 실시되었고, 제자백가가 등장하여 각국의 군주를 상대로 부국강병의 논리를 제시하였다.
바로 알기 ① 춘추·전국 시대에는 주 왕실의 권위가 약화되고 각 제후들이 독자적인 세력을 형성하였다.

**10** 중원을 최초로 통일하고, '황제' 칭호를 사용한 인물은 진 시황제이다. 시황제는 중원을 통일한 이후 군현제를 전국으로 확대하였으며, 화폐·도량형·문자를 통일하고, 도로망을 정비하였다. 또한 법가 이외의 사상을 강력하게 탄압하여 분서갱유를 단행하였다.
바로 알기 ① 고조선을 멸망시킨 것은 한 무제이다.

**11** 제시된 글은 진 시황제의 명으로 법가 이외의 서적을 불태우고 유학자를 생매장한 분서갱유에 대한 내용이다. 시황제는 분서갱유를 통해 사상을 통제하고 자신에게 반대하는 세력을 억누르려 하였다.

**12** 제시된 글은 군국제에 대한 설명이다. 한 고조는 진의 멸망 이후 중원 지역을 재통일하고 진의 실패를 되풀이하지 않기 위해 군현제와 봉건제를 절충한 군국제를 실시하였다.
바로 알기 ①은 흉노의 묵특 선우, ②는 한 무제, ③은 진 시황제, ⑤는 진 효공·시황제의 업적에 해당한다.

**13** 한 무제는 흉노 토벌, 고조선과 남월(남비엣) 정복 등 적극적인 대외 정책을 추진하였다. 그러나 지나친 전쟁으로 국가의 재정이 부족해졌다. 무제는 재정을 확보하기 위해 상공업을 통제하고, 소금과 철을 국가에서 독점 판매하였다.
바로 알기 ①은 한 고조의 정책, ②, ⑤는 진 시황제의 정책이다. ③ 한 무제는 대월지와 동맹을 맺고자 서역에 장건을 파견하였다.

**14** 1세기에 외척 왕망에 의해서 한이 멸망하고 신이 건국되었다. 이후 광무제가 호족들의 지지를 얻어 후한을 세웠다. 후한은 황건적의 난을 계기로 각지의 유력한 호족들이 독립 세력화하면서 멸망하였다. 이후 중원 지역은 위·촉·오의 삼국으로 분열하였다.
바로 알기 ①, ②, ③, ④는 (가) 이전에 일어난 일이다.

극비 노트 **한의 성립과 발전**

| | |
|---|---|
| (전)한 | • 고조: 중원 재통일, 군국제 시행<br>• 무제: 군현제 실시, 고조선과 남월(남비엣) 정복, 흉노 공격, 서역에 장건 파견, 전매제 실시 |

⬇

| | |
|---|---|
| 신 | 외척인 왕망이 건국 → 농민 봉기로 멸망 |

⬇

| | |
|---|---|
| (후)한 | 광무제가 호족의 지지를 얻어 건국 → 황건적의 난을 계기로 유력한 호족들이 독립 세력화함 → 위·촉·오의 삼국으로 분열 |

**15** 자료는 흉노의 발달을 보여 주고 있다. 흉노는 기원전 3세기경 동아시아 최초의 유목 민족 국가를 수립하였다. 흉노는 진 시황제의 공격으로 세력이 약화되기도 하였으나 묵특 선우가 집권하면서 전성기를 맞이하였다.
바로 알기 ① 한 고조는 흉노를 공격하였다가 포로로 붙잡히기도 하였다. ② 흉노는 기병을 중심으로 군대를 운영하였다. ④는 상, ⑤는 고조선에 대한 설명이다.

**16** 도표는 흉노의 통치 조직을 나타낸다. 흉노의 선우는 통치 영역을 셋으로 나누어 자신이 중앙을 통치하고 동방은 좌현왕, 서방은 우현왕이 다스리게 하였다. 왕들은 각자 영지와 기병을 보유하였고, 소왕·천장·백장·십장 등의 하위 조직을 거느렸다.

**17** 왼쪽 사진은 비파형 동검, 오른쪽 사진은 탁자식 고인돌로, 이들의 출토 범위를 통해 고조선의 문화 범위를 추정할 수 있다. 청동기 문화를 바탕으로 성립한 고조선은 왕이 제사장을 겸하는 제정일치 사회였다. 기원전 3세기경 왕위가 세습되고 상, 경, 대부 등의 관직을 설치하였다. 위만의 집권 이후에는 본격적으로 철기 문화를 수용하며 발전하였다. 그러나 한 무제의 공격으로 왕검성이 함락되면서 기원전 108년에 멸망하였다.
바로 알기 ④는 부여에 대한 설명이다.

**18** 한 무제는 흉노를 적극적으로 공격하였으며, 이 과정에서 대월지와 동맹을 맺기 위해 장건을 서역으로 파견하였다. 무제는 이어 고조선과 남월을 멸망시키고 그 지역에 군현을 설치하였다.
바로 알기 ㄱ. 흉노의 묵특 선우, ㄷ. 진 시황제의 대외 정책에 해당한다.

**19** 밑줄 친 '이 국가'는 일본 열도의 야마타이국에 해당한다. 일본 열도에는 기원을 전후한 시기에 100여 개의 소국들이 있었다. 이들 간에 치열한 전쟁이 벌어진 결과 3세기경에는 야마타이국을 중심으로 하는 30여 개의 소국으로 통합되었다. 그중 야마타이국이 가장 강성하였는데, 야마타이국의 히미코 여왕은 위에 조공하여 '친위왜왕'이라는 칭호와 거울 등을 하사받았다.
바로 알기 ①은 고조선, ③, ⑤는 흉노, ④는 1세기경 일본 열도의 노국에 대한 설명이다.

## 3단계 등급 올리기

본문 19쪽

**01** ④ **02** ⑤ **03** ⑤ **04** 해설 참조

**01** 상 왕조에서 사용한 청동 솥은 일상생활의 용도가 아닌 제사 의식에 사용된 도구로 짐작된다. 또한 상은 국가의 중요한 행사에 앞서 신의 뜻을 묻기 위해 점을 치고 그 내용을 갑골문으로 기록하였다. 이를 통해 상의 왕이 종교적 권위에 의지하여 제사장을 겸하며 신정 정치를 행하였음을 알 수 있다.

**02** 진 시황제는 전국 시대의 분열을 끝내고 중원 지역을 하나로 통일하였다. 이후 시황제는 문자, 화폐, 도량형을 통일하였다. 이를 통해 세금 징수와 교역에 통일된 기준을 적용하려 하였다.

**03** 활을 쏘는 병사의 모습, 묵특 선우 시기에 전성기를 맞이하였다는 점을 통해서 (가)에 들어갈 국가가 흉노임을 알 수 있다. 흉노는 한 고조를 포로로 잡는 등 중원 왕조에 큰 위협이 되었으나, 한 무제의 공격으로 세력이 약화되어 북쪽으로 밀려났다.
바로 알기 ①은 주, ②는 삼한, ③은 진, ④는 고조 시기의 한에 해당한다.

### 서술형 문제

**04** (1) (가) 봉건제, (나) 군현제
(2) 예시 답안 봉건제에서는 왕이 수도와 그 부근만을 통치하고 지방은 제후에게 나누어 주어 통치하도록 하였다. 반면, 군현제에서는 각 지방에 군현을 설치하고 지방관을 파견하여 국왕의 통치력이 지방에까지 미치도록 하였다.

| 채점 기준 | 배점 |
|---|---|
| 봉건제의 지방 분권적인 특징과 군현제의 중앙 집권적인 특징을 비교하여 서술한 경우 | 상 |
| 봉건제와 군현제의 특징만을 각각 서술한 경우 | 하 |

# 01 인구 이동과 정치·사회 변동

## 1단계 개념 짚어 보기

본문 21쪽

01 5호 16국 시대　02 고구려　03 도왜인　04 효문제
05 아스카 문화　06 (1) ㄴ (2) ㄷ (3) ㄱ　07 대조영
08 (1) ○ (2) ○ (3) ×

## 2단계 내신 다지기

본문 21~24쪽

| | | | | |
|---|---|---|---|---|
| 01 ⑤ | 02 ④ | 03 ⑤ | 04 ④ | 05 ④ |
| 06 ③ | 07 ③ | 08 ⑤ | 09 ⑤ | 10 ② |
| 11 다이카 개신 | | 12 ① | 13 ⑤ | 14 ⑤ |
| 15 ⑤ | 16 ④ | 17 ⑤ | 18 ① | |

**01** 5호가 중국의 화북 지역으로 이동하여 여러 국가를 수립하면서 5호 16국 시대가 전개되었고, 화북 지역에서는 호족과 한족의 융합이 이루어졌다. 한족이 5호의 침략을 피해 창장강 이남으로 이동하면서 강남 지역에 한족의 농업 기술이 전파되었다.

바로 알기 ⑤는 일본의 헤이안 시대에 나타난 특징이다.

**02** 밑줄 친 '이주민'은 5호의 침략으로 화북 지역을 빼앗긴 한족을 가리킨다. 한족은 무리를 이끌고 강남 지역으로 내려가 동진을 비롯한 한족 왕조를 세웠다. 한족이 강남으로 이동하면서 강남 지역의 농업이 발달하였다.

바로 알기 ① 고조선 유민의 일부는 한반도 남부로 이동하여 경주 토착 세력과 연합해 신라 건국의 토대를 마련하였다. ② 4세기경 일본에서는 세토내해를 중심으로 한 인구 이동이 일어났다. ③ 가야인들은 일본 열도에 토기 제작 기술을 전하여 일본에서 스에키가 발달하는 데 영향을 주었다. ⑤ 부여족의 이동은 고구려, 백제의 건국과 관련이 있다.

**03** (가)에 들어갈 국가는 고구려에 해당한다. 부여족의 일부인 주몽 집단이 압록강의 졸본 지역에 고구려를 세웠다. 고구려에서 정치적 갈등이 생기자 그 일부가 한강 유역으로 남하하여 백제를 세웠다. 백제 석촌동의 고분 양식이 고구려 초기의 것과 유사함을 통해 고구려와 백제의 지배층이 같은 계통이었음을 짐작할 수 있다.

바로 알기 ①은 주, ②는 신라, ③은 고조선 (유민), ④는 야마토 정권에 대한 설명이다.

**04** 지도는 도왜인의 이동을 나타낸 것이다. 야마토 정권은 도왜인을 등용하여 체제를 정비하고, 도왜인들로부터 토기 제작 기술, 제철 기술 등을 받아들였다. 또한 도왜인은 아스카 시대 일본의 불교 예술이 발달하는 데 영향을 주었다.

바로 알기 ①은 중국의 전국 시대, ②는 일본의 나라 시대, ③은 일본의 헤이안 시대, ⑤는 일본의 신석기 시대와 관련된 설명이다.

**05** 자료는 가야의 갑옷과 왜의 갑옷이 형태적으로 유사함을 보여 준다. 이는 한반도에서 일본 열도로 건너간 도왜인을 통하여 한반도의 철기 문화가 일본에 전파되었기 때문이다. 특히 철이 많이 생산된 가야는 일본 열도에 철을 수출하기도 하였다.

**극비 노트 동아시아의 인구 이동**

| | |
|---|---|
| 5호 | 화북 지역으로 이동하여 북조 형성 |
| 한족 | 화북 지역에서 강남 지역으로 이동하여 남조 형성 |
| 부여족 | 일부가 압록강 중류의 졸본 지역으로 남하하여 고구려 건국 → 고구려의 내분으로 지배층 일부가 한강 유역으로 남하하여 백제 건국 |
| 도왜인 | 중원의 강남 지역과 한반도에서 일본 열도로 이동 |

**06** 제시된 글의 북방의 언어 금지, 중원의 언어만 사용 등을 통해 북위의 효문제가 실시한 한화 정책에 대한 내용임을 알 수 있다. 효문제는 호한의 융합을 위해 한족의 언어와 풍습을 적극적으로 받아들이는 한화 정책을 추진하였다. 한편, 효문제는 농경지를 농민에게 분배하는 균전제를 실시하였다. 균전제는 이후 수·당의 토지 제도에 영향을 주었다.

바로 알기 ①은 수, ②는 나라 시대, ④는 야마토 정권, ⑤는 당과 관련된 설명이다.

**07** (가) 시기는 남북조 시대이다. 이 시기에 북위의 효문제는 수도를 평성에서 뤄양으로 옮기고, 선비족의 언어와 의복 사용을 금지하였으며, 선비족에게 한족의 성씨를 부여하는 등 적극적인 한화 정책을 펼쳤다. 한편, 중원 지역의 한족이 강남으로 이동하면서 강남의 농업 기술이 발전하고 농업 생산력이 증대되었다.

바로 알기 ㄱ. 춘추 시대, ㄹ. 수 대의 상황이다.

**08** 백제는 한강 유역을 기반으로 성장하였다. 그러나 5세기 고구려의 공격으로 한강 유역을 상실하고 웅진으로 수도를 옮겼다. 신라는 6세기 진흥왕 때 대외 팽창을 통해 한강 유역을 차지하고 이후 한강 유역을 발판으로 중국과 직접 교류하였다.

바로 알기 ①은 663년, ②는 660년, ③은 668년, ④는 676년의 일이다.

**09** 밑줄 친 '이 국가'는 신라이다. 신라는 5세기까지는 고구려와 백제를 통해 중국과 교류하다가 6세기 진흥왕 때 한강 유역을 장악하면서 중국과 직접 외교 관계를 맺었다.

바로 알기 ①은 헤이안 시대, ②는 야마토 정권, ③은 발해, ④는 고구려에 대한 설명이다.

**10** 자료는 야마토 정권의 지배자들이 제작한 전방후원분이다. 일본 열도에서는 4세기경 유력 호족들이 연합하여 야마토 정권을 세웠다. 야마토 정권은 '씨'를 기반으로 한 호족을 포섭하기 위해 정치적·사회적 지위인 '성'을 하사하는 씨성 제도를 시행하였다. 이 시기 가야의 토기 제작 기술을 수용하여 스에키를 제작하였고, 백제로부터 불교를 수용하여 일본 최초의 불교문화인 아스카 문화를 꽃피웠다.

바로 알기 ② 당은 이민족을 복속시키기 위해 기미 정책을 실시하여 변방 지역을 간접적으로 다스렸다.

**11** 일본 열도에서는 7세기 중반 다이카 개신을 단행하여 관료제를 도입하였으며, 지방관을 파견하였다. 다이카 개신에 따라 당을 모방한 중앙 집권 체제가 강력하게 추진되었다.

**12** 야마토 정권은 도왜인을 적극 기용하여 정치적 통일을 이루어 나갔다. 도왜인들은 새로운 토기 제조법, 옷감 짜는 법, 유학·불교 등의 문물을 일본 열도에 전함으로써 야마토 정권의 성립과 발전에 영향을 주었다. 도왜인은 아스카 시대 일본의 불교 예술이 발전하는 데 기여하였다. 이 시기 가야에서 이주한 도왜인이 토기 제작 기술을 전하면서 단단한 스에키가 제작되기도 하였다.

**극비 노트** 고대 일본의 발전

| | |
|---|---|
| 야요이 시대<br>(기원전 3세기<br>~기원후 3세기) | • 한반도로부터 청동기·철기와 벼농사 기술이 전래됨<br>• 3세기경 30여 개의 소국 존재, 그중 야마타이국이 가장 강성함 |
| 야마토 정권<br>(4~7세기) | • 도왜인에 의해 체제 정비<br>• 견당사 파견 시작<br>• '일본' 국호와 '천황' 칭호 사용 |
| 나라 시대<br>(710~794) | • 헤이조쿄 건설·천도<br>• 견당사 파견 |
| 헤이안 시대<br>(794~1185) | • 헤이안쿄로 천도<br>• 견당사 파견 중지 → 국풍 문화 발달 |

**13** 제시된 글은 살수에서 전개된 고구려와 수의 전쟁을 다루고 있다. 수는 남북조를 통일한 이후 주변 지역에 적극적인 공세를 취하였다. 고구려를 복속시키고자 세 차례에 걸쳐 침공하였으나 실패하였고 이는 수 멸망의 한 원인이 되었다.
**바로 알기** ①은 일본의 헤이안 시대, ②는 4세기 이후의 일이다. ③ 698년 발해가 성립하면서 남북국 시대가 전개되었다. ④ 676년 신라가 당을 물리치고 통일을 완성하였다.

**14** 지도에 표시된 영역을 차지하였던 중원 왕조는 당이다. 당은 돌궐과 전쟁을 벌여 중앙아시아에 진출하고 서역을 정벌하는 등 팽창 정책을 펼쳤다. 동아시아의 패자로 성장한 당의 선진 문물을 수용하고자 신라, 일본 등은 당에 견당사를 파견하였다.
**바로 알기** ①, ②는 진, ③, ④는 한에 대한 설명이다.

**15** 제시된 글은 백강 전투(663)에 대한 것이다. 백제가 멸망하자 왜는 지원군을 보냈으나 백강 전투에서 나·당 연합군에게 패하였다. 삼국 통일 전쟁은 동아시아 국제전으로 확대되었으며, 백제 멸망 이후 유민의 일부가 일본 열도로 건너가 일본의 국가 형성과 문화 발달에 영향을 주었다.
**바로 알기** ㄱ. 5세기경, ㄴ. 9세기경의 일이다.

**16** 당의 건국은 618년, 신라의 삼국 통일 완성은 676년의 일이다. 당은 건국 이후 고구려를 공격하였으나 실패하였고, 신라의 제의로 동맹을 맺은 후 백제와 고구려를 차례로 함락하였다. 당이 도호부를 설치하는 등 한반도에 대한 야욕을 드러내자 신라는 당과 전쟁을 벌여 당을 몰아내고 삼국을 통일하였다. 한편, 7세기 중엽 일본에서는 다이카 개신이 일어났다.
**바로 알기** ④ 4세기경 야마토 부근의 유력 호족들이 연합하여 야마토 정권을 세웠다.

**17** 밑줄 친 '이 국가'는 발해이다. 대조영은 고구려의 옛 땅에서 고구려 유민을 중심으로 말갈족을 모아 발해를 건국하였다. 발해는 성립 초기부터 고구려 계승 의식을 드러냈다.
**바로 알기** ①은 일본의 야마토 정권, ②, ③은 신라, ④는 고구려에 대한 설명이다.

**18** 『겐지 이야기』는 헤이안 시대의 국풍 문화를 대표하는 작품이다. 일본은 헤이안 시대에 점차 주변 나라와 교류를 줄여 8세기 말 견신라사를 폐지하고 9세기 말에는 견당사의 파견을 중지하였다.
**바로 알기** ②는 1세기경, ③은 나라 시대, ④, ⑤는 야마토 정권 시기의 일이다.

## 3단계 등급 올리기

본문 25쪽

**01** ② **02** ② **03** ⑤ **04** 해설 참조

**01** (가) 위만이 무리를 이끌고 한반도로 이주하였다. 위만이 집권하면서 한반도에서 철기 문화가 본격적으로 발달하였다. (나) 한반도에서 일본으로 건너간 도왜인들이 야마토 정권의 체제 정비와 아스카 문화 발전에 기여하였다. (다) 5호의 화북 장악으로 한족이 강남 지방으로 이동하여 한족 왕조를 세우면서 새로운 농업 기술이 강남에 전해졌다. (라) 고구려 내부의 권력 쟁탈전에서 패한 세력이 한강 유역으로 내려와 백제를 세웠다.
**바로 알기** ② 야마타이국은 일본 열도에서 3세기경에 있었던 여러 소국 중의 하나이다.

**02** 두 인물은 백제 멸망 이후 백제 부흥군 세력과 왜의 지원군이 나·당 연합군과 벌인 백강 전투(663)를 주제로 대화를 나누고 있다. 백강 전투에서 신라와 당의 연합군이 승리하였다.

**03** 밑줄 친 '토기'는 스에키이다. 4세기경에 성립한 야마토 정권은 가야인의 토기 제작 기술을 수용하여 스에키를 제작하였는데, 스에키는 주로 5세기경에 많이 만들어졌다. 5세기에 고구려는 전성기를 누리며 삼국의 주도권을 장악하였다.
**바로 알기** ①, ④는 기원전 3세기, ②는 기원전 2세기, ③은 3세기의 일이다.

### 서술형 문제

**04** (1) 효문제
(2) **예시 답안** 효문제는 호족과 한족의 갈등을 줄일 수 있도록 융합을 도모함으로써 정권의 안정을 이루려 하였다.

| 채점 기준 | 배점 |
|---|---|
| 호족과 한족의 융합을 도모하여 정권의 안정을 이루려 함을 서술한 경우 | 상 |
| 호족과 한족의 갈등을 줄이려 하였다고만 서술한 경우 | 하 |

# 02 국제 관계의 다원화

## 1단계 개념 짚어 보기

본문 28쪽

01 ㉠ 조공, ㉡ 책봉 02 돌궐 03 고구려 04 전연의 맹약
05 가마쿠라 막부 06 (1) ㄷ (2) ㄴ (3) ㄱ 07 (1) × (2) ○
08 교초 09 아시카가 요시미쓰

## 2단계 내신 다지기

본문 28~32쪽

| | | | | |
|---|---|---|---|---|
| 01 ③ | 02 ③ | 03 ② | 04 화번공주 | 05 ④ |
| 06 ② | 07 ④ | 08 ③ | 09 ② | 10 ① |
| 11 ① | 12 ④ | 13 ③ | 14 ③ | 15 ③ |
| 16 ④ | 17 ④ | 18 ① | 19 ② | 20 ④ |
| 21 ④ | 22 ③ | 23 ⑤ | 24 ④ | |

**01** 자료는 조공과 책봉을 바탕으로 하는 외교 관계를 보여 준다. 조공·책봉 관계는 주 대에 실시되었던 것이 한 대에 이르러 국제적인 외교 관계로 발전하였다. 조공·책봉은 의례적인 외교 관계이자 국제 무역의 한 형태로 진행되었다. 중원국은 조공을 받음으로써 권위를 세웠고, 주변국은 통치의 정당성 확보와 경제적·문화적 이익을 위해 책봉을 이용하였다.

바로 알기 ③ 조공·책봉 관계는 강대국의 직접적인 지배가 아닌 형식적인 외교의 틀에 불과하였다.

**02** (가)는 남북조 시대에 해당한다. 북조와 남조는 사절을 교환하였으나 상대국의 사신을 조공 사절로 취급하기도 하였다. 백제는 남조와 조공·책봉 관계를 맺고 불교, 유학, 건축 기술 등을 수용하였다.

바로 알기 ㄱ. 고구려는 남조, 북조 모두와 조공·책봉 관계를 맺었다. ㄹ. 명 시기인 14세기경의 일이다.

> **극비 노트 고구려의 다원적 외교**
>
> (고구려는) 481년, 사신을 보내 (남조의 제에) 공물을 바쳤고, (북조의) 북위에도 사신을 보냈다. 그러나 (고구려의) 세력이 강성하여 통제받지 않았다. 북위는 사신의 숙소를 만들 때, 남조 제의 사신을 맞이하는 숙소를 가장 크게 만들고 고구려는 그 다음으로 하였다. –『남제서』
>
> 고구려는 북위(북조), 남제(남조) 양측과 조공·책봉 관계를 맺어 두 세력을 이용하는 외교 정책을 펼쳤다. 이러한 외교를 통해 고구려는 만주 지역에서 독자적인 세력을 형성하고 남진 정책을 추진할 수 있었다.

**03** 밑줄 친 '이 국가'는 돌궐이다. 돌궐은 유목 민족 최초로 고유한 문자를 만들어 퀼 테긴 비, 톤유쿡 비 등을 남겼다. 6세기경 돌궐의 세력이 강성해지자 북주와 북제는 돌궐의 공주를 황후로 맞이하려고 경쟁하였다.

바로 알기 ①은 흉노, ③, ⑤는 북위, ④는 거란(요)에 대한 설명이다.

**04** 당은 돌궐, 위구르, 토번 등 유목 민족 국가에 화번공주를 파견하여 화친을 도모하였다.

**05** 동아시아의 여러 나라는 중원 왕조와 조공·책봉 관계를 맺으면서도 스스로를 중심에 놓는 자국 중심의 천하관을 드러냈다. ① 발해는 인안, 대흥 등 독자적인 연호를 사용하였다. ② 신라는 자국을 중심으로 주변 세계를 평정하려는 염원에서 황룡사 9층 목탑을 제작하였다. ③ 고구려는 영락과 같은 독자적인 연호와 '태왕'이라는 칭호를 사용하였다. ⑤ 백제는 마한의 일부 소국을 '남쪽의 오랑캐'라는 뜻의 남만으로 불렀다.

바로 알기 ④ 북위의 호한 융합 정책은 유목 민족과 농경 민족 간의 융합을 도모한 것이다.

**06** 지도의 (가)는 거란(요)이다. 거란은 발해를 정복하고, 연운 16주를 차지하였다. 이후 연운 16주를 탈환하기 위해 공격해 온 송과 전쟁을 벌여 전연의 맹약을 맺었다. 이 맹약에 따라 송은 거란(요)에게 막대한 양의 비단과 은을 제공하였다.

바로 알기 ㄴ. 한, ㄹ. 몽골 제국의 정복 활동에 대한 설명이다.

**07** 자료는 서하에 대한 것이다. 11세기경 탕구트족의 이원호가 수립한 서하는 독자적인 문자를 제정하여 고유의 문화를 유지하려 하였다. 서하는 비단길의 요지를 장악하여 동서 무역을 주도하며 발전하였다.

바로 알기 ①, ③은 거란(요), ②는 여진(금), ⑤는 당에 대한 설명이다.

**08** (가) 요의 멸망은 1125년, (나) 금과 남송의 강화는 1141년의 일이다. 금은 송과 연합하여 요를 무너뜨린 후 송까지 공격하여 멸망시키고 화북 지역을 차지하였다. 이후 남송이 성립하자 금은 남송을 압박하여 강화 조약을 맺었다.

바로 알기 ①은 10세기, ②는 14세기, ④는 7세기, ⑤는 13세기의 일이다.

**09** 자료와 같은 통치 체제를 운영한 국가는 금이다. 금은 자국의 고유성을 유지하고 정복한 지역을 효율적으로 통치하기 위해 유목민은 맹안·모극제로 다스리고, 농경민은 주현제로 통치하는 이원적 지배 체제를 실시하였다.

바로 알기 ② 맹안·모극제는 요의 이원적 지배 체제인 북면관제·남면관제를 계승한 것이다.

**10** 제시된 글은 조광윤(태조)에 대한 것이다. 조광윤은 5대 10국의 분열을 통일하고 송을 건국하였다. 그는 문치주의를 내세워 절도사 세력을 약화하고 황제권의 강화에 힘썼다.

바로 알기 ②는 일본의 막부 정권, ③은 명의 홍무제, ④는 명의 영락제, ⑤는 몽골 제국의 칭기즈 칸과 관련된 설명이다.

**11** 송은 태조 이래 문치주의 정책을 실시하여 관료가 증가하고 국방력은 약해졌다. 이로 인해 이민족에게 막대한 세폐를 제공하면서 재정난이 심화되었다. 이러한 상황을 해결하기 위해 왕안석은 신법을 시행하였으나 그 과정에서 당쟁이 격화되면서 오히려 국력이 약화되었다.

**바로 알기** ②는 일본의 헤이안 시대, ③은 원 대, ④는 춘추·전국 시대, ⑤는 수 대에 있었던 일이다.

**12** 거란은 송을 공략하기에 앞서 고려를 침략하였다. 그러나 고려의 서희는 국제 정세를 이용하여 거란의 장수 소손녕과 담판을 벌였고 결국 화의를 맺어 강동 6주를 획득하였다.

**바로 알기** ① 백강 전투는 삼국 통일 시기에 일어났다. ② 금이 송의 황제를 포로로 잡아갔다. ③ 여·몽 연합군이 일본을 침공했을 때 일본은 태풍의 영향으로 이를 막아 냈다. ⑤ 화번공주는 중원 왕조가 이민족 국가에게 보낸 황족 또는 황제의 딸이다.

**13** (가)는 가마쿠라 막부 시기이다. 12세기 말 미나모토노 요리토모가 권력을 장악하여 가마쿠라 막부를 세웠다. 미나모토노 요리토모는 천황에게 쇼군의 칭호를 받았다. 쇼군은 본래 동북 지방에 파견된 군대의 대장을 의미하였으나 막부 시대에는 무사 정권의 최고 실권자를 뜻하였다.

**바로 알기** ①은 3세기, ②는 일본의 남북조 시대, ④는 7세기, ⑤는 무로마치 막부 시기의 일이다.

**14** 테무친은 몽골 부족을 통합한 후 부족 회의인 쿠릴타이에서 칭기즈 칸으로 추대되었다. 칭기즈 칸은 유목민을 통합하여 천호라는 조직으로 편성하고, 자신에게 충성하는 인물을 천호장에 임명하였다. 또한 천호장, 백호장, 십호장의 자제를 친위대로 편성하여 강력한 군사력을 갖추었다. 칭기즈 칸은 이를 중심으로 정복 전쟁을 벌여 서하와 금을 정복하고 호라즘 왕국을 무너뜨려 비단길을 장악하였다.

**바로 알기** ③은 쿠빌라이 칸 시기의 일이다.

**15** 제시된 글의 쿠빌라이의 명칭, 시박사 제도의 시행을 통해 밑줄 친 '이 국가'가 원임을 알 수 있다. 원은 지방에 행성을 설치하고 다루가치를 파견하여 정치를 감독하였다.

**바로 알기** ①은 송, ②는 거란(요), ④는 여진(금), ⑤는 북위가 실시한 정책이다.

**16** (가)에 들어갈 계층은 색목인이다. 원은 몽골 지상주의 정책을 표방하여 몽골인·색목인·한인·남인으로 주민을 분류하여 통치하였다. 색목인은 재정과 행정을 담당하였으며, 지배층으로 군림하였다.

**바로 알기** ①은 한인·남인, ②는 몽골인, ③은 한인, ⑤는 남인에 대한 설명이다.

**17** 몽골은 활발한 대외 정책을 펼쳐 동아시아 각국을 침략하였다. 몽골의 침략은 동아시아 각국의 민족의식을 일깨우는 계기가 되었다.

**바로 알기** ④ 레 러이는 명과의 항쟁을 통해 레 왕조를 건설하였다.

**18** 밑줄 친 '침략'은 여·몽 연합군의 일본 침략이다. 가마쿠라 막부는 고려와 몽골 연합군의 침략을 때마침 불어온 태풍의 영향으로 막아 낼 수 있었다. 이후 일본에서는 '신의 특별한 가호를 받는다.'라는 신국 의식이 확산되었다. 한편, 전쟁의 영향으로 가마쿠라 막부는 약화되었다.

**바로 알기** ㄷ. 무로마치 막부의 3대 쇼군인 아시카가 요시미쓰가 남북조의 분열을 통일하였다. ㄹ. 헤이안 시대에 국풍 문화가 발달하였다.

**19** 자료는 역참제에 대한 것이다. 몽골 제국은 광대한 영역을 효율적으로 통치하기 위해 도로망을 정비하고 일정한 간격으로 역참을 설치하였다. 역참을 통해 중앙의 명령이 제국 내 전 지역에 신속하게 전달되었고, 지역의 사정이 중앙으로 빠르게 보고되었다. 또한 역참을 이용한 상인의 왕래가 빈번해지면서 동서 간 교류가 증대되었다.

**바로 알기** ② 역참은 여행자나 상인 등 일반인도 이용할 수 있어 교역의 증대에 기여하였다.

**20** 마르코 폴로는 베네치아 출신의 상인이자 여행가로, 원 대 아시아를 여행하고 『동방견문록』이라는 여행기를 남겼다. 이 시기 동서 교역의 영향으로 문물의 교류가 활발해지면서 서아시아의 천문학, 역법, 수학 등이 원에 소개되었다. 그 영향으로 원에서는 수시력이 제작되었다.

**바로 알기** ①, ⑤는 7세기, ②는 11세기, ③은 15세기의 일이다.

**21** 몽골 제국 시기 교역망이 통합되면서 동서 문물 교류가 활성화되었다. 송의 발명품인 화약·나침반·인쇄술이 유럽에 전해졌고, 서아시아의 천문·역법·수학·지도학 등이 원에 소개되어 그 영향으로 수시력이 제작되기도 하였다. 한편 인적 왕래가 활발히 이루어지면서 유럽 선교사들이 원을 방문하고 수많은 상인들이 각지에서 활동하였으며, 마르코 폴로와 이븐 바투타는 원을 방문하고 여행기를 남겼다.

**22** 밑줄 친 '이 인물'은 명을 세운 주원장(홍무제)이다. 홍무제는 백성의 교화를 위한 6개 항목의 대원칙인 육유를 제정하였다. 6부를 황제에 직속시켜 황제권을 강화하였으며, 몽골 풍습을 금지하고 과거제를 정비하는 등 한족의 문화 회복을 위해 노력하였다. 또한 촌락 자치에 기반을 둔 행정 제도인 이갑제를 실시하여 향촌 질서를 재정비하였다.

**바로 알기** ① 주원장(홍무제)은 재상제를 폐지하고 황제권을 강화하였다. ②, ④는 명 영락제, ⑤는 몽골 제국의 우구데이 칸에 대한 설명이다.

**23** 일본에서는 무로마치 막부 수립 이후 천황이 둘로 나뉘어 대립하는 남북조의 분열기가 계속되었다. 무로마치 막부의 3대 쇼군인 아시카가 요시미쓰는 분열된 남북조를 통일하였으며, 명과 조공·책봉 관계를 맺고 감합 무역을 시작하였다.

**24** 명은 건국 이후 동아시아 각지에 사신을 보내 조공을 요구하였고, 조선·일본·대월·류큐 등과 조공·책봉 관계를 맺었다. 명은 레 러이의 항쟁 이후 대월과 조공·책봉 관계를 맺었고, 일본과는 아시카가 요시미쓰 때부터 감합 무역을 실시하였다. 한편, 조선은 명에 사대 정책을 펼치고 여진과 일본에 대해서는 교린 정책을 실시하였다.

**바로 알기** ④는 몽골 제국 시기의 일이다.

## 3단계 등급 올리기

본문 33쪽

01 ② 02 ④ 03 ④ 04 해설 참조

**01** 밑줄 친 '이 국가'는 당이다. 신라, 발해 등은 당의 조공·책봉 관계를 수용하였다. 반면 돌궐, 위구르, 토번 등의 유목 민족은 당의 조공·책봉 요구에 응하지 않으면서 경제적 교류를 위한 관계만을 맺으려 하였다. 당은 유목 민족이 강성할 때에는 유목 민족의 군주에게 화번공주를 시집보내는 등 화친 정책을 추진하였다.

바로 알기 ① 신라는 당 중심의 조공·책봉 관계를 수용하였다. ③은 명, ④는 북위, ⑤는 송의 대외 관계에 대한 설명이다.

**극비 노트** 당과 주변 민족의 관계

| | |
|---|---|
| 유목 민족 | 유목 민족의 경제적 이익 여부에 따라 관계 변화, 당은 유목 민족의 군주에게 화번공주를 파견하여 화친 도모 |
| 신라 | 당 중심의 조공·책봉 관계 수용 → 당과 대결하며 삼국 통일 완성 |
| 발해 | 건국 초 당과 대립 → 당과 친선을 맺고 당 중심의 조공·책봉 관계 수용 |
| 일본 | 7세기 견당사 파견 → 9세기 당이 약화되자 견당사 파견 중지 |

**02** 지도의 (가)는 거란(요), (나)는 송, (다)는 고려이다. 송은 문치주의 정책의 실시로 국방력이 약화되어 북방 민족의 침입을 방어하는 것이 어려웠다. 송은 거란과 전연의 맹약을 맺고 매년 막대한 세폐를 제공하였다. 고려는 세 차례에 걸친 거란의 침략을 막은 후 거란과 친선 관계를 맺고 조공하였다. 한편, 송에서 조선술이 발달하고 나침반을 항해에 이용하면서 고려, 일본뿐만 아니라 동남아시아와 아라비아 지역과의 해상 활동이 가능해졌다.

바로 알기 ④ 고려에 행성을 설치하고 다루가치를 파견한 것은 원이다.

**03** 제시된 글은 14세기 중반 주원장이 명을 건국하고 원을 몽골 초원으로 몰아내는 과정에서 발표한 것이다. 일본에서는 14세기 전반 두 명의 천황이 대립하는 남북조의 분열기가 시작되어 14세기 말까지 지속되었다.

바로 알기 ①은 12세기, ②는 7세기, ③은 11세기, ⑤는 13세기에 있었던 일이다.

### 서술형 문제

**04** (1) 역참

(2) 예시 답안 몽골 제국 전역에 역참을 설치하면서 중앙의 명령이 각 지역에 신속하게 전달되었고, 지역의 사정이 중앙으로 빠르게 보고되었다. 또한 여행자와 상인이 역참을 이용하면서 교역이 활발해졌다.

| 채점 기준 | 배점 |
|---|---|
| 중앙의 명령이 신속히 전달, 지역의 사정이 중앙으로 빠르게 보고, 교역의 활성화에 기여함을 모두 서술한 경우 | 상 |
| 위 내용 중 두 가지를 서술한 경우 | 중 |
| 위 내용 중 한 가지만 서술한 경우 | 하 |

# 03 유학과 불교

## 1단계 개념 짚어 보기

본문 36쪽

01 동중서 02 부병제 03 반전수수법
04 대승 불교 05 이차돈 06 신토 07 (1) ㄷ (2) ㄴ (3) ㄱ
08 (1) ○ (2) ○ (3) ×

## 2단계 내신 다지기

본문 36~40쪽

| | | | | |
|---|---|---|---|---|
| 01 ④ | 02 ① | 03 ⑤ | 04 독서삼품과 | |
| 05 ④ | 06 ④ | 07 ③ | 08 ④ | 09 ③ |
| 10 ⑤ | 11 ① | 12 ③ | 13 ⑤ | 14 ⑤ |
| 15 ① | 16 ① | 17 ① | 18 ② | 19 ① |
| 20 ① | 21 ③ | 22 ③ | 23 ② | 24 ① |

**01** 전국 시대의 법가 사상가들은 율령의 제정에 영향을 주었으며, 진 대에는 법률이 형법인 율을 중심으로 정비되었다. 한 대에는 유가적 원리와 법가적 원리가 결합하였으며, 서진 시대에는 율과 영이 구분되었다. 수·당 대에는 남북조 시대부터 존재하던 격과 식이 추가되면서 율령 체제가 완성되었다. 동아시아 각국은 중국의 율령 체제를 수용하여 자국의 관습 및 제도와 조화시켜 운영하였다. 이를 통해 율령은 동아시아 문화권의 공통 요소 중 하나가 되었다.

바로 알기 ④ 수·당 대에 율령 체제가 완성되었다.

**02** 한 무제는 동중서의 건의를 받아들여 유학을 국가의 통치 이념으로 삼았다. 이에 따라 태학과 오경박사를 설치하여 오경을 가르치게 하고, 지방에서 추천을 받은 유교 지식인을 비롯해 유학에 충실한 인물을 관리로 임명하였다.

바로 알기 ②는 수·당, ③, ④는 당, ⑤는 수와 관련된 내용이다.

**03** (가)는 부병제, (나)는 균전제, (다)는 조용조제이다. 당은 백성의 생활과 밀접한 토지 제도를 중심으로 조세 제도와 군사 제도를 유기적으로 연결하여 운영하였다. 당은 3년마다 호적을 작성하고 이를 근거로 백성에게 일정량의 토지를 지급하는 균전제를 실시하였다. 토지를 받은 농민은 조용조를 의무적으로 내야 했고, 성인 남성은 교대로 징집되어 병사로 복무하였다. 병사로 복무하는 남성을 부병이라고 하였으며, 이들에게는 복무 기간 동안 조용조를 면제해 주었다.

바로 알기 ㄱ. 부병제는 농민의 병역 의무를 바탕으로 하는 국가 상비군 제도였다. ㄴ. 균전제는 일본의 반전수수법에 영향을 주었다.

**04** 통일 신라는 과거제 대신 독서삼품과를 실시하여 실무를 담당하는 관리를 충원하였다. 그러나 골품제의 제약으로 하급 관리만 선발하는 데 그쳤다.

**05** 수 대에 처음 실시된 과거제는 당 대에 이르러 제도적으로 정비되었다.

바로 알기 ①, ②는 명의 과거제, ③은 송의 과거제, ④는 한의 관리 선발 방식과 관련된 내용이다.

극비 노트 **동아시아 각국의 과거제**

| | |
|---|---|
| 중국 | 수 대에 처음 실시 → 당 대에 제도적으로 정비(명경과, 진사과 등 실시) → 송 대에 전시 제도 도입 → 요·금·원 대에는 제한적으로 실시 → 명·청 대에 학교 제도와 연계하여 운영 |
| 한국 | 고려 광종 때 과거제 도입 → 조선 시대에 과거제가 중요한 관리 선발 제도로 정착 |
| 베트남 | 리 왕조 대에 실시(부정기적 시행, 선발 인원 적음) |

**06** 신라는 통일 이후 신라 촌락 문서를 작성하여 백성들의 호구와 재산을 파악하고 조세와 부역을 징수하였다. 통일 신라는 집사부를 중심으로 중앙 관제를 재정비하였다.

바로 알기 ①, ⑤는 일본, ②는 발해, ③은 당·고려에 해당한다.

**07** 발해는 당의 3성 6부를 수용하여 중앙 관직을 운영하였다. 그러나 3성 6부의 명칭과 관리 체계, 각 부서의 업무 등에서 독자성을 보였다. 발해는 3성의 명칭을 당과 다르게 정당성·선조성·중대성으로 바꾸었으며, 6부를 3부씩 나누어 좌사정과 우사정이 각각 관장하게 하였다. 6부의 명칭도 유교 덕목을 나타내는 것으로 바꾸었다.

바로 알기 ①은 일본, ②, ④는 신라, ⑤는 조선의 통치 체제와 관련된 설명이다.

**08** 제시된 글에서 설명하는 사상은 유교이다. 동아시아에 유교가 전파되면서 동아시아 각국은 교육 기관을 설립하고 유교 경전을 가르쳤다. 유교는 공자에서 시작하여 맹자와 순자가 체계화하였고, 한 무제 때 통치 이념으로 채택된 이래 중국의 주요한 통치 이념이 되었다. 한반도에는 삼국 시대에 전래되었고, 베트남은 리 왕조 때부터 본격적으로 발전하였다.

바로 알기 ④ 국학은 통일 신라의 교육 기관에 해당한다.

**09** 자료는 일본의 중앙 관제인 2관 8성제를 나타낸 것이다. 일본은 다이호 율령을 반포하여 통치 제도를 정비하였다. 이에 따라 중앙에 2관 8성을 두고, 지방에 국·군·리를 설치하였다.

바로 알기 ① 일본은 과거제를 도입하지 않았다. 지방관은 중앙에서 파견하였으며, 지방의 행정 실무를 담당하는 관리는 지방 호족 중에서 임명하였다. ②는 통일 신라, ④는 고구려, ⑤는 당의 통치 체제에 대한 설명이다.

**10** 일본은 국가가 토지와 백성을 소유하고 백성의 생활을 보장해야 한다는 이념을 내세워 백성에게 토지를 골고루 나누어 주는 반전수수법을 시행하였다. 일본은 반전수수법을 통해 토지와 백성에 대한 국가의 지배를 강화하려 하였다.

**11** 불교는 기원 전후 비단길을 통해 중원에 전해졌고, 만주·한반도에서는 4~5세기경 삼국이 중앙 집권 체제를 정비하는 과정에서 불교를 수용하였다. 일본은 6세기경 백제를 통해 불교를 받아들였다. 중원의 북조 군주들은 자신의 모습을 본뜬 불상을 제작하여 황제권 강화에 불교를 이용하였다.

바로 알기 ① 동아시아 지역에는 주로 대승 불교가 전파되었다. 상좌부 불교는 주로 동남아시아 지역에 전파되었다.

**12** 지도는 대승 불교가 전파된 경로를 보여 준다. 기원전 1세기경에 성립한 대승 불교는 석가모니를 신격화하고, 부처의 자비로 대중이 구제받을 수 있다고 주장하였다. 대승 불교는 기존의 불교를 소승(상좌부 불교)이라 칭하였다. 대승 불교는 중앙아시아를 거쳐 동아시아에 전해졌다.

바로 알기 ㄱ, ㄹ. 상좌부 불교에 대한 설명이다.

**13** 밑줄 친 '이 국가'는 신라이다. 이차돈의 순교 이후 신라에서는 불교가 크게 융성하였고 통일 이후에는 원효와 의상 등의 활약으로 불교가 일반 민중에게까지 확산되었다.

바로 알기 ①, ②, ④는 일본, ③은 조선의 불교 발달과 관련된 설명이다.

**14** 동아시아의 불교는 전통 사상이나 토착 신앙과 결합하면서 발달하였다. 중국에서는 유교 윤리를 수용하여 효를 강조하는 『부모은중경』이라는 경전이 만들어졌다. 일본에서는 불교가 신토와 결합하여 발전하였다.

**15** 대안탑은 당의 현장이 인도에서 가져온 불경과 불상을 보관하기 위해 세운 벽돌로 만든 탑이다.

바로 알기 ②는 호류사 5층 목탑, ③은 불국사 3층 석탑, ④는 인도의 산치 대탑, ⑤는 황룡사 9층 목탑(모형)이다.

**16** 쇼무 천황이 도다이사 대불을 만든 시기는 8세기 중엽이다. 이 시기에 당의 감진은 일본에서 파견한 견당사의 요청으로 일본으로 건너가 계율을 전수하였다.

바로 알기 ②는 5세기경, ③은 9세기경, ④는 6~7세기경, ⑤는 5~6세기경의 일이다.

**17** 엔닌은 당의 불교 성지를 순례하였는데, 장보고가 세운 적산법화원에 머물며 장보고와 신라인의 도움으로 성지 순례를 마칠 수 있었다. 이러한 내용은 엔닌이 쓴 『입당구법순례행기』에 자세히 기록되어 있다.

바로 알기 ②는 당의 감진, ③은 고구려의 혜자, ④는 신라의 의상, ⑤는 신라의 혜초에 대한 설명이다.

**18** 그림은 당의 수도 장안성의 모습을 나타낸 것이다. 당은 외국인을 위한 빈공과를 시행하여 능력 있는 인재를 등용하였다. 이 시기 당에는 이슬람교를 비롯한 외래 종교가 전래되었다. 한편, 신라와 일본은 견당사 파견을 통해 당의 선진 문물을 수용하였으며, 당의 산둥반도에는 신라방이 설치되었다.

바로 알기 ② 야마타이국은 당 왕조 성립 이전인 2~3세기경 일본 열도에 있었던 국가이다.

**19** 남송의 주희는 인간의 심성과 우주의 원리를 철학적으로 탐구하는 학문인 성리학을 집대성하였다. 주희는 모든 만물이 본질인 이(理)와 현상인 기(氣)로 이루어졌다는 이기론을 주장하였다. 또한 인간의 본성을 회복하기 위한 도덕적 수양 방법으로 거경궁리와 격물치지를 강조하였다.

바로 알기 ②, ④는 왕수인, ③은 달마, ⑤는 공영달과 관련된 설명이다.

**20** 제시된 글은 양명학에 대한 것이다. 양명학을 집대성한 왕수인은 심즉리를 강조하고 타고난 도덕적 자각인 양지와 지행합일을 주장하였다.

바로 알기 ② 일본의 성리학자인 야마자키 안사이가 신토와 성리학을 결합하였다. ③, ④는 성리학, ⑤는 고증학에 대한 설명이다.

극비 노트 **성리학과 양명학**

| 구분 | 성리학 | 양명학 |
|---|---|---|
| 등장 배경 | 송 대 사대부의 성장, 문치주의 정책의 확산 | 명 대의 사회 변화, 성리학의 관학화·교조화 |
| 정립 | 주희에 의해 정립 | 왕수인에 의해 정립 |
| 특징 | 우주의 원리와 인간의 심성을 철학적으로 탐구, 성즉리 강조 | 심즉리 강조, 지행합일에 따른 실천 강조 |

**21** 성리학이 보급되면서 명과 조선에서는 성리학적 규범이 일상생활 속 깊이 자리 잡았다. 성리학적인 도덕 윤리가 강조되면서 효자와 열녀를 높이 기리고, 『주자가례』에 따른 관혼상제 풍속이 도입되었다. 조선에서는 중기 이후 부모의 제사를 주로 맏아들이 지냈으며, 재산의 분배도 맏아들 중심으로 이루어졌다. 아들이 없는 경우 같은 성을 쓰는 남자 친족 중에서 양자를 들이는 일이 흔해졌다.

**22** 밑줄 친 '이 국가'는 조선이다. 조선은 사림이 지배층으로 성장하면서 성리학적 질서가 향촌에까지 확산되었다. 조선의 대표적인 성리학자인 이황은 수신과 도덕을 강조하였으며, 이이는 사회의 개혁 방안을 제시하였다. 조선 중기 이후 성리학적 사회 질서가 보급되면서 『주자가례』에 따른 관혼상제의 의례가 확산되었다.

바로 알기 ③ 신사는 명·청 시대의 지배층이다.

**23** 일본에서는 성리학이 사회 전반에 깊게 뿌리내리지 못하여 유교적 가묘가 설치되지 않았으며, 왕실에서는 종묘를 따로 두지 않았다. 또 결혼과 같은 각종 의례는 대부분 신토에 따랐고, 장례와 제례는 불교식으로 치러졌다.

바로 알기 ㄴ, ㄹ. 조선과 관련된 내용이다.

**24** 후지와라 세이카는 일본의 성리학을 발전시킨 인물이다. 그는 정유재란 때 포로로 잡혀온 강항과 교류하며 성리학에 대한 이해를 심화시켰다. 이를 바탕으로 그는 일본 최초의 사서오경 주석본인 『사서오경왜훈』을 간행하였다.

바로 알기 ②, ③은 야마자키 안사이, ④, ⑤는 하야시 라잔에 대한 설명이다.

## 3단계 등급 올리기

본문 41쪽

**01** ③ **02** ⑤ **03** ④ **04** 해설 참조

**01** 밑줄 친 '이 국가'는 나라 시대의 일본에 해당한다. 일본은 당의 율령을 참고하여 다이호 율령을 반포하고 중앙 관제로 2관 8성을 조직하였다. 2관 중 신기관은 제사를 담당하였고, 태정관은 행정을 담당하였다.

바로 알기 ①은 당, ②는 여진(금), ④는 흉노, ⑤는 통일 신라의 통치 체제와 관련된 설명이다.

**02** (가)는 혜초, (나)는 현장이다. 혜초는 인도를 순례한 후 『왕오천축국전』을 남겼다. 현장이 인도에서 가져온 불경과 불상을 보관하기 위해 대안탑이 세워졌다.

바로 알기 ①은 혜자, ②는 법현, ③은 감진, ④는 엔닌에 대한 설명이다.

**03** 송 대 주희에 의해 집대성된 성리학은 동아시아 각국에 확산되었다. 송 대의 유학자들은 오경보다 사서를 중시하였고, 명 대에는 『성리대전』이 과거 시험의 교재로 널리 활용되었다. 고려 시대에 원으로부터 성리학을 수용한 이래 성리학은 신진 사대부들의 사상적 기반이 되었다. 조선 시대에는 사림의 성장과 함께 성리학이 향촌 사회에까지 확산되었다.

바로 알기 ④는 일본의 성리학 발달과 관련된 설명이다.

### 서술형 문제

**04** (1) 부모은중경

(2) 예시 답안 일본 고유의 토착 신앙인 신토와 불교가 결합하면서 신불습합 사상이 발달하였다.

| 채점 기준 | 배점 |
|---|---|
| 불교와 신토가 결합하면서 신불습합 사상이 발달하였다고 서술한 경우 | 상 |
| 일본 고유의 신앙과 불교가 결합하였다고만 서술한 경우 | 하 |

# 01 17세기 전후의 동아시아 전쟁

## 1단계 개념 짚어 보기

본문 43쪽

01 몽골 02 사림 03 도요토미 히데요시 04 광해군
05 남한산성 06 ㉠ 후금, ㉡ 북벌론, ㉢ 에도 막부
07 조선 중화주의 08 (1) ○ (2) ×

## 2단계 내신 다지기

본문 43~46쪽

| | | | | |
|---|---|---|---|---|
| 01 ⑤ | 02 ② | 03 삼포 왜란 | 04 ① | 05 ② |
| 06 ③ | 07 ③ | 08 ⑤ | 09 ① | 10 ⑤ |
| 11 ④ | 12 ① | 13 ③ | 14 ① | 15 ③ |
| 16 ③ | 17 ③ | 18 ③ | | |

**01** 지도의 정세는 15~16세기경 북로남왜의 상황을 보여 준다. 15~16세기경 명은 북쪽에서 몽골의 일파인 타타르와 오이라트가 국경을 침범하고, 동남쪽에서는 왜구가 침략하면서 혼란을 겪었다. 이 시기 일본에는 조총이 전래되었다.

바로 알기 ①, ②는 17세기, ③은 당 대, ④는 송 대의 일이다.

**02** 16세기 중반 대내외적인 위기 상황에서 재상이 된 장거정은 몽골과 강화하여 군사비를 줄였으며, 엄격한 인사 고과 제도를 단행하고, 토지 조사와 일조편법을 시행하였다. 그 결과 관료들의 기강이 확립되고 재정 상태가 호전되었다. 그러나 장거정 사후 관료와 신사층의 불만이 표출되고 환관 세력이 다시 득세하면서 정치적 혼란이 심해졌다.

바로 알기 ①은 도요토미 히데요시, ③은 누르하치가 시행한 정책에 해당한다. ④ 균전제는 북위와 수·당 대에 시행되었다. ⑤ 조선에서는 17세기 이후 대동법이 실시되었다.

**03** 조선은 일본과 계해약조를 체결한 이후 부산포(부산), 내이포(진해), 염포(울산)의 3포를 중심으로 교역하였다. 3포에 거주하는 일본인들은 조선 정부에 무역 확대를 요구하였다. 그러나 조선 정부가 이들에 대한 통제를 강화하자 이에 반발한 일본인들이 삼포 왜란을 일으켰다(1510).

**04** 16세기경 조선에서는 사림이 중앙에 진출하여 붕당을 형성하였다. 이 시기 대지주의 토지 겸병이 심해져 농민이 몰락하자 조선 정부는 농민에게 군포를 받아 군인을 고용하고자 하였다. 한편, 조선은 명에 사신을 보내 조공하고, 일본과는 3포를 중심으로 교역하였으나 1510년 삼포 왜란이 일어나면서 3포가 폐쇄되었다.

바로 알기 ① 17세기에 후금이 국호를 '청'으로 변경하였다. 조선은 병자호란 이후 청과 조공·책봉 관계를 맺고 교류하였다.

**05** 센고쿠 시대는 오닌의 난(1467~1477) 이후 센고쿠 다이묘들이 항쟁을 전개하던 시대로, 도요토미 히데요시가 통일을 완성하는 1590년까지 지속되었다. 도요토미 히데요시는 센고쿠 시대를 통일한 이후 임진왜란을 일으켰다.

**06** 제시된 글에서 백성들의 무기류 소지를 금지한다는 내용을 통해 도요토미 히데요시가 실시한 도검몰수령에 대한 것임을 알 수 있다. 도요토미 히데요시는 도검몰수령으로 농민의 무기를 거두어들임으로써 농민과 무사의 신분을 명확히 하였다. 도요토미 히데요시는 1592년 임진왜란을 일으켰다.

바로 알기 ㄱ. 나가시노 전투는 오다 노부나가가 조총을 전투에 활용하여 다케다 가쓰요리의 기마 부대를 물리친 전투이다. ㄹ. 기유약조는 임진왜란 이후 조선과 쓰시마 도주 간에 맺은 조약이다.

**07** 밑줄 친 '전쟁'은 임진왜란이다. 임진왜란 당시 일본군이 부산포를 침략한 후 한성을 함락하자 이순신이 지휘하는 수군과 각지의 의병이 이에 맞서 싸웠다. 명이 조선에 원병을 파병하면서 임진왜란은 동아시아의 국제전으로 확대되었다. 이 틈을 타 만주에서는 여진이 세력을 확대하였다. 일본은 임진왜란 때 포로로 끌고 간 사람들을 통해 조선의 성리학과 도자기 기술을 수용하였다.

바로 알기 ③은 정묘호란과 관련된 설명이다.

**08** (가)에 들어갈 전쟁은 1592년에 발발한 임진왜란이다. 명은 임진왜란 때 조선에 대규모의 부대를 파견하였다. 이를 계기로 조선에서는 명의 참전을 두고 '재조지은'이라 하며 명을 숭상하는 분위기가 고조되었고, 일본에 대한 적개심은 높아졌다.

바로 알기 ① 명은 14세기부터 해금 정책을 펼쳤다. ②는 13세기, ③은 12세기, ④는 14세기의 일이다.

**09** 제시된 글은 임진왜란 당시 명군과 일본군 사이의 강화 협상 내용이다. 임진왜란 당시 전쟁이 교착 상태에 놓이게 되자, 명과 일본 사이에 강화 협상이 이루어졌다. 그러나 일본의 무리한 요구로 협상이 결렬되고, 일본의 재침이 일어났다(정유재란).

바로 알기 ②, ④, ⑤는 강화 협상 이전에 일어난 일이다. ③은 병자호란 때의 일이다.

**10** ㉠은 임진왜란, ㉡은 정묘호란과 관련이 있다. 임진왜란 이후 일본에서는 도쿠가와 이에야스가 정권을 장악하고 에도 막부를 수립하였다(1603).

바로 알기 ①, ②, ③, ④는 정묘호란 이후의 일이다.

**11** 제시된 글은 정묘호란에 대한 것이다. 인조반정으로 집권한 서인 세력은 평안도 가도에 주둔하고 있던 명의 장군인 모문룡을 지원하는 등 친명배금 정책을 취하였다. 이러한 조선의 정책은 후금을 자극하였고, 후금이 조선을 침략하면서 정묘호란이 일어났다(1627).

바로 알기 ①은 병자호란, ②는 임진왜란과 관련이 있다. ③ 정묘호란 발발 이전에 광해군의 중립 외교 정책에 반발한 서인 세력의 주도로 인조반정이 일어났다. ⑤는 임진왜란과 관련이 있다.

**12** 학생들은 병자호란에 대해 이야기하고 있다. 1636년 홍타이지가 '청'으로 국호를 고친 후 조선을 침략하면서 병자호란이 일어났다. 청군은 곧 한성을 함락하였고 인조는 청군의 침입에 맞서 남한산성에서 저항하였다. 그러나 강화도마저 함락되자 결국 항복하여 청과 군신 관계를 맺었다.

바로 알기 ②는 임진왜란, ③은 인조반정, ④는 정묘호란, ⑤는 광해군의 중립 외교 정책과 관련된 내용이다.

**13** 병자호란이 일어나자 인조는 남한산성에서 항전하였으나 결국 삼전도에서 항복 의식을 거행하였다. 이후 조선은 청의 요구에 따라 청과 조공·책봉 관계를 맺고 청에 연행사를 파견하였다.

바로 알기 ① 명과 국교를 단절하였다. ② 청에 항복하여 군신 관계를 맺었다. ④는 호란 발발 이전 서인의 외교 정책이고, ⑤는 광해군의 외교 정책이다.

**극비 노트 정묘호란과 병자호란의 전개**

| 구분 | 정묘호란 | 병자호란 |
|---|---|---|
| 배경 | 후금의 세력 확대, 조선의 친명배금 정책 | 조선의 친명 정책 유지, 청과의 군신 관계 체결 거부 |
| 경과 | 후금의 조선 침략 → 조선과 후금의 강화(형제 관계 체결) | 청의 조선 침략 → 조선이 청에 항복(군신 관계 체결) |

**14** 왜란과 호란을 거치면서 조선에서는 농민의 생활 안정과 국가 재정의 확보를 위해 수취 제도의 개편이 이루어져 영정법, 대동법, 균역법이 시행되었다. 국방력의 강화를 위해 군대의 개편도 이루어져 5군영과 속오군이 설치되었다. 한편, 노비의 도망이나 군공, 납속책 등으로 신분제가 동요하였다. 병자호란 이후에는 '조선이 중화의 문명을 계승하였다.'라는 조선 중화주의를 내세우며 조선의 정체성을 재확립하려 하였다.

바로 알기 ① 왜란과 호란을 겪으면서 비변사의 기능이 강화되었다.

**15** 청의 옹정제는 천명을 받으면 중원을 지배할 수 있다는 주장을 내세워 만주족의 중국 지배를 합리화하고, 한족 중심의 중화사상을 비판하였다. 『대의각미록』에서는 중화가 태어난 곳이나 혈연에 의해 결정되는 것이 아니라 인의(仁義)를 중시하고 있는지의 여부에 따라 결정된다고 보았다.

**16** 자료에 나타난 사절단은 통신사이다. 에도 막부는 막부의 쇼군이 바뀔 때마다 그 권위를 인정받고, 조선의 문물을 받아들이기 위해 조선에 통신사의 파견을 요청하였다. 통신사는 조선의 문화를 일본에 전하는 역할을 하였다.

바로 알기 ① 일본이 중원국으로부터 감합을 발급받았다. ② 류큐가 명과 일본 사이에서 중계 무역을 하였다. ④ 청에 연행사로 다녀온 사람들이 문물을 전하면서 조선에서 북학파가 형성되었다. ⑤ 통신사는 임진왜란 이후 파견되었다.

**17** (가)에 들어갈 인물은 정유재란 때 일본으로 끌려간 이삼평이다. 그는 도자기를 만들 원료를 찾다가 아리타 지역에서 고령토를 찾아 자기를 만들었는데, 이를 아리타 자기라고 한다. 아리타 자기는 유럽에 대량으로 팔려 나가 큰 인기를 끌었다.

바로 알기 ① 마테오 리치, 아담 샬 등의 예수회 선교사가 중국에서 활약하였다. ② 항왜의 활약으로 조선에 조총과 사격 기술이 전해졌다. ④ 왜관에서 조선과 일본 간 교역이 이루어졌다. ⑤ 조선 정부는 일본에 300~500여 명으로 구성된 통신사를 파견하였다.

**18** 일본은 왜란 중 조선에서 많은 서적과 문화재를 약탈하고, 유학자와 기술자 등을 포로로 끌고 갔다. 이들을 통해 일본의 성리학과 도자기 기술이 발전하였다. 이 시기 조선에서는 일본으로부터 담배·고추 등 신작물이 전래되었고, 항왜의 활약으로 조총과 사격 기술이 발전하였다. 조선에 온 명군을 통해서 관우 숭배 사상도 들어왔다.

바로 알기 ③은 병자호란 이후의 일이다.

## 3단계 등급 올리기

본문 47쪽

**01** ④ **02** ④ **03** ① **04** 해설 참조

**01** 밑줄 친 물건은 조총이다. 조총은 16세기 중엽 포르투갈 상인을 통해 일본에 전해졌다. 조총은 나가시노 전투에서 위력을 드러내 센고쿠 시대의 세력 판도를 바꿨을 뿐 아니라 임진왜란에도 영향을 끼쳤다.

바로 알기 ④ 포르투갈 상인이 조총을 일본에 전하였다.

**02** 김충선은 임진왜란 중 조선에 귀화한 일본 장수로 그를 비롯한 항왜들은 조총과 화약, 사격 기술을 조선에 전해 주었다. 이삼평은 정유재란 때 일본에 끌려가 아리타 자기를 생산하였다.

바로 알기 ㄱ. 연행사는 청과 조공·책봉 관계를 맺은 이후 청에 파견한 조선의 사절단이다. ㄷ. 『왕오천축국전』은 신라의 혜초가 인도 순례 후 편찬한 책이다.

**03** 문제의 정답은 1636년에 발발한 병자호란이다. 조선은 병자호란 때 청에 굴복하여 군신 관계를 맺었다. 오랑캐라 여겼던 청에 굴복한 수치를 씻기 위해 효종 대에 이르러 북벌 운동이 추진되기도 하였다.

바로 알기 ② 광해군은 명과 후금 사이에서 중립 외교 정책을 펼쳤다. ③은 원과 관련된 설명이다. ④, ⑤ 도요토미 히데요시는 1590년 센고쿠 시대를 통일하고 이후 도검몰수령을 실시하였다.

### 서술형 문제

**04** (1) ㉠ 일본, ㉡ 조선

(2) 예시 답안 명은 일본의 북상을 막아 랴오둥을 보호하여 자국의 안정을 도모하려 하였다.

| 채점 기준 | 배점 |
|---|---|
| 랴오둥을 보호하여 자국의 안정을 도모하려 하였다고 서술한 경우 | 상 |
| 자국의 안정을 도모하려 하였다고만 서술한 경우 | 하 |

# 02 교역망의 발달과 은 유통

## 1단계 개념 짚어 보기

본문 49쪽

01 해금 정책 02 천계령 03 (1) ㄱ (2) ㄷ (3) ㄴ 04 류큐
05 갈레온 무역 06 마테오 리치 07 지정은제 08 (1) × (2) ○

## 2단계 내신 다지기

본문 49~52쪽

| | | | | |
|---|---|---|---|---|
| 01 ② | 02 ② | 03 공행 | 04 ① | 05 ⑤ |
| 06 ⑤ | 07 ⑤ | 08 ⑤ | 09 ① | 10 ① |
| 11 ⑤ | 12 ⑤ | 13 ⑤ | 14 ④ | 15 ① |
| 16 ④ | 17 ③ | 18 ⑤ | | |

**01** 정화의 함대를 파견한 것은 명이다. 명은 건국 초부터 해금 정책을 실시하여 민간인이 해외로 건너가 무역하는 것을 금지하고 정규 조공 사절단에게만 무역을 허락하였다. 이로 인해 자유로운 무역이 불가능해지자 명과 일본의 상인이 왜구로 가장하여 밀무역에 나섰다. 결국 명은 16세기 후반 해금을 완화하여 동남아시아 방면의 도항과 무역을 허용하였다.
바로 알기 ② 천계령은 청 조정에서 반청 운동을 차단할 목적으로 해안가의 주민을 내륙으로 이주시킨 정책이다.

**02** 명 조정에서는 반명 세력과 결탁할 수 있는 해적 집단을 단속하고 조공 무역 체제를 강화하기 위해 해금 정책을 실시하였다. 이로 인해 무역이 어려워지자 오히려 왜구 등의 해적이 더욱 기승을 부렸다.

**03** 청은 대외 무역을 통제하여 18세기경 유럽 상인들이 광저우의 특허 상인 조합인 공행을 통해서만 무역을 하도록 제한하였다.

**04** 청은 건국 초기에 해상권을 장악하고 반청 운동을 전개하던 타이완의 정성공 세력을 막기 위해 푸젠, 광둥 등의 연해 주민을 내지로 이주시키는 천계령을 내렸다. 청은 17세기 후반 타이완의 정성공 세력을 복속한 뒤 천계령을 해제하여 상인의 국외 진출을 허용하였다.

**극비 노트** 명과 청의 해금 정책

| 구분 | 명 | 청 |
|---|---|---|
| 목적 | 반명 세력 억제, 조공 무역 체제 강화 | 천계령 발표 → 타이완의 정성공 세력을 비롯한 반청 세력 억제 |
| 영향 | 밀무역 성행, 류큐가 중계 무역으로 성장 | 대외 무역 침체, 반청 세력 약화 |
| 완화 | 16세기 후반 완화(동남아시아 방면의 도항과 무역 허용) | 타이완 복속 이후 천계령 해제 → 청 상인의 나가사키 교역 활발 |

**05** 조선은 세종 대에 쓰시마를 토벌한 이후 세 항구를 개방하여 왜관을 설치하고 일본인이 무역을 할 수 있도록 허용하였다. 그러나 일본인이 일으킨 삼포 왜란으로 양국 간의 무역이 감소하였고 이후 임진왜란이 일어나자 양국 간 국교가 단절되었다.
바로 알기 ①은 임진왜란 이후, ②는 18세기, ③은 17세기 이후, ④는 17세기에 있었던 일이다.

**06** 그림은 감합 무역을 나타내고 있다. 명은 감합을 발행하여 무로마치 막부에 지급하고 이를 가지고 있는 자에게만 무역을 허가하였다. 명은 무역의 횟수와 인원, 규모 등을 규정하였으나 실제로 일본은 규정보다 훨씬 자주 많은 인원을 파견하였다고 한다. 16세기 중반 감합 무역이 중단되자 명의 물품을 구하기 위해 밀무역에 나서는 왜구가 증가하였다.

**07** 밑줄 친 '막부'는 에도 막부이다. 청에서 천계령이 해제된 후 청 상인이 나가사키에 와서 무역을 하면서 은 유출이 급증하였다. 이에 에도 막부는 청 상인에게 무역 허가증인 신패를 발행하여 무역량을 규제하였다. 한편, 에도 막부는 일본 상인에게 슈인장을 발급하여 일본인의 대외 교역을 통제하였다.
바로 알기 ① 일본은 조선으로부터 쌀, 인삼, 서적 등을 수입하였다. ②는 조선, ③은 명의 대외 교역에 대한 설명이다. ④ 에도 막부는 해금을 실시하여 네덜란드 상인에게만 나가사키를 개방하였다.

**08** (가)에 들어갈 지역은 데지마이다. 에도 막부는 포르투갈 상인을 수용하고자 나가사키에 데지마를 조성하였으나 종교상의 이유로 곧 추방하고 서양 국가 중 네덜란드에게만 이곳을 개방하였다. 한편, 청 상인의 나가사키 교역도 허용되었다.
바로 알기 ⑤는 청의 광저우에 대한 설명이다.

**09** 밑줄 친 '나라'는 류큐에 해당한다. 류큐는 작은 섬나라이지만 해상 교통의 요충지에 위치하고 있어서 무역을 하기에 좋은 조건을 갖추고 있었다. 명이 해금 정책으로 주변국과의 무역을 통제하자 류큐는 명의 도자기, 생사 등을 수입하여 일본과 동남아시아에 파는 형태의 중계 무역으로 번영을 누렸다. 16세기 후반 명의 해금 정책이 완화되면서 류큐의 중계 무역은 점차 쇠퇴하였다.

**10** 신항로 개척 이후 유럽 상인들이 아시아에 본격적으로 몰려들면서 마닐라, 바타비아 등의 도시가 국제 무역의 중심지로 성장하였다. 유럽 상인들이 중국의 물품을 유럽에 판매하면서 유럽에서는 중국의 차·도자기 등이 유행하였고, 아메리카 대륙의 은이 전 세계에 유통되었다. 또 아메리카가 원산지인 감자, 고구마, 옥수수 등이 동아시아에 전해졌다.
바로 알기 ① 이 시기 아메리카 대륙과 일본의 은이 중국으로 유입되었다.

**11** 갈레온 선박은 신항로 개척 이후에 유럽에서 사용한 대포를 갖춘 대형 선박이다. 에스파냐 상인들은 갈레온을 이용하여 멕시코 아카풀코에서 싣고 온 은을 명 상인이 가져온 비단, 도자기, 면직물 등 중국 상품과 교환하는 갈레온 무역을 실시하였다. 이를 통해 아메리카 대륙의 은이 중국으로 유입되었다.

**12** 네덜란드 상인들은 바타비아를 중심으로 향신료 무역을 장악하였으며, 나가사키에 진출하여 일본과 유럽 간의 무역을 독점하였다.

바로 알기 ①은 영국 상인, ②는 에스파냐 상인, ③은 포르투갈 상인, ④는 네덜란드 상인에 대한 설명이다.

**극비 노트 유럽 상인의 동아시아 진출**

| 국가 | 무역 거점 | 특징 |
|---|---|---|
| 포르투갈 | 믈라카, 마카오 | 동남아시아에 가장 먼저 진출 |
| 에스파냐 | 마닐라 | 갈레온 무역 전개(아메리카 대륙의 은으로 중국 물품 구입) |
| 네덜란드 | 바타비아, 나가사키 | 에도 막부의 크리스트교 포교 금지 이후 일본과의 무역 독점 |

**13** 마테오 리치는 명 말 중국에서 활동한 이탈리아 출신의 예수회 선교사이며, 서광계는 명 말에 활동한 정치가이다. 명 말부터 유럽인의 동아시아 진출이 본격화되었다. 특히 예수회 소속의 선교사들이 동아시아로 들어와 서양의 학문을 전해 주었다.

바로 알기 ①은 기원 전후~6세기, ②는 12세기, ③은 15세기, ④는 13~14세기의 일이다.

**14** 1번 문항의 답은 ×, 2번 문항의 답은 ○, 3번 문항의 답은 ×, 4번 문항의 답은 ○, 5번 문항의 답은 ○이다. 1번 문항만 틀렸으므로 학생의 점수는 20점이다.

바로 알기 1. 마테오 리치가 『곤여만국전도』를 제작하였다.

**15** 명 대에는 일조편법이 시행되고, 청 대에는 지정은제가 시행되었다. 명·청 대에 세금의 은납화가 이루어지고 상공업의 발달이 촉진되자 은에 대한 수요가 증대되었다. 이에 은이 본격적으로 화폐로 사용되었다.

바로 알기 ㄷ. 국제적으로 일본과 아메리카 대륙의 은 생산량이 많았다. ㄹ. 서양 상인들이 중국 물품을 구입하고 은으로 대금을 지불하면서 은이 중국으로 유입되었다.

**16** 조선에서는 16세기 이전에는 은을 화폐로 이용하지 않아 은이 활발하게 유통되지 않았고, 은광을 적극적으로 개발하지도 않았다. 그러나 16세기 이후 은 유입이 늘어나면서 은을 이용한 거래가 활발해지고 은의 수요가 늘어났다. 이에 따라 은광 개발도 활기를 띠었다.

바로 알기 ①, ②는 청, ③은 명, ⑤는 일본에서 있었던 일이다.

**17** 밑줄 친 '이 국가'는 일본이다. 16세기 전반 조선에서 일본으로 연은 분리법(회취법)이라는 새로운 은 제련법이 전해지자 일본의 은 생산량이 급격히 증가하였으며, 이와미 은광이 개발되었다. 16세기 말 일본은 전 세계 은 산출량의 3분의 1가량을 생산하였다. 일본은 조선의 비단·약재·인삼 등을 구입하고 그 대금으로 은을 지불하였다. 특히 조선의 인삼은 일본에서 인기가 높아 일본은 조선의 인삼을 구입하기 위하여 인삼대왕고은이라는 특수 목적용 은화를 제작하기도 하였다.

바로 알기 ③ 에도 막부 시기에 일본은 은 유출을 막기 위해 무역 허가증인 신패를 발급하는 한편 은 대신 구리로 무역 대금을 결제하였다. 그러나 대외 무역을 중단하지는 않았다.

**18** 지정은제는 인두세를 고정시키고 이를 토지세에 합산하여 부과한 청의 조세 제도이다.

바로 알기 ⑤는 일조편법에 대한 설명이다.

## 3단계 등급 올리기

본문 53쪽

01 ⑤ 02 ⑤ 03 ① 04 해설 참조

**01** 청은 광저우, 조선은 부산의 초량 왜관, 일본은 나가사키로 무역 항구를 제한하여 외국과의 무역을 통제하였다. 이들 항구는 새로운 문물 수용의 중심지이자 은이 유통되는 거점 역할을 하였다.

바로 알기 ㄱ. 청, 조선, 일본은 외국과의 무역을 통제하였다. ㄴ. 세 지역은 각 정부가 교역항으로 이용한 곳으로, 무로마치 막부의 요청에 의해 개항한 것은 아니다.

**02** 밑줄 친 조치는 천계령을 해제하는 조치이다. 청은 반청 세력과의 결탁을 막기 위해 천계령을 내렸다. 반청 세력 진압 이후 천계령이 해제되면서 청 상인들이 본격적으로 무역 활동을 전개하자 일본의 은이 청으로 대량 유출되었다. 이에 에도 막부는 신패를 발급하여 무역량과 내항하는 선박의 수를 통제하였다.

바로 알기 ① 조선은 청과 조공·책봉 관계 수립 후 청에 연행사를 파견하였다. ② 임진왜란이 일어나면서 조선과 일본 간 교역이 중단되었다. ③ 영국은 청과의 무역에서 적자가 심해지자 인도산 아편을 청에 팔았다. ④ 아편 전쟁 이후 공행이 폐지되었다.

**03** (가) 영국은 18세기 후반 공행을 통해 청의 차, 도자기 등을 수입하고 대금으로 은을 지불하였다. 영국은 중국과의 무역에서 적자가 쌓이자 (나) 19세기부터 인도산 아편을 청에 밀수하는 삼각 무역을 펼쳤다.

바로 알기 ① (가)와 같은 무역 체제에서는 영국의 은이 계속 청으로 유입되었기 때문에 (가)는 청에게 유리한 무역 체제였다.

### 서술형 문제

**04** (1) 중국

(2) 예시 답안 명 대 발행한 보초의 가치가 하락하면서 이를 대신할 고액 화폐가 필요하였다. 또한 명·청이 세금을 은으로 거두는 정책을 실시하였고, 이 시기 상공업의 발달로 은의 수요가 늘어났다. 한편, 중국은 유럽에 비해 은의 가치가 높았다.

| 채점 기준 | 배점 |
|---|---|
| 보초의 가치 하락, 세금의 은납화, 상공업 발달, 유럽에 비해 중국에서 은의 가치가 높았음 중 세 가지를 서술한 경우 | 상 |
| 위 내용 중 두 가지를 서술한 경우 | 중 |
| 위 내용 중 한 가지만 서술한 경우 | 하 |

# 03 사회 변동과 서민 문화의 발달

## 1단계 개념 짚어 보기

본문 56쪽

01 (1) ○ (2) × 02 시진 03 공인 04 조카마치 05 (1) ㄴ (2) ㄷ (3) ㄱ 06 우키요에 07 고증학 08 양명학 09 난학

## 2단계 내신 다지기

본문 56~60쪽

| | | | | |
|---|---|---|---|---|
| 01 ② | 02 ③ | 03 ③ | 04 ② | 05 ② |
| 06 ① | 07 ③ | 08 ③ | 09 ④ | 10 ④ |
| 11 경극 | 12 ② | 13 ① | 14 ① | 15 ③ |
| 16 ⑤ | 17 ① | 18 ⑤ | 19 ④ | 20 ④ |
| 21 ⑤ | 22 ③ | 23 ④ | | |

**01** 17세기 이후 동아시아에서는 시비법 발달, 모내기법과 같은 선진 농법의 확산, 농서의 보급, 농경지의 확대, 신대륙 작물의 재배 등으로 농업 생산력이 크게 증대되었다. 이에 따라 인구가 전반적으로 증가하였다. 의료 기술이 향상되어 사망률이 낮아진 것도 인구 증가의 배경이 되었다.

바로 알기 ② 우경과 철제 농기구는 춘추·전국 시대에 보급되었다.

**극비 노트** 17~19세기 동아시아의 인구 증가

| | |
|---|---|
| 농업 기술 발달 | 시비법 개선, 모내기법 확산, 농서 편찬 등 |
| 경지 면적 증가 | 수리 시설 확충, 농지 개간 등 |
| 구황 작물 보급 | 감자·고구마·옥수수 등 신대륙 작물 재배 |
| 의료 기술 발달 | 의학 서적 보급 등 의료 기술이 발달하면서 사망률 감소 |

⬇

동아시아 삼국에서 대체로 인구 증가

⬇

도시 발달 및 상공업 발달, 서민 문화 발달

**02** 아메리카가 원산지인 옥수수, 감자, 고구마 등의 작물은 신항로 개척 이후 유럽인에 의해 동아시아에 전해졌다. 이 작물들은 척박한 토질과 기후 조건에서도 잘 자라는 특징이 있다. 이들 작물은 식량 증대에 도움이 되었고, 구황 작물의 역할을 하면서 인구 증가에 영향을 주었다.

**03** 청 대 인구가 증가하면서 이에 따른 부작용이 나타났다. 생활 수준이 떨어지고 물가가 크게 올랐으며, 전국에 걸쳐 수많은 실업자와 유민이 발생하였다. 비밀 결사와 반란도 빈번하게 일어났다. 이에 따라 산간이나 변경 지대로 이동하는 인구가 늘어나 현지인과 이주민 사이에 갈등이 심화되었다. 인구 밀도가 높은 지역에서는 계투가 만연하였다.

바로 알기 ③은 16세기경의 일이다.

**04** 그림은 모내기하는 모습을 표현한 조선의 「경직도」이다. 17세기 무렵부터 조선에서는 모내기법이 전국으로 확산되었다. 이 시기에 『동의보감』이 편찬되기도 하였다.

바로 알기 ① 3포의 왜관에서 이루어지던 조선과 일본 사이의 교역은 1510년 삼포 왜란이 일어나 3포가 폐쇄되면서 중단되었다. ③은 5~6세기, ④는 15세기, ⑤는 8세기의 일이다.

**05** 17세기 이후 꾸준히 증가하던 일본의 인구는 18세기 무렵 정체되었다. 다이묘의 수탈이 증가하고, 자연재해에 따른 대기근으로 기아가 만연하고 전염병마저 창궐하였기 때문이다.

**06** 밑줄 친 '이 시기'는 명·청 시기이다. 명·청 시기에 상공업의 발달로 대도시가 성장하는 한편 대도시와 연결되어 있는 중소 도시인 시진도 크게 확산되었다. 이 시기에는 베이징이 인구 100만 명에 이르는 소비 도시로 발달하고, 쑤저우가 최대의 상공업 도시로 발달하였다.

바로 알기 ②는 조선 후기, ③, ⑤는 원 대, ④는 일본의 에도 막부 시대의 상황이다.

**07** 그림은 18세기경의 번화한 중국 쑤저우의 모습을 나타낸 것이다. 이 시기 중국에서는 상공업의 발달로 산시 상인, 휘저우 상인이 등장하여 각지에 동향 조직인 회관과 동업 조합인 공소를 설치하였다.

바로 알기 ①, ②는 고려 시대, ④는 원 대, ⑤는 무로마치 막부 시기의 일이다.

**08** 조선 후기에는 상공업이 발달하면서 상인 집단이 성장하였다. 조선의 송상은 주요 지역에 송방을 설치하여 전국적 유통망을 형성하였으며, 청·일본과도 무역을 하였다.

바로 알기 ① 조선의 공인은 대동법 실시 이후 등장하여 국가가 필요로 하는 물품을 대량으로 사거나 만들게 하여 상품과 화폐 유통을 활성화하였다. ② 조선의 만상은 대청 무역을 통해서 부를 축적하였다. ④ 일본의 오미 상인은 전국에 지점을 설치하고 모기장, 삼베 등을 판매하였다. ⑤ 중국의 산시 상인은 소금 판매와 금융업 등으로 부를 쌓았고, 각지에 회관과 공소를 설치하였다.

**09** 일본에서 조카마치는 원래 무사들이 거주하는 공간으로 조성되었으나 점차 상공업자인 조닌들이 거주하면서 상업과 수공업의 중심지로 성장하였다. 조닌은 영주와 무사들에게 물품을 공급하는 역할을 하였다.

**10** 제시된 글은 에도 막부의 쇼군이 다이묘를 통제하기 위하여 실시한 산킨코타이 제도에 관한 것이다. 에도 막부는 다이묘의 가족을 인질로 삼아 에도에 거주하게 하고, 주기적으로 다이묘들을 에도에 머물게 하는 산킨코타이 제도를 시행하였다. 이 제도에 따라 다이묘들은 정기적으로 자신의 거주지와 에도를 왕래해야 했다. 이로 인해 다이묘들이 에도를 오가는 도로를 중심으로 여관업과 상업이 발달하였다.

바로 알기 ① 무로마치 막부는 에도 막부 이전에 수립된 막부 정권이다. ② 유럽인들의 크리스트교 포교를 막기 위해 에도 막부는 네덜란드를 제외한 유럽 상인과의 교역을 금지하였다. ③ 일본은 은 유출을 통제하기 위해 신패를 발급하였다. ⑤ 개항 이후 일본에서 막부 타도 운동이 일어났다.

**11** 청 대에 발달한 중국의 전통 공연 예술인 경극에 대한 설명이다. 경극은 노래를 통해 표현하는 문극과 싸우는 장면을 현란하게 표현하는 무극 등으로 구성되어 있다.

**12** 조선의 서당, 일본의 데라코야는 서민 계층을 대상으로 하는 교육 기관에 해당한다. 17세기 이후 동아시아에서는 농업 생산력의 증대와 상공업의 발달로 서민층의 경제력이 향상되면서 이들을 대상으로 하는 교육 기관이 확대되었다.

바로 알기 ① 조선에서는 양반층, 일본에서는 무사층이 지배 계층을 이루었다. ③, ④는 개항 이후에 나타난 현상이다. ⑤ 일본에서 성리학은 사회 깊숙이 뿌리내리지 못하였다.

**13** 중국을 대표하는 서민 문학 작품인 『홍루몽』은 오늘날까지도 꾸준히 사랑을 받고 있다.

바로 알기 『유림외사』는 청의 오경재가 저술한 소설로, 관료 사회를 풍자하고 있다. 『삼국지연의』는 위·촉·오 세 나라의 역사를 바탕으로 한 명 대의 소설이다. 『홍길동전』은 조선 사회를 비판하는 내용을 담은 한글 소설이다. 『금병매』는 명 대 사회의 어둡고 추악한 모습을 폭로한 소설이다.

**14** 제시된 글은 봉산 탈춤의 내용 중 일부이다. 탈춤에는 사회 지배층의 위선적인 모습이나 부패·타락을 풍자와 해학으로 풀어내는 내용이 많이 포함되어 있다. 조선 후기에는 탈춤·판소리·한글 소설·사설시조 등이 유행하였으며, 중인층을 중심으로 시사가 조직되었다.

바로 알기 ①은 통일 신라 시기의 문화 발달과 관련된 설명이다.

**15** 17~19세기 동아시아에서는 서민 문화가 발달하면서 연화, 민화, 풍속화 등이 제작되었다. 중국에서는 민간에서 정월에 복을 기원하며 집안에 붙여 두는 연화를 제작하였다. 조선에서는 서민의 생활 모습을 담은 풍속화나 서민들이 주체가 되어 제작한 민화가 유행하였다. 일본에서는 우키요에가 조닌 사이에서 널리 사랑을 받았다. ①은 중국의 연화, ②는 한국의 민화인 「까치와 호랑이」, ④는 김홍도의 풍속화인 「길쌈」, ⑤는 일본의 우키요에인 「붉은 후지산」이다.

바로 알기 ③은 고려 시대에 불교가 융성하면서 제작된 불화이다. 고려의 불화는 화려한 귀족 문화를 대표한다.

**16** 일본에서는 17세기 이후 경제가 성장하면서 상공업자 계층인 조닌의 지위가 상승하였다. 조닌은 향상된 자신의 경제력을 바탕으로 특유의 조닌 문화를 발달시켰다. 이 시기 가부키·분라쿠 등의 공연 예술이 유행하였고, 우키요에와 같은 채색 목판화가 제작되어 인기를 끌었다.

바로 알기 ㄱ. 청, ㄴ. 조선 후기의 문화 발달 사례이다.

**17** 제시된 글은 청 대의 고증학 발달과 관련된 것이다. 명 말부터 이어진 실사구시적인 학문 경향에 따라 청 대에는 유교 경전과 금석문 등을 실증적으로 연구하는 데 초점을 맞춘 고증학이 발달하였다.

바로 알기 ② 진 대에 부국강병을 위해 법가를 바탕으로 통치 질서를 정비하였다. ③ 한 무제는 동중서의 건의를 수용하여 유학을 통치 이념으로 삼았다. ④ 조선 후기 성리학의 교조화를 비판하며 실학이 등장하였다. ⑤ 19세기 중국에서는 대내외적인 위기에 직면하여 공양학이 발달하였다.

**18** (가)에 들어갈 학문은 실증적인 연구를 중시한 고증학이다. 고증학의 실시구시적 학문 태도를 기반으로 『강희자전』, 『고금도서집성』, 『사고전서』 등 대규모 편찬 사업이 이루어졌다.

바로 알기 ① 천주교가 전해지고 천주교 신자가 증가하면서 평등사상이 확산되었다. ②, ③은 송 대에 일어난 일이고, ④는 진 대에 있었던 일로 고증학의 영향과는 관련이 없다.

**19** 『천공개물』은 17세기경에 출간된 백과전서이다. 이 시기 중국에서는 고증학이 발달하였으며, 조선에서는 실학과 국학이 발달하였다. 일본에서는 고학, 난학이 발달하였다.

바로 알기 ④는 7세기경 일본의 학문 발달에 대한 설명이다.

**20** (가), (나)는 모두 이기론을 중심으로 하는 성리학을 비판하고 있다. 동아시아에서는 17세기 이후 농업과 상공업이 발달하고 서민 계층이 성장하였다. 그러나 성리학이 점차 교조화되어 이러한 사회 변화에 대처할 능력을 상실하자 이에 대한 비판으로 경세치용과 실사구시에 바탕을 둔 새로운 학문이 대두하였다.

극비 노트 **17세기 이후 새로운 학문의 발달**

| | | |
|---|---|---|
| 배경 | 상공업의 발달, 서양 학문의 유입, 성리학의 교조화에 대한 비판 → 경세치용과 실사구시에 입각한 학문 발달 | |
| 내용 | 명·청 | 고증학 발달, 공양학 등장 |
| | 조선 | 양명학 등장, 실학 발달(농업 중심 개혁과 상공업 중심 개혁 주장), 국학 발달 |
| | 일본 | 고학·국학 등장, 난학 발달 |

**21** 제시된 글은 상공업 중심 개혁론을 주장한 박제가의 주장이다. 조선 후기에는 경세치용을 중시한 지식인들이 성리학을 비판하며 사회적·경제적 변동에 따른 사회 모순을 해결하기 위한 방안을 제시하였다. 홍대용, 박지원, 박제가 등 상공업 중심 개혁론자들은 상공업 진흥과 청의 선진 문물을 배울 것을 주장하여 북학파라 불렸다.

바로 알기 ⑤ 이익, 정약용은 농업 중심 개혁론을 주장하였다.

**22** 제시된 글은 국학을 정립한 모토오리 노리나가의 글이다. 국학은 일본의 역사·신화·문학을 실증적으로 연구한 학문으로, 고대 일본 문화의 우수성을 강조하였다. 일본의 국학은 천황에 대한 충성심을 일깨워 에도 막부 말기의 막부 타도 운동에 영향을 주기도 하였다.

바로 알기 ①, ⑤는 성리학, ②는 양명학, ④는 고학과 관련된 설명이다.

**23** 에도 막부는 크리스트교에 대한 금교령을 내린 이후 유럽의 여러 나라 중 유일하게 네덜란드만을 직접적인 교역국으로 삼았다. 이에 일본에서는 네덜란드를 통해 유입된 서양 학문을 연구하는 난학이 발전하였다. 특히, 『해체신서』의 번역은 일본에서 난학이 본격적으로 발전하는 계기가 되었다.

## 3단계 등급 올리기

본문 61쪽

**01** ③ **02** ③ **03** ② **04** 해설 참조

**01** 그래프를 보면 17~19세기 동아시아의 인구가 전반적으로 증가하였음을 알 수 있다. 17세기 이후 동아시아 각 지역에서는 농업 기술이 발달하고, 경지 면적이 증가하였으며, 신대륙 작물이 재배되면서 농업 생산력이 크게 증대되었다. 이러한 농업 생산력의 증대는 동아시아 지역의 인구가 증가하는 데 영향을 주었다. 또한 의학 서적이 편찬되어 보급되고, 중국에서 종두가 개발되는 등 의료 기술의 향상도 이루어졌다. 이로 인해 사망률이 낮아진 것도 동아시아의 인구 증가와 밀접한 관련이 있다. 한편, 일본에서는 18세기경 자연재해에 따른 흉작과 기아, 전염병 등으로 일시적인 인구 정체 현상이 일어났다.
바로 알기 ③ 17세기 중국에서는 청, 일본에서는 에도 막부가 수립되었으나 한국에서는 14세기경 조선이 수립되어 왕조를 이어가고 있었다.

**02** 상평통보는 조선 후기인 17세기에 주조되어 전국적으로 유통되었다. ① 일본에서 상공업이 발달하면서 상공업자인 조닌 계층이 성장하였다. ② 명 대 이후 유럽 상인과의 무역을 통해 많은 양의 은이 중국으로 들어왔고, 일본에서 생산된 은이 대외 무역의 결제 대금으로 사용되면서 조선을 거쳐 중국에 유입되었다. ④ 조선 후기 지방 도시에는 장시가 발달하였는데, 18세기 무렵에는 그 수가 1,000여 개에 이르렀다. ⑤ 중국의 강남 지역을 중심으로 도시 수공업이 발달하였으며, 쑤저우의 견직물과 징더전의 도자기가 매우 유명하였다.
바로 알기 ③ 이 시기 중국에서는 해금이 완화되었고, 산시 상인·휘저우 상인 등 대상인이 등장하였다.

**03** 제시된 글의 조닌, 덴메이 대기근 등의 내용을 통해 밑줄 친 '막부'가 에도 막부임을 알 수 있다. 이 시기 동아시아 각국에서는 서민 문화가 발달하였다. 조선에서는 서민 화가를 중심으로 민화와 풍속화 등이 많이 제작되었다. 청에서는 경제력을 갖춘 서민이 문화의 주요 소비층으로 등장하면서 경극과 지방 고유의 희곡이 인기를 끌었다. 일본에서는 조닌들이 주도하는 문화가 발달하여 우키요에·가부키·분라쿠 등이 유행하였고, 네덜란드인을 통해 서양의 다양한 학문과 지식이 일본으로 유입되면서 난학이 발달하였다.
바로 알기 ② 주자감은 발해의 교육 기관이다.

**극비 노트** 동아시아의 서민 문화

| 구분 | 문학 | 공연 예술 | 회화 |
|---|---|---|---|
| 명·청 | 명 대 4대 기서 유행, 청 대 『홍루몽』 등 유행 | 경극, 지방희 발달 | 연화, 풍속화 유행 |
| 조선 후기 | 한글 소설, 사설시조 유행 | 탈춤, 판소리 확산 | 풍속화, 민화 제작 |
| 에도 시대 | 『일본영대장』 등 편찬, 하이쿠 확산 | 가부키, 분라쿠 유행 | 우키요에 제작 |

## 서술형 문제

**04** (1) 조카마치
(2) 예시 답안 상공업자인 조닌이 조카마치에 거주하면서 영주와 무사에게 물품을 공급하였다. 이들의 활동으로 조카마치가 상공업의 중심지로 성장하였다.

| 채점 기준 | 배점 |
|---|---|
| 조닌이 조카마치에 거주하면서 영주와 무사에게 물품을 공급하였음을 서술한 경우 | 상 |
| 조닌이 조카마치에 거주하였다고만 서술한 경우 | 하 |

# 01 새로운 국제 질서와 근대화 운동

## 1단계 개념 짚어 보기

본문 63쪽

01 ㉠ 제1차 아편 전쟁, ㉡ 미·일 화친 조약, ㉢ 일본, ㉣ 베트남
02 ㄷ, ㄹ 03 양무운동 04 메이지 유신 05 갑신정변
06 자유 민권 운동 07 (1) × (2) ○ (3) × (4) ×

## 2단계 내신 다지기

본문 64~66쪽

| | | | | |
|---|---|---|---|---|
| 01 ① | 02 ④ | 03 ⑤ | 04 ② | 05 ④ |
| 06 ④ | 07 ② | 08 ⑤ | 09 ② | 10 ④ |
| 11 ① | 12 ② | 13 ⑤ | 14 변법자강 운동 | |
| 15 ③ | 16 ② | 17 ⑤ | | |

**01** (가)에 들어갈 전쟁은 제1차 아편 전쟁이다. 제1차 아편 전쟁은 청 정부가 임칙서를 통해 아편을 몰수하고 단속을 강화하자, 영국이 이를 구실로 함대를 파견하여 청을 공격함으로써 시작되었다. 전쟁에서 패한 청은 상하이 등 5개 항구 개항, 홍콩 할양, 공행 폐지 등의 불평등한 내용으로 영국과 난징 조약을 체결하였다.
바로 알기 ②, ⑤는 의화단 운동의 결과이다. ③은 청·일 전쟁의 결과이다. ④ 변법론자들은 청·일 전쟁 이후 위기를 극복하기 위해 의원제 도입을 비롯한 정치 개혁 운동을 전개하였다(변법자강 운동).

**02** 밑줄 친 '이 조약'은 미·일 수호 통상 조약이다. 미·일 화친 조약이 체결된 이후 미국이 통상 자유화를 요구하자 일본은 미·일 수호 통상 조약을 맺어 가나가와, 나가사키 등의 항구를 추가로 개방하였다. 또한 일본은 미·일 수호 통상 조약을 통해 미국의 영사 재판권을 인정하고 무역의 전면 자유화 및 협정 관세 등을 허용하였다.
바로 알기 ①은 난징 조약 ②, ③은 강화도 조약과 관련된 설명이다. ⑤ 자유 민권 운동은 미·일 수호 통상 조약 체결 이후인 1870년대부터 전개되었다.

**03** 제시된 글은 강화도 조약의 내용이다. 운요호 사건을 계기로 체결된 강화도 조약은 부산 등 3개 항구를 개항하고, 일본에 영사 재판권과 해안 측량권을 인정하였다.
바로 알기 ①은 미·일 화친 조약, ②는 난징 조약과 제1차 사이공 조약, ③은 베이징 조약과 관련된 설명이다. ④ 일본은 운요호 사건을 일으켜 조선에 개항을 요구하였고, 그 결과 강화도 조약이 체결되었다. 영국은 프랑스와 연합하여 애로호 사건을 빌미로 제2차 아편 전쟁을 일으켰다(1856).

**04** 서양 열강이 무력을 앞세워 동아시아 각국에 불평등한 조약 체결을 강요하면서 동아시아에 새로운 국제 질서가 형성되었다. 미국은 페리 함대를 파견해 일본에서 무력시위를 벌이며 개항을 요구하였고, 영국은 프랑스와 연합하여 애로호 사건을 빌미로 청을 공격하기도 하였다. 한편, 일본은 운요호 사건을 계기로 조선과 강화도 조약을 체결하였다.
바로 알기 ② 프랑스는 베트남이 프랑스인 가톨릭 선교사를 박해하였다는 구실로 전쟁을 일으켰다. 베트남은 이 전쟁에서 패하고 프랑스와 제1차 사이공 조약을 맺어 개항하였다(1862).

**극비 노트 동아시아 각국의 개항**

| | |
|---|---|
| 청 | 청의 아편 몰수와 단속 → 제1차 아편 전쟁 → 난징 조약 체결(1842, 상하이 등 5개 항구 개항·홍콩 할양·공행 폐지 등) |
| 일본 | 미국 페리 함대의 개항 요구 → 미·일 화친 조약 체결(1854) → 미·일 수호 통상 조약 체결(1858, 개항장 확대·영사 재판권 인정 등) |
| 조선 | 일본이 운요호 사건을 빌미로 개항 요구 → 강화도 조약 체결(1876, 부산 등 3곳 개항·치외 법권 인정 등) |
| 베트남 | 프랑스가 가톨릭 선교사 박해를 구실로 침략 → 제1차 사이공 조약 체결(1862, 선교의 자유 허용·영토 할양 등) |

**05** 밑줄 친 '봉기'는 태평천국 운동이다. 난징 조약 체결 이후 청에서 전쟁 비용 처리와 배상금 지불로 인해 백성의 조세 부담이 커지자, 홍수전은 배상제회를 조직하고 태평천국 운동을 일으켰다. 태평천국군은 청 왕조 타도(멸만흥한), 토지의 균등 분배, 남녀 평등 사회 건설 등을 약속하면서 민중의 호응을 얻었다. 그러나 한인 지주와 신사층으로 구성된 한인 의용군과 서구 열강의 개입으로 태평천국군은 진압되었다.
바로 알기 ㄱ. 의화단 운동, ㄷ. 일본의 자유 민권 운동에 대한 설명이다.

**06** 자료는 중국에서 전개된 양무운동과 관련이 있다. 중체서용을 표방한 이홍장, 증국번 등 청의 한인 관료들은 군사력 강화를 목표로 군수 공장, 기선 회사 등을 설립하였다(양무운동). 그러나 양무운동은 제도의 개혁 없이 서양의 기술만 수용하였고, 자금 부족 등을 이유로 국가 차원에서 체계적으로 이루어지지 못하였다. 결국 청·일 전쟁에서 패배하며 그 한계를 드러냈다.
바로 알기 ①은 의화단 운동, ②는 일본의 자유 민권 운동, 한국의 독립 협회, ③, ⑤는 변법자강 운동과 관련된 내용이다.

**07** 개항 이후 일본에서는 외국 상품이 들어오고 물가가 폭등하면서 경제적 혼란이 일어났다. 이로 인해 개항에 반대하던 하급 무사 중심의 막부 타도 세력은 반막부·반외세의 성격을 띤 존왕양이 운동을 전개하였다. 그러나 이들은 서구 열강과의 충돌 과정에서 군사력의 차이를 실감하고, 서구 문물을 받아들여 부국강병을 추진하는 것으로 방침을 바꾸었다. 결국 막부를 타도하고, 천황을 중심으로 하는 메이지 정부를 수립하였다.
바로 알기 ①, ③, ④, ⑤는 메이지 정부 수립 이후의 일이다.

**08** 밑줄 친 '신정부'는 1868년 수립된 메이지 정부이다. 메이지 정부는 기존의 번을 폐지하고 현을 설치하여 관리를 파견하였으며, 징병제를 실시해 군사력을 정비하였다. 또한 모든 사람이 평등하다는 사민평등의 원칙 아래 신분제를 폐지하였다. 더불어 식산흥업 정책을 추진하여 군수·방직 공업을 육성하였다.
바로 알기 ⑤ 미·일 화친 조약 체결은 메이지 정부 수립 이전인 에도 막부 시기에 이루어졌다.

**09** 일본의 이와쿠라 사절단은 미국과의 불평등 조약을 개정하기 위해 미국에 파견되어 근대 문물을 시찰하였다. 한편, 개항 이후 조선 정부는 일본에 수신사와 조사 시찰단을, 청에 영선사를 파견하여 근대 시설을 살펴보고 근대 문물 수용에 나섰다.
바로 알기 ① 이와쿠라 사절단은 미국과 유럽에, 수신사는 일본에 파견되었다. ③ 이와쿠라 사절단은 일본에서, 수신사는 조선에서 파견한 사절단이다. ④는 이와쿠라 사절단에만 해당한다. ⑤ 일본의 메이지 정부는 이와쿠라 사절단을 미국과 수호 통상 조약을 체결한 이후 파견하였다. 조선 정부도 미국과 수교한 이후 민영익을 대표로 하는 미국 방문 사절단을 파견하였다.

**10** 제시된 글은 조선에서 일어난 갑신정변에 대한 설명이다. 임오군란 이후 청의 내정 간섭과 더딘 개혁에 불만을 가졌던 김옥균과 박영효 등의 급진 개화파는 일본의 메이지 유신을 모델로 삼아 갑신정변을 일으켰다. 그리고 개혁 정강 14개조를 발표하여 청에 대한 사대 폐지, 조세 제도 개혁 등의 개혁을 추진해 나갔다.
바로 알기 ①은 을미개혁, ②는 을미사변과 관련이 있다. ③ 고종은 대한국 국제를 반포하여 대한 제국의 정치 체제가 전제 군주제임을 확고히 하였다. ⑤ 독립 협회는 왕정을 폐지하고 공화제를 추진하려 한다는 보수 세력의 모함을 받아 강제 해산되었다.

**11** 제시된 글은 1895년 시행된 단발령을 나타낸 것이다. 1894년 추진된 갑오개혁에 따라 왕실과 정부 사무의 분리, 근대적 내각제 수립, 조세 제도 합리화, 신분제 해체와 노비제 폐지 등이 이루어졌다. 이듬해에는 태양력 채택, 단발령 시행 등의 개혁이 추진되었다(1895, 을미개혁).
바로 알기 ②, ⑤는 을미개혁 이전, ③, ④는 을미개혁 이후에 볼 수 있었던 모습이다.

**12** 제시된 글은 일본의 자유 민권 운동 세력이 의회 설립을 제안한 요구서이다. 1870년대부터 시작된 자유 민권 운동은 의회 도입과 서구식 헌법 제정을 요구하였다. 메이지 정부는 자유 민권 운동을 탄압하면서도 한편으로 서구식 선진 제도의 필요성을 인정하였다. 이에 따라 1889년에 대일본 제국 헌법(메이지 헌법)을 제정하였고, 이듬해에는 제국 의회를 열었다.
바로 알기 ① 청·일 전쟁은 메이지 헌법 제정 이후의 일이다. ③ 자유 민권 운동은 입헌 군주제를 지향하였다. ④ 중국의 변법자강 운동은 메이지 유신에 영향을 받아 전개되었다. ⑤ 대한 제국은 구본신참에 입각하여 부국강병을 목표로 한 근대화 개혁을 추진하였다(광무개혁).

**13** 학생들은 1896년 설립된 독립 협회의 활동에 대해 대화하고 있다. 독립 협회는 고종이 러시아 공사관으로 처소를 옮긴 이후 이권 침탈이 심해지자 이권 수호 운동을 전개하였고, 토론회와 강연회를 열어 민중을 계몽하였으며, 만민 공동회를 개최하여 의회 설립 운동을 전개하는 등 입헌 군주제 수립을 요구하였다. 특히 개혁적 관리와 학생, 시민이 함께 참석한 관민 공동회에서는 헌의 6조가 결의되기도 하였다.
바로 알기 ⑤ 대한국 국제는 독립 협회 해산 이후인 1899년에 고종이 반포한 것으로, 대한 제국의 정치 체제가 전제 군주제임을 밝혔다.

**14** 청·일 전쟁의 패배로 양무운동의 한계가 드러나자 캉유웨이와 량치차오 등은 청의 낡은 제도가 패배의 원인이라고 판단하고 변법자강 운동을 추진하였다.

**15** 제시된 글은 1899년 대한 제국 정부가 반포한 대한국 국제이다. 대한 제국은 부국강병을 목표로 한 근대화 개혁을 추진하였다(광무개혁). 식산흥업 정책을 수립하여 상공업을 진흥하였으며, 인재를 양성하기 위한 근대 학교 수립에 힘썼다.
바로 알기 ①, ②, ④는 메이지 정부가 추진한 개혁 내용에 해당한다. ⑤ 청 정부는 근대화 개혁 추진에 필요한 자금을 마련하기 위해 민영 철도를 국유화하였다.

**16** (가)는 1898년에 일어난 변법자강 운동, (나)는 1911년에 일어난 신해혁명이다. ㄱ. 신정이 추진되는 과정에서 량치차오 등의 입헌파가 입헌 군주제 수립을 주장하는 입헌 운동에 나서자, 이에 자극을 받은 청 정부가 1908년 흠정헌법 대강을 발표하였다. ㄷ. 청 정부는 의화단 운동 이후 개혁의 필요성을 깨닫고 1901년부터 신정을 추진하였다.
바로 알기 ㄴ. (나) 이후에 있었던 사실로 1912년에 일어났다. ㄹ. (가) 이전에 있었던 사실로 1851년에 일어났다.

**17** 제시된 글은 1911년에 추진된 신해혁명을 설명한 것이다. 청 정부가 신정을 추진하고 있음에도 불구하고 성과를 거두지 못하자, 후베이성 우창에서 혁명파의 이념에 영향을 받은 신군이 봉기를 일으켰다. 이에 호응한 각 성이 봉기하여 청으로부터 독립을 선언한 뒤 쑨원을 임시 대총통으로 하는 중화민국을 수립하였다(1912).

## 3단계 등급 올리기

본문 67쪽

01 ① 02 ① 03 ② 04 해설 참조

**01** (가)는 1842년 체결된 난징 조약, (나)는 1858년 체결된 미·일 수호 통상 조약이다. 제1차 아편 전쟁의 결과 체결된 난징 조약은 동아시아에서 체결된 최초의 근대적인 조약으로 광저우를 비롯한 5개 항구의 개항, 홍콩 할양, 공행 폐지 등을 규정하였다. 미·일 수호 통상 조약은 미·일 화친 조약을 체결한 이후 미국이 계속 통상을 요구하여 체결된 조약으로 항구를 추가로 개항하고 미국의 영사 재판권을 인정하였다.
바로 알기 ②는 베이징 조약과 제1차 사이공 조약, ③, ④는 강화도 조약과 관련된 설명이다. ⑤ 일본이 서양과 맺은 최초의 조약은 미·일 화친 조약이다.

**02** 제시된 글은 청 정부가 반포한 흠정헌법 대강의 내용이다. 청에서는 의화단 운동 이후 입헌파에 의한 입헌 군주제 도입 요구가 강해졌다. 이러한 상황 아래 러·일 전쟁에서 일본이 승리하자 입헌 운동은 본격화되었다. 이에 청 정부는 입헌 요구를 받아들여 흠정헌법 대강을 반포하였다.

바로 알기 ② 의화단 운동은 서구 열강과 일본의 이권 침탈 경쟁에 따른 위기의식이 고조되면서 일어났다. ③ 임오군란은 신식 군인인 별기군과의 차별에 항의하여 구식 군인들이 일으켰다. ④ 메이지 정부는 폐번치현을 단행하고 징병제를 실시하였으며 신분제를 폐지하였다. ⑤ 이홍장, 증국번 등의 한인 관료들은 중체서용을 표방하며 양무운동을 추진하였다.

극비 노트 중국의 양무운동

| | |
|---|---|
| 배경 | 아편 전쟁 이후 위기감 고조, 서양 무기에 대한 관심 증대 |
| 전개 | 이홍장·증국번 등 한인 관료층이 주도, 중체서용의 원칙에 따라 서양의 군사력과 과학 기술 수용(서양식 해군 창설, 군수 공장·방직 공장·기선 회사·신식 학교 등 설립) |
| 결과 | 의식이나 제도 개혁의 미비, 자금 부족과 보수파의 견제로 국가 차원에서 체계적으로 이루어지지 못함 → 청·일 전쟁의 패배로 한계 노출 |

03 제시된 글은 1865년에 이홍장이 청의 황제에게 올린 글로, 서구식 철공소의 설립과 기계 설치를 주장하고 있다. 양무운동은 1860년대부터 증국번과 이홍장 등의 한인 관료가 중체서용을 내세워 중국의 전통을 그대로 유지하면서 서양의 군사력과 과학 기술을 수용하여 자강을 이루고자 추진한 근대화 운동이다. 이에 따라 근대적 군수 공장 설립, 서양식 해군 창설, 근대적 기업 설립 등이 이루어졌다. 그러나 의식이나 제도 개혁 등이 뒷받침되지 못한 가운데 청·일 전쟁의 패배로 그 한계를 드러냈다.
바로 알기 영국에 홍콩을 할양한 것은 1842년, 홍수전의 태평천국 건설은 1851년, 일본의 청·일 전쟁 승리는 1895년, 서재필의 독립 협회 창설은 1896년, 고종의 대한국 국제 반포는 1899년, 쑨원의 임시 대총통 취임은 1912년에 있었던 일이다.

## 서술형 문제

04 (1) 대일본 제국 헌법(메이지 헌법)
(2) 예시 답안 의의는 헌법의 제정으로 일본이 입헌 군주제에 바탕을 둔 근대 국가의 제도적 기반을 마련하였다는 점이다. 한계는 천황을 신성한 존재로 규정하고 군 통수권과 입법권 등 막강한 권한을 천황에게 부여하였다는 점이다.

| 채점 기준 | 배점 |
|---|---|
| 의의와 한계를 모두 서술한 경우 | 상 |
| 의의와 한계 중 한 가지만 서술한 경우 | 하 |

# 02 제국주의 침략 전쟁과 민족 운동

## 1단계 개념 짚어 보기

본문 70쪽

01 (1) ㄱ (2) ㄷ (3) ㄴ (4) ㄹ 02 워싱턴 회의 03 (1) × (2) ○
04 중·일 전쟁 05 태평양 전쟁 06 국가 총동원법
07 조선 혁명군 08 아주 화친회

## 2단계 내신 다지기

본문 70~74쪽

| | | | | |
|---|---|---|---|---|
| 01 ④ | 02 ⑤ | 03 ⑤ | 04 ④ | 05 ④ |
| 06 ③ | 07 ⑤ | 08 ④ | 09 ⑤ | 10 ⑤ |
| 11 ④ | 12 ④ | 13 ④ | 14 ⑤ | 15 ③ |
| 16 ⑤ | 17 ① | 18 ④ | 19 ③ | 20 ⑤ |
| 21 ⑤ | 22 ④ | 23 안중근 | 24 ② | 25 ④ |

01 지도는 청·일 전쟁의 과정을 나타낸 것이다. 청·일 전쟁에서 승리한 일본은 청과 시모노세키 조약을 체결하였다. 청은 조선에 대한 권리를 포기하고 랴오둥반도와 타이완을 일본에 할양하였다. 한편, 동아시아 지역으로의 남하 정책을 추진하던 러시아는 독일, 프랑스와 함께 일본이 랴오둥반도를 청에 반환하도록 압력을 행사하는 삼국 간섭을 일으켰다.
바로 알기 ①은 제1차 아편 전쟁의 결과, ②는 만주 사변의 결과, ③, ⑤는 제2차 아편 전쟁의 결과에 해당한다.

02 제시된 글은 중국에서 일어난 의화단 운동에 대해 정리한 것이다. 청·일 전쟁에서 패배한 청이 서구 열강의 분할 대상이 되어 영토뿐만 아니라 각종 이권을 내주는 등 경제적으로 예속되자, 의화단 세력은 청 왕조를 도와 서양 귀신을 몰아내자는 구호를 내세우면서 철도, 학교 등 서양과 관련된 모든 시설을 공격하였다. 청 정부는 이들을 지원하여 서양 세력을 견제하고자 하였으나, 의화단 세력은 일본, 러시아 등 8개국 연합군에 의해 진압되고 말았다. 청 정부는 1901년 신축 조약을 체결하여 막대한 배상금을 지불하였으며, 베이징에 외국 군대가 주둔하는 것을 허용하였다.
바로 알기 ㄱ. 신해혁명의 결과, ㄴ. 청·일 전쟁의 결과에 해당한다.

03 제시된 글은 포츠머스 조약의 내용이다. 러·일 전쟁을 일으킨 일본은 미국과 영국의 지원에 힘입어 전쟁에서 승리하였다. 이에 러시아와 포츠머스 조약을 체결하여 한반도에 대한 영향력을 강화하고 남만주 철도 경영권을 획득하였다.
바로 알기 ①은 시모노세키 조약, ②는 난징 조약, ③은 베이징 조약과 관련된 설명이다. ④ 의화단 운동은 러·일 전쟁 이전에 청에서 일어난 반외세 운동이다.

04 일본이 제1차 한·일 협약을 체결하여 대한 제국에 재정 고문과 외교 고문을 파견한 시기는 1904년 8월이며, 일본이 고종을 강제 퇴위시키고 대한 제국의 군대를 해산한 시기는 1907년이다.

러·일 전쟁에서 승리한 일본은 대한 제국의 외교권을 박탈하는 을사늑약을 강제로 체결하여 대한 제국을 일본의 보호국으로 만들었다. 이후 고종을 강제 퇴위시키고 대한 제국 군대를 해산한 후 대한 제국의 국권을 빼앗았다.

바로 알기 ①은 1904년 2월, ②는 1875년, ③은 1896년, ⑤는 1894년에 있었던 일이다.

**05** 제시된 글은 제1차 세계 대전에 참전한 일본과 관련된 내용이다. 일본은 제1차 세계 대전이 발발하자 독일에 선전 포고를 하고 참전하였다. 그러나 일본은 유럽 전선에 병력을 파견하지 않고 주로 동아시아에서 독일이 갖고 있던 이권을 빼앗는 데 집중하였다. 일본은 독일의 조차지였던 산둥반도를 점령하여 독일의 이권을 넘겨받고 적도 부근의 독일령 섬들도 점령하였다.

바로 알기 ① 일본은 1910년 대한 제국의 국권을 강제로 빼앗았다. ②, ⑤는 러·일 전쟁, ③은 청·일 전쟁 중 일본이 한 일에 해당한다.

**06** 제시된 글은 1915년 일본이 청에 요구한 '21개조 요구'이다. 제1차 세계 대전이 발발하자 일본은 연합국 측에 가담하여 독일군이 점령하고 있던 중국의 산둥반도와 남태평양의 섬들을 공격하여 획득하였다. 그리고 중국에 '21개조 요구'를 제출하여 중국에서의 권익을 확대하고자 하였다. 이에 중국인들은 크게 반발하였고, '21개조 요구' 철회를 촉구하는 5·4 운동을 추진하였다.

바로 알기 ①은 포츠머스 조약, ②는 시모노세키 조약과 관련이 있다. ④ 신해혁명은 철도 국유화 정책에 대한 반발과 혁명파의 지원을 받은 신군의 봉기로 시작되었다. ⑤는 을사늑약과 관련이 있다.

**07** 밑줄 친 '이 회의'는 워싱턴 회의이다. 1921년에 개최된 워싱턴 회의에서는 각국의 해군 군비 제한과 영·일 동맹 폐기가 결정되었으며, 중국 문제에 관한 재논의가 이루어졌다. 회의의 결정에 따라 일본은 산둥반도의 이권을 중국에 반환하는 등 '21개조 요구'의 일부를 철회하였다. 그리고 중국은 주권과 독립 및 영토 보전을 약속받았지만, 열강들의 중국 진출에 대한 기회 균등을 보장해야 했다.

바로 알기 ①, ②는 파리 강화 회의와 관련이 있다. ③ 중국의 관세 자주권 회복은 워싱턴 회의에서 인정되지 않았다. ④ 3·1 운동을 계기로 대한민국 임시 정부가 수립되었다.

**08** 제시된 글은 3·1 운동 당시 발표된 「3·1 독립 선언서」이다. 일본의 무단 통치에 고통받던 한국인들은 3·1 운동을 전개하였으며, 이는 한반도 전역과 국외 한인 사회로 확산되었다. 일본은 한국인들의 저항을 무마하고자 이른바 '문화 통치'를 실시하였다. 3·1 운동은 이후 대한민국 임시 정부 수립에 기여하였으며, 중국인의 민족의식을 자극하여 5·4 운동이 일어나는 데 영향을 주었다.

바로 알기 ㄱ. 대한민국 임시 정부는 3·1 운동 이후 수립되었다. ㄷ. 3·1 운동은 민족 자결주의에 영향을 받아 전개되었다.

**09** 신해혁명 이후 천두슈 등의 진보적 지식인들은 잡지 『신청년』을 발행하여 유교 문화를 비판하고, 서구의 민주주의와 과학을 수용해야 한다고 주장하였다(신문화 운동). 청년층이 호응한 신문화 운동의 열기는 5·4 운동으로 이어졌다.

바로 알기 ①은 태평천국 운동, ②는 5·4 운동, ③은 양무운동, ④는 의화단 운동과 관련된 내용이다.

**10** 제시된 글은 5·4 운동 당시 발표된 「베이징 학생계 선언」이다. 파리 강화 회의에서 산둥의 이권이 일본으로 넘어가자, 베이징 대학의 학생들을 중심으로 산둥반도의 이권 반환과 '21개조 요구'의 철회를 촉구하는 5·4 운동이 전개되었다. 정부의 탄압에도 시위가 전국으로 확산되자, 결국 베이징 정부는 민중의 요구에 굴복하여 베르사유 조약의 조인을 거부하였다.

바로 알기 ① 중·일 전쟁이 일어나자 항일전 전개를 위해 제2차 국·공 합작이 성립되었다. ② 중국 공산당은 추격하는 국민당 정부를 피해 1934년부터 대장정을 시작하였다. ③ 삼국 간섭에 따라 일본이 랴오둥반도를 중국에 반환하였다. ④ 만주 사변 이후 한국과 중국의 민족 운동 세력은 항일을 위한 연대를 형성하였다.

**극비 노트** 3·1 운동과 5·4 운동

- 오늘날 우리 조선 독립은 조선 사람으로 하여금 정당한 삶의 번영을 이루게 하는 동시에, 일본이 그릇된 길에서 벗어나 동양을 지지하는 자의 책임을 다하게 하는 것이다. -「3·1 독립 선언서」
- 산둥이 망하면 중국도 망합니다. 무릇 국가의 존망과 영토의 분할이라고 하는 중대한 문제에 이르러서도 그 백성이 여전히 큰 결심을 내려 최후의 구원에 나서지 못한다면, 그야말로 20세기의 천박한 종자로 인류에 끼지 못하게 될 것입니다. -「베이징 학생계 선언」

3·1 운동과 5·4 운동은 학생의 주도로 각계각층이 참여한 대규모 민족 운동이다. 한국에서는 3·1 운동을 계기로 독립운동을 보다 체계적으로 지휘할 지도부의 필요성이 제기되면서 대한민국 임시 정부가 수립되었다. 중국에서도 5·4 운동 이후 중국 국민당과 공산당이 조직되면서 반제 민족 운동이 활발히 전개되었다.

**11** 제시된 글은 대한민국 임시 정부의 헌법 내용이다. 민주 공화제를 채택한 대한민국 임시 정부는 연통제와 교통국을 통하여 비밀 행정 조직을 갖추었으며, 미국에 구미 위원부를 설치하였다. 그리고 『독립신문』을 발간하여 독립운동 소식을 국내외에 알렸다.

바로 알기 ④ 대한민국 임시 정부는 1940년 정규군으로 한국 광복군을 두었다.

**12** 한국에서는 3·1 운동 이후 사회주의 사상의 확산으로 사회주의 세력이 민족 운동을 활발히 전개하였으나, 민족주의 세력과 갈등이 나타났다. 중국에서 제1차 국·공 합작이 이루어지자 한국에서도 민족 유일당 운동이 전개되었는데, 이에 따라 비타협적 민족주의자들과 사회주의자들은 좌우 합작 단체인 신간회를 창립하였다(1927).

바로 알기 ① 신문화 운동은 5·4 운동(1919)이 일어나는 데 영향을 주었다. ② 국가 총동원법은 일본이 침략 전쟁을 수행하는 데 필요한 자원을 효율적으로 동원하기 위해 1938년에 발표되었다. ③ 제1차 국·공 합작은 군벌의 해체와 중국 전역의 통일을 위해 1924년에 추진되었다. ⑤ 대한민국 임시 정부는 3·1 운동을 계기로 1919년에 중국 상하이에서 수립되었다.

**13** (가)는 1924년, (나)는 1934년에 있었던 일이다. 중국 국민당은 소련의 지원을 받으며 공산당과 연합하여 제1차 국·공 합작을 성립하였다. 5·30 사건을 계기로 외세와 결탁한 군벌에 대한 반감이 커지자, 국민당의 장제스는 군벌을 타도하고 중국을 통일하기 위해 북벌을 시작하였다(1926). 이후 국민당은 난징에 국민 정부를 수립하였으며, 결국 베이징을 점령함으로써 북벌을 완성하였다(1928).

바로 알기 ①은 1919년, ②는 1937년, ③은 1940년, ⑤는 1937년에 있었던 일이다.

**14** 제시된 글은 국제 연맹에서 파견한 리튼 조사단이 쓴 보고서 내용이다. 일본은 만주에 주둔하고 있던 관동군의 주도로 만주를 장악하기 위해 만주 사변을 일으켰다. 일본군은 만주 일대를 점령하고, 청의 마지막 황제 푸이를 앞세워 만주국을 수립하였다. 이에 국제 연맹이 리튼 조사단을 파견하여 진상을 조사하였다. 이후 만주국은 일본을 위한 것이라는 리튼 보고서가 제출되고 국제 연맹이 일본의 침략을 규탄하자, 일본은 국제 연맹을 탈퇴하였다.
바로 알기 ① 포츠머스 조약으로 일본은 한반도에서 우월한 지위를 인정받았다. ② 워싱턴 회의는 제1차 세계 대전 이후 열강의 이해관계를 조정하기 위해 개최되었다. ③ 한인 애국단은 김구가 일본 정부 요인의 암살을 목적으로 조직한 단체이다. ④ 일본의 진주만 기습 공격으로 태평양 전쟁이 시작되었다(1941).

**15** 밑줄 친 '이 전쟁'은 중·일 전쟁이다. 만주 사변 이후 일본은 중국 침략을 계속하여 중국 북부 지역으로 세력을 확대하였다. 1937년에는 베이징 근처의 루거우차오에서 중·일 양국 군대가 충돌하였는데, 이를 계기로 일본은 중국에 대한 총공격을 결정하고 중·일 전쟁을 일으켰다. 일본군은 수도 난징을 비롯해 주요 도시를 빠르게 장악해 나갔다. 특히 난징을 점령하는 과정에서 수많은 중국인을 학살하는 만행을 저질렀다(난징 대학살).
바로 알기 ①은 제1차 세계 대전, ②는 태평양 전쟁, ④는 만주 사변, ⑤는 제2차 세계 대전과 관련이 있다.

**16** 지도는 태평양 전쟁의 과정을 나타낸 것이다. 중·일 전쟁을 일으킨 일본이 베트남 북부를 침공하고 독일, 이탈리아와 삼국 동맹을 맺어 추축국을 형성하자, 미국은 일본에 석유 수출을 금지하는 경제 봉쇄 조치를 내렸다. 이에 일본이 하와이 진주만의 미국 함대를 기습 공격함으로써 태평양 전쟁이 시작되었다. 일본이 단기간에 동남아시아와 남태평양 일대를 점령하였지만, 미국이 미드웨이 해전에서 승리하면서 전세가 역전되었다.
바로 알기 ㄱ, ㄴ. 제1차 세계 대전과 관련이 있다.

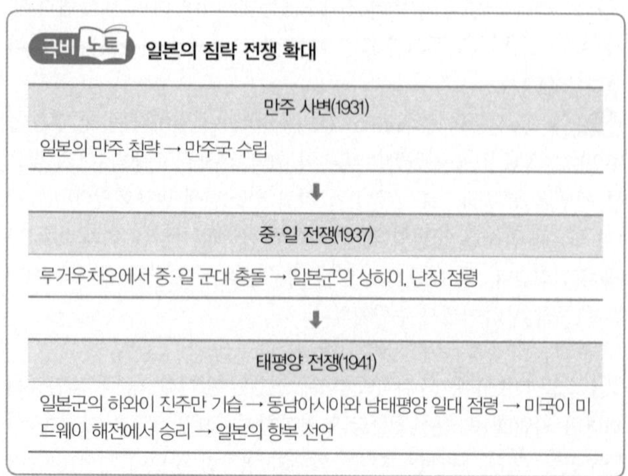
극비 노트 일본의 침략 전쟁 확대

만주 사변(1931)
일본의 만주 침략 → 만주국 수립
⬇
중·일 전쟁(1937)
루거우차오에서 중·일 군대 충돌 → 일본군의 상하이, 난징 점령
⬇
태평양 전쟁(1941)
일본군의 하와이 진주만 기습 → 동남아시아와 남태평양 일대 점령 → 미국이 미드웨이 해전에서 승리 → 일본의 항복 선언

**17** 제시된 글은 중국 공산당이 발표한 「국·공 합작 공포를 위한 선언」이다. 일본이 중·일 전쟁을 일으키자, 중국 국민당 정부는 항일전을 위해 중국 공산당과 내전을 중단하고 제2차 국·공 합작을 성립하였다. 이에 국민당 군대와 공산당 군대는 서로 협력하여 일본군에 맞서 싸웠다.
바로 알기 ②, ③, ④, ⑤는 제2차 국·공 합작과는 거리가 먼 탐구 주제이다.

**18** 제시된 글은 일본이 제정한 국가 총동원법의 내용이다. 국가 총동원법은 중·일 전쟁이 전개되고 있던 1938년에 제정되어 일본이 패망할 때까지 시행되었다. 일본은 징병과 징용을 실시하였고, 많은 여성을 일본군 '위안부'로 끌고 갔다. 또한 황국 신민 서사 암송, 신사 참배 등을 강요하였다.
바로 알기 ④는 1920년에 볼 수 있었던 모습이다.

**19** 일본의 침략 전쟁으로 동아시아 주변국들은 큰 피해와 고통을 당하였다. 일본은 전쟁 물자를 확보하기 위해 식량과 금속에 대한 공출제와 식량 배급제를 시행하였으며, 전쟁 수행에 필요한 인력을 동원하기 위해 징용과 징병을 실시하였다. 특히 일본이 자행한 난징 대학살과 삼광 작전으로 수많은 사상자가 발생하였다.
바로 알기 ①, ②, ④, ⑤는 일본의 침략 전쟁에 따른 피해 사례와 관련이 없는 내용이다.

**20** 제시된 글은 중국 항일군과 한국 독립군의 합의 사항을 나타낸 것으로, 1930년대 만주에서의 한·중 연대와 관련이 있다. 만주 사변 직후 한국과 중국의 민족 운동 세력은 항일을 위한 연대를 형성하였다. 만주에서는 양세봉이 지휘하는 조선 혁명군과 지청천이 이끄는 한국 독립군이 각각 중국 의용군, 중국 호로군과 연합하여 독립 전쟁을 전개하였다.
바로 알기 ① 일본의 진주만 기습으로 태평양 전쟁이 시작되었다. ② 한·중 연합 작전이 전개되던 당시에 사회주의가 동아시아에 유입되었으나, 한국 독립군의 연합 활동은 사회주의자들이 전개한 활동과는 거리가 멀다. ③ 러·일 전쟁 당시 고토쿠 슈스이가 전쟁 반대를 주장하였다. ④ 한인 애국단의 의열 활동으로 중국 국민당이 대한민국 임시 정부를 지원하게 되었다.

**21** 제시된 글은 1940년에 발표된 「한국 광복군 선언문」이다. 한국 광복군은 대한민국 임시 정부가 중국 국민당의 지원을 받아 창설한 정규군이었으며, 이후 김원봉이 이끄는 조선 의용대의 일부를 흡수하여 전력을 강화하였다. 한국 광복군은 태평양 전쟁이 일어나자 연합군의 일원으로 참전하여 인도·미얀마 전선에서 영국군과 연합 작전을 전개하였으며, 미국 전략 정보처(OSS)와 국내 진공 작전을 추진하였다.
바로 알기 ①은 조선 혁명군, ②는 동북 인민 혁명군, ③은 조선 의용군, ④는 한국 독립군에 대한 설명이다.

**22** 만주 사변 이후 한국과 중국에서는 항일을 위한 연대가 형성되었다. 만주에서는 한국 독립군, 조선 혁명군 등 한국 무장 세력과 항일 중국군의 연대가 이루어졌다. 중국 관내에서도 한·중 연대가 추진되었다. 중·일 전쟁 이후에는 김원봉이 조직한 조선 의용대가 중국군과 함께 항일전을 전개하였다. 이후 일부는 화북으로 이동하여 조선 의용군으로 편성되었고, 김원봉을 비롯한 일부는

한국 광복군에 합류하였다. 한편, 한국 광복군은 중국 국민당 정부의 지원을 받아 창설되었으며 연합군과 합동 작전을 수행하였다.
바로 알기 ④ 조선 의용대를 조직한 김원봉은 중국과 연계하여 정보 수집, 포로 심문 등 후방 작전을 전개하였다.

**23** 안중근은 이토 히로부미를 사살한 후 뤼순 감옥에서 『동양 평화론』을 저술하여 일본이 내세운 동양 평화론의 허구성을 비판하고 동아시아의 상호 협력을 위한 방안을 제시하였다.

**극비 노트** 안중근의 「동양 평화론」

> 오늘날 서구 세력이 점차 동쪽으로 밀려오고 있는 환란을 동양 인종은 일치단결하여 힘써 방어해야 함은 삼척동자라도 다 아는 사실이다. 그런데 무슨 까닭으로 일본은 이러한 정세를 돌아보지 아니하고, 같은 종족, 이웃 나라의 가죽을 벗기고 살을 베어 내니 ……

안중근은 1910년 관동 도독부 고등 법원장과의 면담에서 동양 평화 실천을 위한 구체적인 방안을 제시하였다. 그 방안은 동양 3국이 참여하는 평화 회의를 상설화하여 상호 협력 관계를 긴밀히 하고, 3국의 평화군을 창설하여 서구 열강의 침략에 공동으로 대응하자는 내용이다.

**24** 무정부주의자에 의해 만들어진 단체로는 동방 무정부주의자 연맹과 항일 구국 연맹 등이 있다. 그중 항일 구국 연맹은 중국, 한국, 일본의 무정부주의자들이 모여 결성하였다. 이 연맹은 민족의 자주성과 개인의 자유를 확보하는 이상적인 사회 건설에 매진할 것을 목표로 삼았다.
바로 알기 ①, ④, ⑤는 항일을 위한 한·중 연합과 관련이 있다. ③ 일본 중의원 의원으로 활동한 사이토 다카오는 국회에서 반전 연설을 시행하였으나, 무정부주의와는 관련이 없다.

**25** 서구 열강의 식민지 쟁탈전과 일본의 침략이 본격화하는 가운데 제국주의와 침략 전쟁에 반대하는 반제·반전 사상이 대두하였다. 박열은 가네코 후미코와 함께 반제·반전 활동을 펼쳤으며, 변호사였던 후세 다쓰지는 기소된 한국인 독립운동가를 변호하였다. 또한 하세가와 데루는 상하이에서 전쟁에 반대하는 대일 방송을 시행하였고, 일본 병사 반전 동맹은 일본군의 투항과 탈영을 호소하기도 하였다.
바로 알기 ④ 1917년부터 천두슈, 후스 등의 지식인들은 잡지 『신청년』을 발행하여 민주주의와 과학을 강조하는 신문화 운동을 전개하였다.

## 3단계 등급 올리기

본문 75쪽

01 ④ 02 ④ 03 ③ 04 해설 참조

**01** (가)는 시모노세키 조약, (나)는 포츠머스 조약이다. 시모노세키 조약은 청·일 전쟁의 결과 1895년에 체결되었고, 포츠머스 조약은 러·일 전쟁의 결과 1905년에 체결되었다. 포츠머스 조약 체결에 따라 일본은 한반도에서 우월한 지위를 확보하였으며, 뤼순과 다롄 조차권을 획득하고, 남만주 철도 경영권을 확보하게 되었다.
바로 알기 ①은 (나)에 대한 설명이다. ②, ③은 신축 조약에 대한 설명이다. ⑤ 시모노세키 조약과 포츠머스 조약은 미국의 중재로 체결되었다.

**02** 일본이 만주 사변을 일으키자 한국과 중국의 민족 운동 세력은 항일을 위한 국제 연대를 형성하였다. 특히 한국 독립군과 중국 항일군은 일본의 만주 사변을 계기로 국제 연대를 결성하여 일본에 맞서 싸웠다.
바로 알기 ①, ②, ③, ⑤는 일제의 침략에 맞선 항일 국제 연대와는 관련이 없는 내용이다.

**03** 제시된 글은 「조선 의용대 성립 선언」이다. 중·일 전쟁이 발발한 이후에는 중국 국민당 정부의 군사적 지원을 통한 한·중의 연대가 이루어졌다. 중국 국민당 정부의 후원을 받아 김원봉이 조직한 조선 의용대는 중국과 연계하여 후방 작전을 전개하였다. ③ 중·일 전쟁이 발발하자 중국의 국민당과 공산당은 제2차 국·공 합작을 성립하여 일본에 대항하였다.
바로 알기 ①은 제1차 세계 대전, ②는 태평양 전쟁과 관련이 있다. ④ 국민 혁명군이 추진한 북벌은 반군벌과 중국 통일을 위해 전개되었다. ⑤는 만주 사변과 관련이 있다.

### 서술형 문제

**04** (1) 한국 광복군
(2) 예시 답안 한국 광복군은 연합군의 일원으로 인도·미얀마 전선에서 영국군과 연합 작전을 전개하였으며, 미국 전략 정보처(OSS)와 국내 진공 작전을 추진하였다.

| 채점 기준 | 배점 |
|---|---|
| 인도·미얀마 전선에서 영국군과 연합 작전 전개, 미국 전략 정보처(OSS)와 국내 진공 작전 추진의 내용을 모두 서술한 경우 | 상 |
| 위 내용 중 한 가지만 서술한 경우 | 하 |

# 03 서양 문물의 수용

## 1단계 개념 짚어 보기

본문 77쪽

01 만국 공법 02 사회 진화론 03 교육 칙어 04 (1) ㄷ (2) ㄴ (3) ㄱ 05 독립신문 06 (1) ○ (2) × (3) ○ 07 을미개혁 08 요코하마

## 2단계 내신 다지기

본문 77~80쪽

| | | | | |
|---|---|---|---|---|
| 01 ⑤ | 02 ③ | 03 ⑤ | 04 ⑤ | 05 ②|
| 06 ④ | 07 ① | 08 ⑤ | 09 ④ | 10 ② |
| 11 ① | 12 ④ | 13 ③ | 14 ① | 15 ① |
| 16 ① | 17 조계 | 18 ② | 19 ② | |

**01** 만국 공법은 중국 중심의 조공·책봉 질서와 달리 주권 국가 사이의 대등한 관계를 원칙으로 하여 새로운 국제 질서의 법적 근간을 제공하였다. 여기에서는 국가를 문명국, 반문명국, 미개국으로 구분하였는데, 이러한 구분이 제국주의 열강의 식민 지배와 종속을 합리화하는 논리로 활용되면서 만국 공법은 제국주의 팽창과 함께 세계로 확산되었다.

바로 알기 ① 난징 조약은 청과 영국 사이에 체결된 불평등한 조약으로 만국 공법이 적용되지 않았다. ② 파리 강화 회의에서 채택된 것은 민족 자결주의 원칙에 해당한다. ③ 19세기에 찰스 다윈이 생물학적 진화론을 주장하였다. ④ 만국 공법은 중국 중심의 조공·책봉 질서와는 달리 주권 국가 사이의 대등한 관계를 원칙으로 하였다.

**02** 밑줄 친 '공법'은 만국 공법에 해당한다. 청, 일본, 조선은 만국 공법을 각기 다른 방식으로 받아들였다. 청은 기존의 화이관을 유지한 채 서구 열강과의 외교 실무에 이용하는 데 그쳤다. 반면, 일본은 만국 공법을 근거로 청·일 수호 조규에서 청과의 대등한 관계를 규정하였다. 또한 강화도 조약에서 조선이 자주국임을 명시하여 조선에 대한 청의 영향력을 배제하려고 하였다. 조선은 만국 공법에 규정된 상호 주권 보장 조항을 활용하여 국권을 유지하려 하였다.

바로 알기 ㄱ. 일본, ㄹ. 조선에서 만국 공법을 수용한 방식에 해당한다.

**03** 사회 진화론은 경쟁으로 인한 개인 사이에 불평등을 인정하고 약자에 대한 강자의 지배를 당연하게 여겼다. 동아시아 각국은 이러한 사회 진화론을 '우리도 힘을 길러야 한다.'라는 자강 운동의 근거로 변형하여 수용하였다. 특히 서구와 같은 근대화를 이루기 위해서는 국가의 이익을 최우선으로 삼아 애국심과 민족정신을 갖도록 국민을 계몽·통합해야 한다고 강조하였다.

바로 알기 ①은 중체서용의 논리, ②는 성리학, ③은 크리스트교 사상, ④는 천황 숭배 사상과 관련이 있다.

**04** 일본에서는 사회 진화론을 적극적인 개혁의 수단으로 활용하였다. 청에서는 량치차오가 국력을 강화하기 위한 이론으로 활용하였는데, 이에 따라 변법자강 운동과 신문화 운동이 전개되기도 하였다. 한편, 대한 제국에서는 교육과 산업을 일으켜 국력을 키우자는 논리로 활용되면서 애국 계몽 운동에 영향을 주었다.

바로 알기 ⑤ 사회 진화론은 서양이 부강해진 원인을 기술 문명에서만 찾는 일본의 화혼양재, 중국의 중체서용, 한국의 동도서기론을 비판하였다.

**05** 청·일 전쟁의 패배에 충격을 받은 중국의 옌푸는 사회 진화론을 동아시아에 소개하면서 이를 통해 구국의 방법을 모색하고자 하였다. 량치차오의 경우 교육과 식산을 진흥시키는 이론으로 이를 활용하였다. 이후 사회 진화론은 변법자강 운동의 논리로 활용되었고, 신문화 운동이 추진되는 데 영향을 주었다. 한국에서는 유길준, 윤치호 등이 자강의 논리로 수용하였으며, 이는 애국 계몽 운동에 영향을 미치기도 하였다. 한편, 일본의 가토 히로유키는 자유 민권 운동을 비판하면서 확고한 국가 체제가 확립되지 않은 상황에서 인권은 보장받을 수 없다고 주장하였다.

바로 알기 ② 한국에서 추진된 동학 농민 운동은 사회 진화론이 아니라 동학을 사상적 근거로 하였다.

**06** 일본은 메이지 유신 이후 학제를 제정하여 근대적 학교 교육을 도입하였다. 이에 따라 6세가 되면 의무적으로 소학교에 입학하여 서양식 교육을 받도록 하였다. 이에 청·일 전쟁을 전후한 시기부터는 취학률이 크게 증가하게 되었다.

바로 알기 ①, ③, ⑤는 청, ②는 조선에서 있었던 일이며 일본의 취학률 변화와는 관련이 없다.

**07** 연표는 일본의 근대식 교육 보급을 나타내고 있다. 일본은 1872년에 소학교에서 대학교로 이어지는 근대 학제를 발표하고 소학교의 의무 교육 제도를 도입하였으며, 1877년에는 고등 교육 기관인 도쿄 대학을 설립하였다. 또한 1890년에는 「교육 칙어」를 반포하여 충과 효를 중시하는 도덕 교육을 강조하는 등 교육에 대한 국가 통제를 강화하였다.

바로 알기 ②, ③, ④, ⑤는 일본의 근대 교육과는 거리가 먼 주제이다.

**08** 제시된 글은 조선의 「교육입국 조서」를 나타낸 것이다. 조선 정부는 갑오개혁 과정에서 근대 교육 제도를 마련하였다. 이에 「교육입국 조서」를 발표하고 소학교와 사범 학교를 세웠으며, 외국어 학교를 비롯한 각종 교육 기관을 설립하였다. 한편 애국 계몽 운동의 일환으로 전국 각지에 수많은 사립 학교가 설립되었다.

바로 알기 ①, ②, ④는 일본, ③은 청의 근대 교육에 대한 설명이다.

**극비 노트** 「교육 칙어」와 「교육입국 조서」

| 구분 | 교육 칙어 | 교육입국 조서 |
|---|---|---|
| 국가 | 일본(1890) | 조선(1895) |
| 내용 | 천황 중심의 가족적 국가관과 충·효 강조 | 충군 애국과 지·덕·체를 겸비한 교육 강조 |

**09** 사진은 한국 최초의 민간 신문인 『독립신문』이다. 한글과 영문으로 발행된 『독립신문』은 민중 계몽과 이권 수호 운동, 의회 설립 운동 등의 여론을 형성하였으며, 정부의 정책을 비판하였다.
**바로 알기** ①은 중국의 『신보』, 일본의 『요코하마 마이니치 신문』, ②는 한국의 『황성신문』과 『대한매일신보』, ③은 한국의 『한성순보』, ⑤는 중국의 『신보』와 관련된 설명이다.

**10** 제시된 글은 신문의 도입과 관련된 탐구 활동 보고서이다. 중국에서는 영국 상인이 『신보』를 발간하였다. 한국에서는 최초의 근대식 신문이자 관보인 『한성순보』가 발행되었다. 이후 『황성신문』과 영국인 베델이 창간한 『대한매일신보』가 일본의 침략을 비판하자, 일본은 신문지법을 제정하여 언론의 자유를 탄압하고 신문 발행을 통제하였다. 한편, 일본에서는 최초의 일간지 『요코하마 마이니치 신문』이 발행되었으며, 『요미우리 신문』과 『아사히 신문』 등 흥미 위주의 기사를 다룬 신문이 등장하기도 하였다.
**바로 알기** ② 한국에서는 1883년에 관보적 성격의 『한성순보』가 발간되었다.

**11** 1900년대부터 청년은 근대 교육을 통해 배운 지식을 백성에게 전하는 이상적인 국민으로 주목받았다. 동아시아의 젊은이들은 스스로 청년이라는 자각 아래 국가와 민족의 문명을 선도하는 선각자라는 의식을 가지게 되었으며, 청년을 개인으로서 확고한 자의식을 갖춘 근대적 주체로 인식하였다. 한국의 청년들은 6·10 만세 운동과 같은 민족 운동의 구심점 역할을 하였다. 한편, 중국에서는 청년들이 신문화 운동을 주도하기도 하였다.
**바로 알기** ① 1851년 홍수전 주도의 배상제회가 태평천국의 건설을 주도하였다.

**극비 노트** 신문화 운동을 이끈 청년들

> 청년은 이른바 봄과 같으며, 해가 뜨는 아침과 같고, 온갖 꽃에서 싹이 돋아나는 것과 같으며, 숫돌로 날을 간 날카로운 칼과 같아서 인생에서 고귀한 시기에 있는 사람이다. 청년이 사회에 존재한다는 것은 사람의 몸에 신선하고 활기찬 세포가 존재하는 것과 같다. …… 내가 진정한 마음으로 말하고자 하는 것은 새롭고 활발한 청년들이 자각하고 분연하게 투쟁하기를 바란다는 것이다. – 천두슈, 『신청년』

중국에서는 청년들이 신문화 운동을 이끌었다. 천두슈는 1915년 상하이에서 청년들의 사상과 행동의 개혁을 촉구하기 위해 『청년잡지』를 발행하였다. 1916년부터 『신청년』으로 명칭을 바꾼 이 잡지는 신문화 운동의 전파에 크게 기여하였다.

**12** 학생들은 동아시아 각국 여성의 권리 신장에 대해 대화하고 있다. 일본에서는 부인 교풍회가 조직되어 일부다처와 매춘 금지 운동이 전개되었다. 한국에서는 양반 부인들이 여권통문을 발표하였으며, 찬양회를 조직하고, 최초의 사립 여학교인 순성 여학교를 설립하였다. 한편, 중국에서는 신문화 운동 이후 여성 교육과 인권 문제 등이 개혁 과제로 논의되기도 하였다.
**바로 알기** ④ 중국과 한국의 여성 교육은 외국인 선교사들이 세운 여학교를 중심으로 시작되었다.

**13** 지도는 동아시아 지역에 부설된 철도망을 나타낸 것이다. 철도는 상품 유통 촉진, 여행 문화 확산, 기술 발전 등에 중요한 역할을 하였다. 그러나 동아시아 지역에서 철도는 서양 열강의 침략 도구로 인식되어 초기 건설 과정에서 갈등을 일으키기도 하였다. 청은 초기에 열강의 침략과 서양인들과의 잦은 충돌, 풍수 파괴 등의 문제들로 철도 건설에 부정적이었다. 그러나 청·일 전쟁 패배 이후 철도가 국력 증강의 중요 요소라는 점을 인식하고 철도 건설에 적극적으로 나섰다. 일본의 메이지 정부는 중앙 집권 강화와 부국강병의 실현을 위해 철도 건설에 적극적이었다. 이에 1872년 도쿄와 요코하마 사이에 최초의 철도가 부설되기도 하였다.
**바로 알기** ③ 대한 제국의 철도 부설은 일본이 주도하였다. 일본은 1899년에 한국 최초의 철도인 경인선을 건설하였고, 러·일 전쟁 때 경부선과 경의선을 부설하였다.

**14** 기사문은 철도 부설 과정에서 나타난 문제에 대해 다루고 있다. 대한 제국의 철도는 모두 일본인에 의해 건설되었고, 러·일 전쟁 때에는 군대 인력과 물자 수송에 철도가 활용되었다. 일본은 철도 건설을 빌미로 철도 주변의 토지를 약탈하였는데 일본에 대한 반감이 철도 건설 과정에서도 나타나 의병들이 철도 공사장을 공격하기도 하였다.
**바로 알기** ② 임오군란은 구식 군인에 대한 차별이 원인이 되어 일어났다. ③ 일본에서 일어난 자유 민권 운동의 결과 메이지 헌법이 제정되었다. ④ 급진 개화파는 갑신정변을 일으키고 개혁 정강 14개조를 발표하여 청에 대한 사대 폐지, 신분제 폐지 등을 주장하였다. ⑤ 메이지 정부는 폐번치현 단행, 징병제 시행, 식산흥업 정책 추진 등의 근대적 개혁을 실시하였다.

**15** 동아시아 사람들이 기차를 이용하면서 근대적 시간에 맞추어 생활하는 경향은 점차 확산되었다. 특히 열차의 출발·도착 시간을 분 단위까지 표시한 기차 시간표를 보면서 시간을 분, 초까지 나누어 인식하게 되었다. 한편, 철도가 외진 마을까지 도달하게 되자 철길 주변 마을 사람들은 지나가는 기차를 시간을 재는 수단으로 삼기도 하였다. 이와 같이 국가의 표준 시각에 따라 운행되는 철도의 영향으로 철길 주변의 지방 주민까지 시간관념을 갖게 되었다.
**바로 알기** ②, ③, ④, ⑤는 근대적 시간관념이 확산되는 내용과는 거리가 멀다.

**16** 밑줄 친 '이 역법'은 양력이다. 양력은 일본에서는 메이지 유신이 진행되던 1873년, 한국에서는 을미개혁이 진행되던 1896년에 도입되었으며, 중국에서는 1912년에 중화민국이 수립되면서 사용되었다.
**바로 알기** ② 농사, 명절 등 풍습과 관련해서는 음력과 양력을 병행하여 사용하였다. ③ 존왕양이 운동은 메이지 정부 수립 이전에 일어났다. 일본에서 양력 도입은 메이지 정부 수립 이후에 이루어졌다. ④ 한국에서는 강화도 조약 체결 이후 을미개혁이 진행되면서 양력이 도입되었다. ⑤ 중국에서는 신해혁명의 결과 중화민국이 수립되면서 양력이 도입되었다.

**17** 개항장에서 외국인이 자유롭게 통상하고 거주하며 치외 법권을 누릴 수 있도록 설정한 구역을 청과 조선에서는 조계, 일본에서는 거류지라고 불렀다. 한편, 개항으로 국제 무역과 금융이 확대되면서 근대 도시가 성장하였다. 개항 도시에는 외국인의 집단 거주지가 형성되었고, 전신·전화·우편·신문·전차 등 근대적 교통·통신 시설이 들어섰다.

**18** 일본의 요코하마는 에도 막부가 가나가와의 바다를 메워 건설하였으며, 1858년 미·일 수호 통상 조약의 체결로 개항되었다. 또한 1872년에는 요코하마와 도쿄를 잇는 철도가 일본 최초로 부설되었으며 『요코하마 마이니치 신문』이라는 일본 최초의 일간지가 이곳에서 발행되기도 하였다. 개항 도시들은 전국의 상인이 모이는 무역항으로 성장하였고, 이곳을 통해 신문, 공원, 음식 등 서구 문화가 들어왔다.

**바로 알기** ①은 베이징, ③은 도쿄, ④는 상하이, ⑤는 한성에 해당한다.

**19** 제시된 글은 중국의 상하이에 대한 설명이다. 상하이는 난징 조약으로 개항되어 미국, 영국, 프랑스 등의 조계가 들어섰다. 이에 지식인과 언론인·출판인들이 대거 이주하여 활동하면서 경제·문화 중심지로 부상하였다. 한편, 3·1 운동 이후 상하이에 대한민국 임시 정부가 수립되었으며, 1932년에는 윤봉길 의사의 훙커우 공원 의거가 일어나기도 하였다.

**바로 알기** ①은 베이징, ③은 부산, ④는 시모노세키, ⑤는 도쿄이다.

## 3단계 등급 올리기

본문 81쪽

01 ② 02 ② 03 ⑤ 04 해설 참조

**01** 제시된 글은 사회 진화론을 나타낸 것이다. 동아시아 각국은 '우리도 힘을 길러야 한다.'라는 자강 운동의 근거로 사회 진화론을 수용하였다. 특히 서구와 같은 근대화를 이루기 위해서는 국가의 이익을 최우선으로 삼아 애국심과 민족정신을 가질 수 있도록 국민을 계몽·통합해야 한다고 강조하였다.

**바로 알기** ① 위정척사 운동은 조선의 양반 유생들에 의해 전개되었으며 성리학이 바탕이 되었다. ③ 임오군란은 신식 군인에 대한 구식 군인의 차별이 원인이 되어 일어났다. ④ 태평천국 운동은 크리스트교의 영향을 받아 전개되었다. ⑤ 동아시아 반전 연대 활동은 일본의 침략 전쟁이 본격화되던 시기에 일어나 제국주의 침략과 전쟁에 반대하였다.

**극비 노트** 사회 진화론

- 세계에 있는 것은 강자의 권리뿐이다. 강자가 늘 약자를 다스릴 뿐 다른 힘이라는 게 따로 없다. 그것이 진화의 가장 보편적인 원칙이다. 자유권을 얻고자 한다면 먼저 강자가 되는 방법밖에 별도리가 없다. -「음빙실문집」
- 대개 인생의 만사가 경쟁을 의지하지 않는 일이 없으니 크게는 천하와 국가의 일부터, 작게는 한 몸 한 집안의 일까지 실로 다 경쟁으로 말미암아 먼저 진보할 수 있는 바라. …… 만약 국가들 사이에 경쟁하는 바가 없으면 어떤 방법으로 그 광위와 부강을 증진할 수 있는가? -「경쟁론」

첫 번째 글은 청의 량치차오의 주장이며, 두 번째 글은 조선의 유길준의 주장이다. 동아시아에서 사회 진화론은 서구 열강의 위협과 생존 경쟁에서 살아남기 위해 실력을 길러야 한다는 자강의 논리로 받아들여졌다. 특히 량치차오는 사회 진화론을 변법자강의 논리로 활용하였고, 조선의 애국 계몽 운동가들은 실력 양성 운동을 펼칠 때 이용하였다.

**02** (가)는 일본의 「교육 칙어」, (나)는 한국의 「교육입국 조서」이다. 일본은 1890년 「교육 칙어」를 발표하여 국민의 충성심과 효심이 국체의 정화이자 교육의 근원임을 규정하였다. 한국은 1895년 「교육입국 조서」를 발표하여 근대 학제를 제도적으로 뒷받침하였다.

**바로 알기** ② 중국에서는 신정이 시행되면서 과거제를 폐지하는 등 각종 교육 제도에 대한 개혁이 이루어졌다.

**03** 지도의 (가)는 상하이, (나)는 부산, (다)는 요코하마이다. 상하이는 난징 조약으로 개항되어 미국과 영국, 프랑스 등의 조계지가 형성되었고, 이곳에 거류하던 영국 상인에 의해 『신보』가 발행되었다. 부산은 강화도 조약으로 개항되었고 이곳에는 경부선이 부설되었다. 요코하마는 미·일 수호 통상 조약으로 개항되었고 이곳에는 일본 최초로 철도가 부설되었다.

**바로 알기** ① 수신사는 근대 문물의 시찰을 위해 조선이 일본에 파견한 사절단이다. 따라서 문물을 시찰 중인 수신사 일행은 일본에서 볼 수 있었던 모습에 해당된다. ②는 베이징, ③, ④는 한성에서 볼 수 있었던 모습이다.

## 서술형 문제

**04** (1) 철도

(2) **예시 답안** 철도가 건설되면서 인구 이동, 상품 유통, 인적 교류가 촉진되었으며, 사람들의 활동 공간과 시야가 확대되었다. 반면, 철도는 제국주의 열강의 침략 도구로 인식되었고, 이에 초기 건설 과정에서 갈등이 발생하기도 하였다.

| 채점 기준 | 배점 |
|---|---|
| 철도가 건설되면서 나타난 긍정적 영향과 부정적 인식을 모두 서술한 경우 | 상 |
| 철도가 건설되면서 나타난 긍정적 영향이나 부정적 인식 중 한 가지만 서술한 경우 | 하 |

# 01 제2차 세계 대전의 전후 처리와 동아시아의 냉전

## 1단계 개념 짚어 보기

본문 83쪽

01 얄타 회담
02 극동 국제 군사 재판(도쿄 재판)
03 애치슨 라인
04 (1) × (2) ○ (3) ○
05 베트남 사회주의 공화국
06 닉슨 독트린
07 한·일 기본 조약
08 (1) ㄴ (2) ㄱ (3) ㄹ (4) ㄷ

## 2단계 내신 다지기

본문 83~86쪽

| | | | | |
|---|---|---|---|---|
| 01 ④ | 02 ③ | 03 ② | 04 ① | 05 ④ |
| 06 ① | 07 ② | 08 ⑤ | 09 ④ | 10 ⑤ |
| 11 ⑤ | 12 제네바 협정 | | 13 ① | 14 ① |
| 15 ① | 16 ③ | 17 ① | 18 ⑤ | 19 ④ |

**01** 밑줄 친 '선언'은 카이로 선언이다. 카이로 회담에 참석한 미국, 영국, 중국의 수뇌부들은 카이로 선언을 발표하여 일본에 무조건 항복을 요구하고 한국의 독립을 최초로 약속하였다.
바로 알기 ①은 얄타 회담에 대한 내용이다. ② 포츠담 회담에서는 카이로 선언의 이행을 재확인하였다. ③ 얄타 회담에서 전후 독일의 처리 문제에 대해 합의하였다. ⑤ 1945년 8월 초 미국이 일본 열도에 원자 폭탄을 투하하였다.

**02** 제2차 세계 대전 종결 이후 미국은 일본의 비군사화, 민주화를 목표로 군정을 실시하였다. 미 군정은 여성에게 투표권을 부여하고, 지방 자치제를 도입하였으며, 농지 개혁을 단행하고, 노동조합의 활동을 보장하였다. 또한 중학교 의무 교육을 시행하였다.
바로 알기 ③ 미 군정은 태평양 전쟁의 책임이 있는 일본 군수 재벌 기업을 해체하였다.

**03** 제시된 글은 극동 국제 군사 재판(도쿄 재판)에 대한 내용이다. 제2차 세계 대전 종결 이후 도쿄에서는 11개 연합국의 참여 아래 일본의 주요 전범에 대한 극동 국제 군사 재판이 열렸다. 이 재판에서는 전쟁의 책임을 군부에 물어 천황에게 면죄부를 주었다.
바로 알기 ① 극동 국제 군사 재판은 도쿄에서 개최되었다. ③ 전쟁에 적극적으로 참여한 관료와 재벌에게 전쟁의 책임을 묻지 않았다. ④ 주요 피해국인 아시아 국가들의 의견이 제대로 반영되지 않았다. ⑤ 냉전 체제라는 국제 정세의 변화에 따라 전범에 대한 책임 추궁이 제대로 이루어지지 않았다.

**04** 미 군정의 요청으로 제정된 신헌법(평화 헌법)은 일본이 평화 국가로 나아가기 위한 여러 조항들을 규정하였다. 기존에 신격화되었던 천황을 상징적인 존재로 규정하였으며, 주권 재민과 인권 보호의 원칙을 밝히고, 전쟁 포기와 군사력 보유 금지를 규정하였다.

**05** 미국과 소련의 대립이 심화되고 중국과 북한이 공산화되는 상황에서 6·25 전쟁이 발발하자 미국은 일본을 동아시아의 반공 기지로 구축하고자 하였다.
바로 알기 ① 미국과 소련이 대립하면서 냉전 체제가 심화되었다. ② 1945년 개최된 얄타 회담에서는 독일의 전후 처리 문제가 논의되었다. ③ 워싱턴 회의는 제1차 세계 대전이 끝난 이후인 1921년 열강들의 이해관계 조정을 위해 열렸다. ⑤ 제2차 국·공 합작은 1937년 중·일 전쟁이 발발하면서 성립되었다.

**06** 제시된 글은 샌프란시스코 강화 조약의 내용이다. 이 조약의 체결로 일본은 주권을 회복하고 국제 사회에 복귀할 수 있었다. 그러나 조약 체결 과정에서 한국과 중국 등 피해국의 참여가 배제되었고, 피해국에 대한 일본의 사과와 배상이 제대로 이루어지지 않았다. 이 조약 체결 직후 미국과 일본은 군사 동맹을 맺었다.
바로 알기 ① 6·25 전쟁이 일어나자 미국은 반공 기지로서 일본의 역할을 강조하면서 샌프란시스코 강화 조약 체결을 주도하였다.

**07** 일본의 항복이 임박하자 미국과 소련은 한반도로 진출하여 38도선을 기준으로 한반도를 분할 점령하였다. 이후 남한에서는 미국에 의한 군정이 실시되었다.

**08** 그래프의 (가)는 중국 공산당군, (나)는 중국 국민당군의 병력 증감을 나타내고 있다. 중국 국민당군은 내전 초기에 공산당의 근거지인 옌안을 점령하는 등 우세하였으나 소련의 군수 지원을 받은 공산당에게 패하고 타이완으로 이동하였다. ⑤ 중국 국민당은 관료들의 부정부패와 물가 상승 등으로 점차 민심을 잃었다.
바로 알기 ①, ②는 국민당, ③, ④는 공산당에 대한 설명이다.

**09** 애치슨 라인 발표로 북한은 한반도에서 전쟁이 일어나더라도 미국이 참전할 가능성이 낮다고 판단하고, 소련·중국의 동의와 지원을 받아 1950년 6월 전면 남침을 강행하였다.
바로 알기 ① 국·공 내전은 미국의 평화 교섭 중재가 실패하고 난 뒤인 1946년부터 본격화되었다. ② 미국은 통킹만 사건을 빌미로 1965년 북베트남을 무차별 공격하였다. ③ 프랑스는 베트남의 독립을 인정하지 않고 1946년 제1차 인도차이나 전쟁을 일으켰다. ⑤ 대중적 지지를 얻은 중국 공산당은 수도 난징을 점령하고 1949년 중화 인민 공화국 수립을 선포하였다.

**10** 지도는 6·25 전쟁 과정을 나타낸 것이다. 6·25 전쟁은 동아시아 각국에 영향을 미쳤다. 일본은 6·25 전쟁 중 유엔군에 각종 보급품과 장비를 공급하면서 경제 호황을 누렸고, 미국과 군사 동맹 관계를 맺게 되었다. 타이완은 미국의 전면적인 지지를 얻었으며, 이는 미국·한국·일본·타이완을 연결한 반공 동맹 강화로 이어졌다. 한편, 중국은 사회주의권에서 정치적 위상을 높일 수 있었다.
바로 알기 ⑤는 베트남 전쟁과 관련된 내용이다.

**11** 호찌민이 베트남 민주 공화국을 수립한 시기는 1945년이고, 남베트남의 단독 선거로 베트남 공화국이 수립된 시기는 1955년이다. 제2차 세계 대전 이후 호찌민은 베트남 민주 공화국을 선포하고, 이를 인정하지 않는 프랑스와 전쟁을 치렀다. 마침내 베트남이 승리한 이후 열린 제네바 회담에서 프랑스군의 철수가 결정되었다.
바로 알기 ①은 1964년, ②는 1969년, ③은 1973년, ④는 1976년에 있었던 일이다.

**12** 디엔비엔푸 전투에서 베트남이 승리한 후 개최된 제네바 회담에서는 프랑스군의 철수, 북위 17도선을 경계로 한 남북 분단, 통일을 위한 총선거의 2년 내 실시 등의 합의가 이루어졌다.

**13** 밑줄 친 '이 전쟁'은 베트남 전쟁이다. 통킹만 사건을 빌미로 미국은 베트남 전쟁에 본격적으로 참전하였다. 이후 북베트남에 대대적인 공격을 가하였으나 남베트남 민족 해방 전선의 설날 공세로 타격을 입었다. 결국 반전 운동과 인명 피해 등으로 궁지에 몰린 미국은 철군 방침을 정하여 파리 평화 협정을 체결하였다.
바로 알기 ② 극동 국제 군사 재판은 일본의 주요 전범을 처벌하기 위해 1946년에 개최되었다. ③ 1955년 베트남 공화국이 수립되자 이에 반대하는 세력이 남베트남 민족 해방 전선을 결성하여 저항하였다. ④ 6·25 전쟁이 끝난 이후 1953년에 한·미 상호 방위 조약이 체결되었다. ⑤ 중국 국민당 정부의 지원을 받아 대한민국 임시 정부는 1940년에 한국 광복군을 창설하였다.

**14** 미군 철수 후 북베트남이 사이공을 점령하면서 베트남 전쟁은 끝났고 1976년 베트남 사회주의 공화국이 수립되었다.
바로 알기 ②는 1945년, ③은 1946년, ④는 1952년, ⑤는 1951년에 있었던 일이다.

**15** 1969년 닉슨 독트린의 발표 이후 미국과 소련은 핵 확산 방지 조약을 비준하고, 전략 무기 제한 협정(SALT)을 체결하는 등 긴장 완화를 위해 노력하였다.

> **극비 노트** 닉슨 독트린의 발표(1969)
>
> • 미국은 앞으로 베트남 전쟁과 같은 군사적 개입을 피한다.
> • 강대국의 핵에 의한 위협의 경우를 제외하고는 내란이나 침략에 대하여 아시아 각국이 스스로 협력하여 그에 대처하도록 한다.
>
> 미국의 닉슨 대통령이 발표한 외교 정책으로, 아시아의 방위 책임은 아시아 국가들에게 있으며, 미국은 개입을 최소화한다는 내용이다. 이러한 닉슨 독트린의 발표는 냉전 완화의 계기를 마련해 주었다.

**16** 제시된 글은 1965년 체결된 한·일 기본 조약의 내용이다. 베트남 전쟁이 본격화되자 미국은 동아시아 안보 체제의 강화를 위해 한국과 일본의 수교를 촉구하였다. 한국은 경제 건설을 위해 일본의 자본이 필요하였고 일본도 한국과의 교역이 필요하였다. 그 결과 1965년 한·일 기본 조약이 체결되었다.
바로 알기 ㄱ. 극동 국제 군사 재판에서 일본 전범을 처벌하고자 하였다. ㄹ. 미국의 주도 아래 동아시아 안보 체제를 강화하려 하였다.

**17** (가) 일·화 평화 조약이 체결된 시기는 1952년이고, (나) 중·일 평화 우호 조약이 체결된 시기는 1978년이다. 1971년 유엔은 중국을 안전 보장 이사회 상임 이사국으로 받아들였다.
바로 알기 ②, ③, ④는 (나) 이후에 일어난 일이고, ⑤는 (가) 이전에 일어난 일이다.

**18** (가)는 1972년 발표된 중·일 공동 성명이다. 이를 통해 일본이 중화 인민 공화국을 중국의 유일한 합법 정부로 인정하자, 타이완 정부는 일본과의 외교 관계를 즉각 단절하였다.
바로 알기 ①은 1945년, ②는 1965년, ③은 1953년, ④는 1948년에 있었던 일이다.

**19** 1972년 미국의 닉슨 대통령이 중국을 방문하고 미·중 공동 성명을 발표하였다. 이때 미국은 중국을 유일한 합법 정부로 인정하고 타이완이 중국의 일부임을 인정하였다. 한편, 냉전 체제가 붕괴된 이후 한국은 중국과 정식으로 국교를 정상화하고 베트남과도 국교를 수립하였다.
바로 알기 ④ 미국이 일본과 안전 보장 조약을 체결한 시기는 1951년이다. 이 조약으로 미국과 일본의 군사 동맹 관계가 구축되었다.

## 3단계 등급 올리기

본문 87쪽

01 ⑤ 02 ① 03 ② 04 해설 참조

**01** (가) 샌프란시스코 강화 조약을 통해 일본은 주권을 회복하고 국제 사회로 복귀할 수 있었다. (나) 파리 평화 협정 체결에 따라 미국은 베트남에서 미군 철수 방침을 확정하였다.
바로 알기 ⑤ 1951년 미·일 안전 보장 조약이 체결되면서 미국과 일본의 군사 동맹 관계가 구축되었다.

**02** (가)는 국·공 내전, (나)는 6·25 전쟁, (다)는 베트남 전쟁에 대한 내용이 들어갈 수 있다. 국·공 내전 초기에는 국민당군이 전쟁을 주도하였지만, 공산당군이 토지 개혁을 실시하여 농민들의 지지를 얻으면서 전세가 역전되었다. 북한의 전면 남침으로 시작된 6·25 전쟁은 유엔군과 중국군이 전쟁에 참여하면서 국제전의 성격을 보였다. 통킹만 사건을 빌미로 미국은 본격적으로 베트남 전쟁에 참전하였으며, 한국도 미국의 동맹국으로 베트남에 파병하였다.
바로 알기 ① 1926년 쑨원이 사망한 이후 실권을 장악한 장제스는 군벌을 타도하고 중국을 통일하기 위해 북벌을 시작하였다.

**03** 마오쩌둥이 중화 인민 공화국을 수립한 시기는 1949년이며, 미국의 닉슨 대통령이 중국을 방문한 시기는 1972년이다. 1960년대 미국은 동아시아에서 안보 체제 구축을 위해 한국과 일본 양국의 수교를 촉구하였다. 이에 1965년 한국과 일본은 한·일 기본 조약을 체결하여 국교를 정상화하였다.
바로 알기 ①은 1990년, ③, ④는 1946년, ⑤는 1976년의 일이다.

### 서술형 문제

**04** (1) 신헌법(평화 헌법)
(2) 예시 답안 신헌법에서는 신격화되었던 천황을 일본의 상징적인 존재로 규정하였다. 그리고 국민 주권과 기본적 인권 보장, 군사력 보유 금지 등을 명시하였다.

| 채점 기준 | 배점 |
| --- | --- |
| 천황을 상징적인 존재로 규정, 국민 주권과 기본적 인권 보장, 군사력 보유 금지 등을 모두 서술한 경우 | 상 |
| 위 내용 중 두 가지를 서술한 경우 | 중 |
| 위 내용 중 한 가지만 서술한 경우 | 하 |

## 02 경제 성장과 정치 발전 및 갈등과 화해

### 1단계 개념 짚어 보기

본문 90쪽

01 거품 경제 02 덩샤오핑 03 도이머이 정책
04 (1) ㄷ (2) ㄴ (3) ㄱ 05 55년 체제 06 문화 대혁명
07 (1) ○ (2) × (3) × 08 동북공정

### 2단계 내신 다지기

본문 90~94쪽

| | | | | |
|---|---|---|---|---|
| 01 ⑤ | 02 ① | 03 ④ | 04 ③ | 05 ③ |
| 06 ③ | 07 ③ | 08 ③ | 09 ④ | 10 ① |
| 11 ② | 12 ① | 13 5·18 민주화 운동 | | 14 ④ |
| 15 ③ | 16 ⑤ | 17 ⑤ | 18 ② | 19 ⑤ |
| 20 ③ | 21 ④ | 22 ⑤ | 23 ⑤ | 24 ⑤ |
| 25 ① | 26 ③ | | | |

**01** 일본은 제2차 세계 대전 이후 경제적으로 큰 어려움을 겪었다. 그러나 전쟁 이전부터 우수한 기술력을 축적해 놓았던 일본은 미국의 지원과 6·25 전쟁 특수가 더해지자 1950년대부터 급속한 경제 성장을 이루기 시작하였다. ⑤ 6·25 전쟁 때 일본은 군수 물자 공급 기지로서 산업 생산량을 크게 늘렸다.
바로 알기 ① 1946년 제정된 평화 헌법은 6·25 전쟁 이전에 발표되었다. ② 일본의 '55년 체제'는 1993년에 붕괴되었다. ③ 일본의 거품 경제는 1980년대에 형성되었다. ④ 중·일 평화 우호 조약은 1978년에 체결되었다.

**02** 그래프에 표시된 (가) 시기는 1980년대로, 일본에서는 거품 경제가 형성된 시기이다. 1985년 일본은 미국과 무역 마찰을 겪고 엔화의 가치가 폭등하자, 수출 기업을 보호하기 위해 금리를 대폭 낮추었다. 그러자 저렴한 이자로 대출을 받은 기업과 개인이 부동산과 주식 등에 과잉 투자를 하면서 거품 경제가 형성되었다.
바로 알기 ②, ③은 1950년대 중반에서 1970년대 초반, ④는 1970년대 중·후반, ⑤는 1990년대 일본 경제에 대한 설명이다.

**03** 사진은 한국에서 발행된 경제 개발 5개년 계획 기념우표이다. 박정희 정부는 1960년대에 제1차 경제 개발 5개년 계획을 수립하여 외국의 자본과 기술, 국내의 값싼 노동력을 이용한 수출 주도형 경제 정책을 추진하였다.
바로 알기 ①은 1990년대 말, ②는 1950년대, ③은 1970년대 말, ⑤는 1980년대 한국 경제에 대한 설명이다.

**04** 한국에서는 1970년대에 철강, 조선 등의 중화학 공업이 발전하여 산업 구조의 고도화가 진행되었다. 1980년대에는 저유가, 저달러, 저금리라는 3저 현상에 힘입어 경제 성장을 계속하였다. 이후 1996년 경제 협력 기구(OECD)에 가입하였으나 1997년에 외환 위기가 발생하면서 국제 통화 기금(IMF)의 관리를 받기도 하였다.
바로 알기 ㄱ. 1962년에 제1차 경제 개발 5개년 계획이 추진되었다. ㄹ. 1950년대에 미국 원조에 의한 소비재 공업이 발달하였다.

**05** 한국, 일본, 타이완은 정부 주도로 기술 개발과 산업을 육성하고 수출 중심의 경제 정책을 추진하였다. 또한 대규모의 경제 원조와 수출 시장을 제공한 미국에 의해 고도성장을 이룰 수 있었다.
바로 알기 ①은 일본의 경제, ②, ④는 사회주의 계획 경제와 관련된 내용이다. ⑤ 한국, 타이완, 싱가포르, 홍콩이 아시아의 4대 신흥 공업국에 해당한다.

**06** 밑줄 친 '이 운동'은 중국의 대약진 운동이다. 대약진 운동은 1950년대 말 농업과 공업 부문에서 대규모 증산을 목표로 전개되었다. 그 과정에서 인민공사를 조직하여 농업을 집단화하고 철강 생산에 노동력을 동원하였다. 그러나 집단화에 대한 농민들의 불만과 근로 의욕 감소, 기술력의 부족, 자연재해에 따른 생산력 저하와 대기근 등의 문제가 발생하면서 실패하였다.
바로 알기 ① 국·공 내전은 1946년부터 1949년까지 전개되었으며, 이 시기 중국 공산당은 토지 개혁을 실시하였다. ②, ④는 중국의 개혁·개방 정책에 대한 설명이다. ⑤ 1990년대에 이르러 소련을 비롯한 사회주의권이 몰락하였다.

**07** 제시된 글은 덩샤오핑이 주도한 중국의 개혁·개방 정책을 나타낸 것이다. 덩샤오핑은 1978년부터 농업, 공업, 국방, 과학 기술 4개 부문의 현대화를 목표로 개혁·개방 정책을 추진하였다. 이에 시장 경제 체제를 도입하여 농촌에서 인민공사를 해체하고 가족농업으로 전환하였으며, 사기업 설립을 허용하였다. 또한 경제특구를 설치하여 외국 자본과 기술을 도입하고 수출 확대에 힘썼다.
바로 알기 ①은 한국의 박정희, ②, ④, ⑤는 마오쩌둥의 활동에 해당한다.

**08** 베트남은 1975년 통일을 이루고 베트남 사회주의 공화국을 수립한 뒤 강력한 사회주의 정책을 시행하였다. 그러나 통일 이후 캄보디아 내전에 개입하고, 중국과 전쟁을 벌이는 과정에서 경제가 크게 악화되었다. 이에 베트남 정부는 1986년 개혁·개방을 표방하는 도이머이 정책을 채택하여 시장 경제 체제의 일부를 도입하였다. 특히 정부는 개인 농가에 농지를 대여하고 농업세를 낮추는 등 농업 부문에 집중적으로 투자하였다. 최근에는 공업 부문에서도 개방 정책을 추진하며 성장을 이어 나가고 있다.
바로 알기 ①은 북한, ②는 일본, ④, ⑤는 한국의 경제와 관련된 내용이다.

**09** 그림은 1958년부터 시작된 북한의 천리마운동을 나타낸 것이다. 천리마운동은 노동력을 동원하여 생산력 향상을 추구한 경제 정책으로, 초기에는 다소 성과가 있었으나 자본과 기술 부족 등으로 한계를 드러냈다.
바로 알기 ① 합작사는 1950년대 중국에서 농업 집단화를 추진한 조직을 일컫는다. ② 중국의 개혁·개방 정책, 베트남의 도이머이 정책, 북한의 합영법 제정 등이 시장 경제 체제의 일부를 도입한 정책이다. ③ 문화 대혁명은 1966년부터 마오쩌둥이 주도한 대중 동원 운동이다. ⑤는 덩샤오핑이 추진한 중국의 개혁·개방 정책에 대한 설명이다.

**10** 북한은 1970년대에 들어서면서 경직된 경제 체제의 모순, 소련의 원조 중단, 과도한 군사비 지출 등으로 경제 침체가 본격화되었다. 이에 1980년대 중반 합영법을 제정하여 외국 자본 유치에 힘쓰는 등 경제 침체의 돌파구를 찾기 위한 노력을 전개하였고, 1990년대에는 나진·선봉 지역 등을 경제특구로 지정하기도 하였다.
바로 알기 ㄷ, ㄹ. 1950년대에 추진된 정책에 해당한다.

**11** 일본에서는 보수 정당인 자유당과 민주당이 합당해 만들어진 자유 민주당(자민당)과 사회당의 양당 체제인 '55년 체제'가 성립되었다. 자민당은 일본 경제의 호황을 바탕으로 장기 집권하였다.
바로 알기 ① 국민의 민주화 요구에 따라 1987년에 계엄령이 해제된 나라는 타이완에 해당한다. ③ '55년 체제'는 일본의 거품 경제가 무너지던 1990년대에 붕괴되었다. ④ 평화 헌법은 '55년 체제'가 성립되기 이전인 1946년에 제정되었다. ⑤ 1976년 록히드 사건으로 '55년 체제'가 위기에 봉착하였지만 붕괴되지는 않았다.

**12** (가)에 들어갈 민주화 운동은 한국의 4·19 혁명이다. 이승만 정부는 두 차례에 걸친 개헌을 통해 장기 집권을 꾀하였다. 그러나 3·15 부정 선거에 대한 국민적 저항이 전개되어 4·19 혁명이 발발하였다. 이에 이승만 대통령이 하야하고, 장면 내각이 수립되었다.
바로 알기 ② 유신 체제는 박정희가 10·26 사태로 사망하면서 붕괴되었다. ③ 타이완에서는 1987년 계엄령이 해제되면서 복수 정당제가 도입되었다. 한국에서는 5·10 총선거를 시행하면서부터 복수 정당제가 도입되었다. ④ 6월 민주 항쟁이 일어나 대통령 직선제 개헌을 이끌어 냈다. ⑤ 남북 정상 회담은 김대중 정부와 노무현 정부 시기에 이루어졌다.

**13** 신군부가 비상계엄을 전국으로 확대하고 일체의 정치 활동을 중지시키자, 1980년 5월 18일 광주에서 시민과 학생들이 비상계엄 확대에 저항하는 대규모 시위를 전개하였다.

**14** 제시된 글은 1987년 발표된 6·29 민주화 선언의 내용이다. 1987년 한국에서는 전두환 정부가 대통령 간선제에 의해 차기 대통령을 선출하려 하자, 국민들은 6월 민주 항쟁을 전개하였다. 이에 정부는 국민의 요구를 수용하여 대통령 직선제 개헌을 약속하는 6·29 민주화 선언을 발표하였다.
바로 알기 ① 6·29 민주화 선언은 1987년 일어난 6월 민주 항쟁의 결과 발표되었다. ② 6월 민주 항쟁은 전두환 정부 시기에 일어났다. ③ 박정희를 중심으로 한 군인들이 5·16 군사 정변을 일으켰다. ⑤ 유신 체제는 박정희가 10·26 사태로 사망하면서 붕괴되었다.

**15** 제시된 글은 타이완 의회의 계엄령 해제 승인과 관련된 기사문이다. 국·공 내전에서 패배한 국민당은 중국과의 군사적 긴장감을 이유로 타이완에서 38년간 계엄령을 실시하였다. 그러나 국민의 민주화 요구로 1987년에 계엄령이 해제되고 이듬해에는 총통 직선제 개헌과 복수 정당제 도입 등으로 제도적 민주화가 이루어졌다.
바로 알기 ①은 일본, ②는 북한, ④는 한국에서 있었던 일이다. ⑤ 국민당은 국·공 내전에서 패배하면서 타이완으로 이동하여 1949년부터 집권하였다.

**16** (가)는 10월 유신이 선포된 1972년, (나)는 야당 후보 김대중이 대통령에 당선된 1997년의 일이다. 타이완에서는 국민의 거듭된 민주화 요구로 1987년 계엄령이 해제된 이후 1988년에 총통 직선제 개헌과 복수 정당제 도입 등이 이루어졌다.
바로 알기 ①은 1960년, ②, ③은 1958년, ④는 1955년의 일이다.

**17** 밑줄 친 '이 혁명'은 중국의 문화 대혁명이다. 1966년 마오쩌둥은 문화 대혁명을 일으켜 시장 경제 체제의 도입을 주장하는 세력을 제거하고, 청소년들로 조직된 홍위병을 앞세워 자본주의 체제의 수용을 주장한 세력을 처단하였다.
바로 알기 ①은 신해혁명에 대한 설명이다. ② 문화 대혁명은 마오쩌둥이 사망하면서 중단되었다. ③은 개혁·개방 정책, ④는 대약진 운동에 대한 설명이다.

**18** 제시된 글은 중국의 톈안먼 사건 당시 발표된 「단식 선언서」이다. 중국에서는 1970년대 말부터 덩샤오핑의 주도 아래 경제 위기를 극복하고 공산당 집권을 안정시키기 위한 개혁·개방 정책이 추진되었다. 개혁·개방의 가속화는 정치 체제의 개혁 요구로 이어져 1989년에는 공산당 독재 타도와 민주화를 요구하는 톈안먼 사건이 일어났다. 그러나 중국 정부는 군대를 동원하여 이를 진압하였으며, 이 과정에서 많은 희생자가 발생하였다.
바로 알기 ① 한국에서 일어난 6월 민주 항쟁은 1987년의 일로, 톈안먼 사건보다 먼저 전개되었다. ③은 한국의 6월 민주 항쟁에 대한 설명이다. ④, ⑤ 중국의 정치 체제는 공산당 일당 체제로 유지되고 있다.

**19** (가)는 1980년 한국 광주에서 일어난 5·18 민주화 운동, (나)는 1989년 중국 베이징에서 일어난 톈안먼 사건이다. 두 사건 모두 민주화를 요구하며 시민들이 시위를 전개하였다.
바로 알기 ①은 6월 민주 항쟁에 대한 설명이다. ② 4·19 혁명은 3·15 부정 선거에 반발하여 일어났다. ③ 대약진 운동은 마오쩌둥의 주도로 1958년부터 추진되었다. ④는 1966년부터 시작된 문화 대혁명에서 대한 설명이다.

**20** 북한은 조선 노동당이 권력을 독점하는 일당 지배 체제로, 주체사상을 유일 노선으로 삼고 있다. 또한 6·25 전쟁 이래 반대파의 숙청과 중·소 분쟁 등을 거치면서 김일성 독재 체제를 더욱 강화해 나갔다. 특히 1972년에는 주석제를 명시한 사회주의 헌법을 제정하여 김일성 유일 지배 체제를 확립하였다.
바로 알기 ①은 1990년대, ②, ⑤는 1950년대, ④는 2010년대에 있었던 일이다.

**21** 제시된 글은 쿠릴 열도(북방 도서)에 대한 내용이다. 쿠릴 열도 남부의 4개 섬은 일본과 러시아 사이에 영유권 다툼이 벌어지고 있는 곳이다. 이 지역은 제2차 세계 대전의 승전국인 소련이 자국의 영토로 편입한 이후 현재까지 러시아가 영유하고 있다. 여기에 대해 일본은 역사적으로 자국의 영토라고 주장하며 반환을 요구하고 있다.
바로 알기 ①은 시사 군도, ②는 센카쿠 열도, ③은 랴오둥반도, ⑤는 독도와 관련된 내용이다.

**극비 노트** 동아시아의 영토 분쟁

| | |
|---|---|
| 쿠릴 열도 | 제2차 세계 대전 이후 소련이 점령한 이래 현재 러시아가 실효적으로 지배, 러시아와 일본 간 영유권 분쟁 발생 |
| 센카쿠 열도 | 현재 일본이 실효적으로 지배, 중국·타이완과 일본 간 분쟁 발생 |
| 시사 군도 | 중국이 무력으로 점령하면서 베트남과 분쟁 발생 |
| 난사 군도 | 석유와 천연자원의 매장지로 알려지면서 분쟁 확산, 중국·베트남·타이완·필리핀·브루나이·말레이시아 등이 영유권 주장 |

**22** 제시된 글은 센카쿠 열도(댜오위다오)에 대한 설명이다. 센카쿠 열도는 일본이 실효적으로 지배하는 가운데 중국과 타이완이 영유권을 주장하는 지역이다. 일본은 청·일 전쟁 때 무주지인 이 곳을 선점하였다고 내세우는 반면, 중국과 타이완은 이 지역이 16세기 이후 자국의 부속 도서로 편입되었다고 주장하고 있다.

**23** 밑줄 친 '이 섬'은 독도이다. 역사적으로 독도가 한국 영토라는 것은 많은 기록에서 확인된다. 신라 지증왕 때 이사부에 의해 신라의 한 지방으로 편입되었으며, 조선 숙종 때 안용복은 일본 어민들이 울릉도와 독도를 계속 침범하자, 일본에 두 번이나 가서 울릉도와 독도가 조선의 영토임을 확인받기도 하였다. 그러나 일본은 러·일 전쟁 과정에서 일본의 영토로 독도를 강제 편입하였다. 이는 대한 제국 정부가 반포한 「대한 제국 칙령 제41호」를 통해 독도가 이미 울릉도의 부속 도서로 규정되었기 때문에 대한 제국의 영토 주권을 침해하는 불법적인 행위에 해당한다.
**바로 알기** ⑤ 중국, 베트남, 타이완, 필리핀, 브루나이, 말레이시아 등이 분쟁을 벌이고 있는 곳은 난사 군도(스프래틀리 군도)이다.

**24** 제시된 글은 일본의 고노 담화에 대한 내용이다. 일본군 '위안부'가 존재했다는 사실이 세상에 알려지자, 일본 국내외에서는 비난 여론이 거세게 일어났다. 이에 일본 정부는 고노 담화를 통해 공식적인 사과를 하였다.
**바로 알기** ① 평화 헌법은 1946년 미 군정 시기에 제정된 것으로, 일본의 군사력 보유 금지를 명시하였다. ② 한·일 국교 수립은 1965년의 일로, 고노 담화와는 관련이 없다. ③ 일본 관방 장관인 고노 요헤이가 일본군 '위안부' 동원이 강제적으로 이루어졌음을 인정하며 발표하였다. ④ 고노 담화에서는 일본군 '위안부'에 대한 일본 정부 차원의 직접적인 배상 문제가 이루어지지 않았다.

**25** 제시된 글은 중국의 동북공정을 나타낸 것이다. 중국은 중국의 동북 지방인 랴오닝성, 지린성, 헤이룽장성의 역사와 현재 상황을 연구하는 동북공정을 진행하였다. 이에 중국은 한국의 고대사에 해당하는 고조선, 부여, 고구려, 발해를 중국 왕조의 지방 정권으로 규정하였다.
**바로 알기** ②, ③, ④, ⑤는 중국의 동북공정 추진과는 거리가 먼 탐구 주제이다.

**26** 현재 한국, 중국, 일본에서는 동아시아 평화 정착을 위해 다양한 노력이 전개되고 있다. 한·중·일 학자들 사이에 공동 역사 연구가 진행되고 있으며, 동아시아 시민 단체를 중심으로 국제 연대 활동이 활발하게 전개되고 있다. 또한 동아시아의 다자간 협력체가 결성되어 공동 과제에 대한 해법을 함께 모색하고 있고, 동아시아 학생들 사이에서는 청소년 캠프 활동도 활발히 이루어지고 있다.
**바로 알기** ③ 일본의 자민당은 국가주의에 바탕을 두고 평화 헌법 개정 시도, 자위대 지위 강화 등 우경화 정책을 추진하고 있다.

## 3단계 등급 올리기

본문 95쪽

01 ③ 02 ④ 03 ② 04 해설 참조

**01** (가)는 국내 총생산이 비약적으로 증가하고 있으며, 2010년 (나)의 국내 총생산을 역전하고 있는 것으로 볼 때 중국임을 알 수 있다. (나)는 1990년대 중반 이후부터 성장이 더딘 것으로 보아 일본임을 알 수 있다. ③ 일본은 1990년대 거품 경제 붕괴 과정에서 자민당이 과반수 의석 확보에 실패하면서 '55년 체제'가 무너졌다.
**바로 알기** ① 대약진 운동은 1958년에 추진되었다. ② 도이머이 정책은 베트남의 개혁·개방 정책에 해당한다. ④는 1997년에 한국에서 있었던 일이다. ⑤ 중국과 일본은 1972년에 국교 정상화를 이루었다.

**02** 밑줄 친 '이 혁명'은 문화 대혁명이다. 중국에서는 시장 경제 체제의 도입을 주장하는 세력을 제거하기 위해 마오쩌둥이 홍위병을 앞세워 문화 대혁명을 추진하였다. 문화 대혁명은 1966년부터 1976년까지 전개되었는데, 이 시기 한국에서는 경제 개발 계획이 추진되었다.
**바로 알기** ①은 1987년, ②는 1970년대 말 이후, ③은 1980년대, ⑤는 1980년에 있었던 일이다.

**03** (가)는 쿠릴 열도, (나)는 센카쿠 열도, (다)는 오키나와, (라)는 시사 군도, (마)는 난사 군도이다. 센카쿠 열도(댜오위다오)는 일본이 실효적으로 지배하는 가운데 중국과 타이완이 영유권을 주장하는 지역이다. 일본은 청·일 전쟁 때 무주지인 이곳을 선점하였다고 주장하고 있지만, 중국과 타이완은 이 지역이 16세기 이후 자국의 부속 도서로 편입되었다고 내세우고 있다.
**바로 알기** ①, ⑤는 센카쿠 열도, ③은 난사 군도, ④는 오키나와와 관련된 설명이다.

### 서술형 문제

**04** (1) 개혁·개방 정책
(2) **예시 답안** 인민공사를 해체하고, 국영 기업의 자율 경영을 허용하였으며, 경제특구를 설치하여 외국 자본과 기술을 유치하였다.

| 채점 기준 | 배점 |
|---|---|
| 인민공사 해체, 국영 기업의 자율 경영 허용, 경제특구 설치 등을 모두 서술한 경우 | 상 |
| 위 내용 중 두 가지를 서술한 경우 | 중 |
| 위 내용 중 한 가지만 서술한 경우 | 하 |

# 내공 점검

## Ⅰ 동아시아 역사의 시작 98~100쪽

| | | | | |
|---|---|---|---|---|
| 01 ③ | 02 ④ | 03 ⑤ | 04 ③ | 05 ④ |
| 06 ② | 07 ④ | 08 ② | 09 ③ | 10 ⑤ |
| 11 ④ | 12 ② | 13 ③ | 14 ③ | 15 ④ |

16 조몬 토기 17 해설 참조

**01** 제시된 글은 동아시아 지역의 특징을 설명하고 있다. 동아시아 각국은 한자·불교·유교·율령 등의 문화를 공유하였다. 오늘날에는 국가 간의 관계가 더욱 긴밀해지면서 경제적·문화적인 교류가 증가하고 있다. 반면, 영토 주권과 역사 인식의 차이를 둘러싸고 각국 간 갈등을 겪고 있다.
바로 알기 ③ 동아시아 각국은 역사적 경험을 공유하며 발전을 이루었다.

**02** 제시된 글은 동아시아 국가 간의 교류와 갈등을 보여 주고 있다. 동아시아 국가 간 인적·문화적 교류가 증가하는 반면 역사 인식을 둘러싼 갈등, 영토 분쟁이 계속되고 있다. 동아시아의 평화와 번영을 위해서는 객관적이고 균형 잡힌 시각으로 동아시아의 과거와 현재를 탐구하고 미래를 구상하려는 자세가 필요하다.
바로 알기 ㄱ. 역사 왜곡은 한 국가만의 문제가 아닌 동아시아 국가들이 상호 협력을 통해 해결해야 할 문제이다. ㄷ. 자국사의 틀에서 벗어나 동아시아 지역이라는 범주 속에서 각국의 역사를 존중하도록 해야 한다.

**03** 동아시아 북쪽에는 초원이 펼쳐져 있어 유목에 적합하며, 중국 동부인 황허강, 창장강 유역에는 넓은 평야 지대가 있어 농경에 유리하다. 동아시아 지역은 열대에서 한대까지 다양한 기후가 분포하며, 계절풍의 영향을 많이 받는다.
바로 알기 ⑤ 동아시아의 지형은 서쪽에서 동쪽으로 갈수록 점차 낮아지는 특징을 지닌다.

**04** 지도는 동아시아 지역의 농경 분포와 확산을 보여 준다. 중국의 화이허강 이남, 한반도 중·남부, 일본 혼슈 이남과 같이 연평균 기온이 높고 강수량이 풍부한 지역에서는 주로 벼농사를 실시한다. 강수량이 벼농사 지역보다 적은 중국 화북 지역, 만주 남부, 한반도 북부에서는 주로 밭농사를 실시한다. 농경 지역은 유목 지역에 비해 인구가 밀집하여 분포한다. 한편, 일본 열도는 중원과 한반도로부터 농사 기술을 받아들였다.
바로 알기 ③ 몽골고원, 티베트고원 일대는 강수량이 적기 때문에 주로 유목이 행해진다.

**05** 몽골인을 비롯한 유목민은 가축을 사육하며 계절에 따라 이동하며 생활하였다. 이들은 말 위에서 생활하는 시간이 많았기 때문에 일찍부터 기마술에 매우 능숙하였다. 또한 가축으로부터 고기와 유제품을 얻고, 가축의 털과 가죽으로 의복과 이동식 가옥을 만들었다. 이렇게 생필품을 주로 가축으로부터 얻었기 때문에 유목민들은 가축을 가장 중요한 재산으로 여겼다.
바로 알기 ④는 농경민의 생활 방식에 해당한다.

**06** 자료는 구석기 시대의 대표적인 뗀석기인 주먹도끼이다. 구석기인들은 동굴 벽이나 바위에 들소, 사슴 등을 그려 사냥의 성공을 기원하였다.
바로 알기 ①, ③은 신석기 시대, ④, ⑤는 청동기 시대에 볼 수 있었던 모습이다.

**07** 밑줄 친 '이 시대'는 신석기 시대이다. 신석기 시대부터 인류는 토기를 이용하여 음식을 조리하거나 저장하였다. 신석기 시대에 농경과 목축을 시작하면서 인류는 큰 강이나 해안가에 정착하여 마을을 이루어 생활하였다.
바로 알기 ㄱ. 구석기 시대, ㄷ. 청동기·철기 시대의 생활 모습이다.

**08** 동아시아에서는 각 지역마다 고유한 특징이 반영된 신석기 문화가 발달하였다. (가) 황허강 하류에서 발달한 다원커우 문화의 토기, (다) 한반도 지역에서 제작된 빗살무늬 토기, (라) 일본 열도의 조몬 토기, (마) 창장강 유역에서 발달한 허무두 문화의 토기이다.
바로 알기 ② (나)에 연결된 여성 모양 토우는 일본 열도의 조몬 시대에 제작된 것이다.

**09** 황허강 중류 지역에서 발견되었으며, 중국 역사서에 등장하는 하 왕조의 유적으로 추정된다는 점을 통해 얼리터우 문화 유적에 대한 설명임을 알 수 있다. 중국의 청동기 문화 유적인 얼리터우 유적에서는 세 발 달린 청동 술잔이 출토되었다.
바로 알기 ①은 홍산 토기, ②는 진의 반량전, ④는 양사오 토기, ⑤는 홍산 문화 유적에서 출토된 여신상이다.

**10** (가)에 들어갈 왕조는 상이다. 상의 왕들은 제사장을 겸하여 국가의 중요한 일을 점을 쳐서 결정하였다.
바로 알기 ① 야요이 문화는 일본 열도에서 기원전 3세기경부터 기원후 3세기경까지 발달한 문화이다. ② 상은 청동기 문화를 바탕으로 성립하였다. ③은 진, ④는 하에 해당한다.

**11** (가)는 유가적 통치 이념, (나)는 법가적 통치 이념에 해당한다. 유가는 인과 예에 의한 통치를 강조하였으며, 법가는 엄격한 신상필벌을 주장하였다.
바로 알기 ①, ②는 법가에 대한 설명이다. ③ 춘추·전국 시대에 제자백가가 등장하였다. ⑤는 유가에 대한 설명이다.

**12** 제시된 글은 장건이 한 무제의 명을 받고 서역으로 떠나는 장면을 재구성한 것으로 밑줄 친 '황제'는 한 무제이다. 한 무제는 흉노와의 전쟁을 준비하면서 서역과의 동맹을 위해 장건을 서역에 파견하였다. 한 무제는 남월(남비엣)을 정복하였다.
바로 알기 ①은 진 효공, ③은 진 시황제, ④는 한 고조, ⑤는 야마타이국의 히미코 여왕과 관련이 있다.

**13** 자료는 흉노에 대한 것이다. 흉노는 기원전 3세기경 동아시아 최초의 유목 국가를 세워 발전하였으나 진 시황제의 공격으로 세력이 약화되었다. 묵특 선우의 집권으로 흉노는 세력을 회복하고 전성기를 누렸으나 한 무제의 공격을 받아 북방으로 쫓겨났다.
바로 알기 ③은 진·한 대의 일이다.

14 제시된 글은 고조선의 8조법이다. 고조선은 청동기 문화를 기반으로 만주·한반도 일대에서 등장한 최초의 국가이다.
바로 알기 ① 고조선은 청동기 문화를 기반으로 성립하였다. ②는 한, ④는 상과 관련된 설명이다. ⑤ 고조선의 문화의 범위는 비파형 동검과 고인돌의 출토 범위를 통해 추정하고 있다.

15 (가)는 한반도 남부의 삼한, (나)는 일본 열도의 야마타이국에 해당한다. 야마타이국의 히미코 여왕은 중원 지역의 위에 사신을 보내 '친위왜왕'의 칭호를 받았다.
바로 알기 ①, ② 삼한은 농경 사회에 해당하며, 한반도 남부 지역에서 성장하였다. ③은 고구려, ⑤는 부여에 대한 설명이다.

## 주관식+서술형 문제

16 일본 열도의 신석기 시대를 대표하는 토기는 조몬 토기이다. '조몬'은 새끼줄 무늬라는 뜻으로 조몬 토기에 도토리 등을 담았던 것으로 여겨진다.

17 (1) 봉건제
(2) 주의 봉건제는 왕이 혈연관계를 기초로 제후를 임명하고, 제후에게 지방을 다스리게 한 제도이다. 후대에 갈수록 왕과 제후의 혈연관계가 멀어지면서 제후에 대한 왕의 통제력이 약화되었다.

| 채점 기준 | 배점 |
|---|---|
| 혈연관계를 기초로 함, 혈연관계가 멀어지면서 왕의 통제력이 약화됨을 연관 지어 서술한 경우 | 상 |
| 봉건제의 특징만을 서술한 경우 | 하 |

## Ⅱ 동아시아 세계의 성립과 변화 101~103쪽

01 ⑤ 02 ④ 03 ⑤ 04 ③ 05 ③
06 ① 07 ② 08 ③ 09 ⑤ 10 ④
11 ③ 12 ② 13 ② 14 ⑤
15 국풍 문화 16~18 해설 참조

01 (가)는 5호의 이동, (나)는 부여족의 이동, (다)는 한족의 이동, (라)는 도왜인의 이동을 나타낸다. 강남에 한족 왕조가 성립하면서 강남 지방이 개발되기 시작하였다. 한반도에서 일본 열도로 건너간 도왜인들은 야마토 정권의 성립과 발전에 이바지하였다.
바로 알기 ㄱ. 서하는 11세기경 탕구트족이 세운 국가이다. ㄴ. (가)의 인구 이동과 관련된 탐구 활동이다.

02 북위의 효문제는 선비족의 근거지인 평성에서 중원의 뤄양으로 천도하였으며, 선비족에게 한족의 언어와 의복을 사용하게 하고, 한족과의 혼인을 장려하는 등 적극적인 한화 정책을 폈다. 이를 통해 호한의 융합을 도모하였다.
바로 알기 ①, ②는 야마토 정권, ③은 수, ⑤는 여진(요)와 관련된 내용이다.

03 일본의 다이카 개신(645)은 당의 율령 체제를 모방한 정치 개혁이다. 이를 통해 율령에 기초한 군주 중심의 중앙 집권적 통치 체제를 갖추고자 하였다.

04 (가)에 들어갈 국가는 당이다. 일본은 야마토 정권부터 헤이안 시대 전반까지 약 200여 년간 견당사를 파견하여 당으로부터 선진 문화를 수용하였다. 당은 3성 6부로 중앙 관제를 정비하고, 변경 지역은 도호부를 설치하여 다스렸다. 대외적으로는 신라, 발해와 조공·책봉 관계를 맺었다. 한편, 당의 수도 장안성은 발해의 상경성과 일본의 헤이조쿄 건설에 영향을 주었다.
바로 알기 ③은 수에 대한 설명이다.

05 밑줄 친 '이 국가'는 고구려이다. 고구려는 북조, 남조 양측과 조공·책봉 관계를 맺어 두 세력을 이용하는 외교 정책을 펼쳤다.
바로 알기 ①은 당을 비롯한 중원 왕조, ②는 한, ④는 백제, ⑤는 신라의 외교 정책과 관련된 설명이다.

06 제시된 글은 송과 거란(요)이 맺은 전연의 맹약이다. 송은 건국 초부터 문치주의를 내세워 무인과 절도사 세력을 약화시켰다. 문치주의의 실시로 관료의 수가 증가하면서 재정이 부족해졌고, 군사력이 약화되었다. 그 결과 송은 북방 유목 민족 국가의 침입을 받아 거란(요), 여진(금) 등과 맹약을 맺고 매년 막대한 물자를 제공하였다.
바로 알기 ㄷ. 서하, ㄹ. 거란(요)와 관련된 설명이다.

07 (가)에 들어갈 국가는 고려, (나)에 들어갈 국가는 거란(요)이다. 여진이 금을 건국한 후 고려에 사대를 요구하자 고려는 금의 군신 관계 요구를 수용하여 국가의 안전과 평화 유지를 도모하였다.
바로 알기 ①은 베트남의 쩐 왕조, ③은 금, ④는 원, ⑤는 요·금 등 유목 민족 국가에 대한 설명이다.

08 칭기즈 칸은 유목민을 통합하여 천호라는 조직으로 편성하고, 자신에게 충성한 사람들을 천호장으로 임명하였다. 또 천호장, 백호장, 십호장의 자제들을 친위대인 케식으로 조직하였다. 칭기즈 칸은 강력한 조직과 규율로 무장된 군단을 기반으로 하여 서하와 금을 침공한 후 중앙아시아의 호라즘 왕국을 정복하였다.
바로 알기 ①, ④는 한, ②는 금, ⑤는 요의 정복 활동과 관련된 내용이다.

09 몽골 제국 시기 육로와 해로를 통해 동서를 오가는 국제 교역망이 형성되면서 문물 교류가 촉진되었다. 원에서는 이슬람교·경교 등 다양한 외래 종교가 발달하였고, 서아시아 학문의 영향으로 수시력이 제작되었다. 이 시기에는 마르코 폴로, 이븐 바투타 등이 원을 방문하고 여행기를 남기기도 하였다. 한편, 원의 만권당에서는 원과 고려의 학자들이 교류하였다.
바로 알기 ⑤는 당 대에 해당하는 내용이다.

10 밑줄 친 '나라'는 명이다. 명은 일본의 아시카가 요시미쓰를 일본 국왕에 책봉하고 일본과 감합 무역을 실시하였다.

바로 알기 ①은 고려, ②는 원, ③은 몽골 제국의 대외 정책에 해당한다. ⑤ 명은 조선과 조공·책봉 관계를 맺었다.

11 (가)는 한 대이다. 한 무제는 동중서의 건의를 받아들여 유교를 통치 이념으로 삼았다. 이 시기 유가적 원리와 법가적 원리가 결합하여 율령에 반영되었다.

바로 알기 ①은 서진 시대, ②, ④는 수·당 대, ⑤는 진 대의 일이다.

12 밑줄 친 '이 시기'는 7~10세기경 중원을 다스렸던 당 왕조 시기이다. 당은 중앙 관제를 3성 6부제로 정비하였고, 균전제를 바탕으로 조용조제와 부병제를 운영하였다. 당이 중원을 다스리던 이 시기에 통일 신라는 독서삼품과를 통해 하급 관리를 선발하였고, 일본은 다이호 율령을 반포하였다.

바로 알기 ② 서원은 조선 시대에 설립된 사설 교육 기관이다.

13 일본의 엔닌은 불교를 배우기 위해 당에 유학하여 『입당구법순례행기』를 남겼다.

바로 알기 ①은 송 대, ③은 조선 후기의 일이다. ④ 법현은 동진의 승려로, 당 대 이전의 인물이다. ⑤ 후지와라 세이카는 센고쿠 시대 말에서 에도 시대 초의 인물이다.

14 일본에서는 가마쿠라 막부 때 성리학을 수용하였다. 그러나 불교와 신토의 영향력이 강하여 성리학이 사회 전반에 깊게 뿌리내리지 못하였다. 일본에서는 에도 막부 시기 하야시 라잔을 등용하여 성리학을 바탕으로 제도와 의례를 정비하였다.

바로 알기 ①, ②는 명, ③, ④는 조선과 관련된 설명이다.

## 주관식+서술형 문제

15 헤이안 시대에는 궁정의 귀족을 중심으로 일본 고유의 국풍 문화가 발달하였다.

16 예시 답안 당(조공을 받는 국가)은 조공을 받음으로써 권위를 내세울 수 있었고, 백제(책봉을 받는 국가)는 책봉을 받아 통치의 정당성을 확보하고 문화적·경제적 실리를 추구할 수 있었다.

| 채점 기준 | 배점 |
|---|---|
| 조공을 받는 국가와 책봉을 받는 국가의 목적을 모두 서술한 경우 | 상 |
| 조공을 받는 국가와 책봉을 받는 국가 중 한 입장만 서술한 경우 | 하 |

17 (1) 균전제

(2) 예시 답안 토지를 받은 농민에게 조용조의 세금을 납부하게 하였으며, 성인 남성에게 부병의 의무를 지어 교대로 복무하도록 하였다.

| 채점 기준 | 배점 |
|---|---|
| 토지를 받은 농민이 조용조를 납부하고 부병의 의무를 지었음을 서술한 경우 | 상 |
| 조용조를 납부하고 부병의 의무를 지었다고만 서술한 경우 | 하 |

18 예시 답안 윈강·룽먼 석굴 사원 등 군주의 얼굴을 본뜬 사원을 제작하였고, 국가 차원에서 대장경을 간행하였다. 또한 국가가 승려와 교단을 통제하였고, 승려가 왕실과 국가의 평안을 기원하는 종교 의례를 주관하기도 하였으며, 국사·왕사 제도를 실시하였다.

| 채점 기준 | 배점 |
|---|---|
| 군주의 얼굴을 본뜬 사원 제작, 대장경 간행, 국가의 승려·교단 통제, 승려가 왕실과 국가의 종교 의례 주관, 국사·왕사 제도 실시 중 세 가지 이상을 서술한 경우 | 상 |
| 위 내용 중 두 가지를 서술한 경우 | 중 |
| 위 내용 중 한 가지만 서술한 경우 | 하 |

## Ⅲ 동아시아의 사회 변동과 문화 교류 104~106쪽

| | | | | |
|---|---|---|---|---|
| 01 ⑤ | 02 ③ | 03 ④ | 04 ① | 05 ③ |
| 06 ⑤ | 07 ④ | 08 ③ | 09 ③ | 10 ③ |
| 11 ② | 12 ② | 13 ⑤ | 14 ② | 15 ⑤ |

16 지정은제 17 해설 참조

01 15~16세기경 명은 몽골의 압박과 왜구의 침입이라는 북로남왜의 상황으로 어려움을 겪었다. 이 시기 조선에서는 1510년 3포의 왜관에서 왜란이 일어났으며, 16세기 후반에는 사림이 중앙 정계에 진출하여 붕당을 형성하였다. 중국에서는 환관 세력의 득세로 사회가 혼란한 상황에서 장거정이 재상이 되어 개혁을 실시하였다. 일본에서는 센고쿠 시대가 전개되다가 도요토미 히데요시에 의해 통일을 이루었다.

바로 알기 ⑤는 17세기경의 일이다.

02 도요토미 히데요시는 도검몰수령을 내려 농민의 무기를 거두어들이고 신분의 이동을 금지하였다. 그 결과 일본에서는 무사와 조닌은 조카마치에 거주하고, 농민은 농촌에 거주하는 병농 분리의 사회 질서가 확립되었다.

03 제시된 글은 정유재란 때 일본에 포로로 잡혀간 강항이 남긴 것이다. 왜란은 7년 동안 이어지면서 한·중·일 삼국이 참전하는 국제전으로 확대되었다.

바로 알기 ①은 정묘호란·병자호란, ②는 정묘호란, ③은 병자호란에 대한 설명이다. ⑤ 왜란으로 명이 쇠퇴하고 여진이 팽창하였다.

04 청이 조선에 군신 관계를 요구하자 조선에서는 (가) 주화론과 (나) 척화론이 대립하였다. 주화론자는 청의 요구를 일단 수용하여 전쟁을 피하고 국력을 강화하여 후일을 도모하자고 하였다. 척화론자는 청의 요구를 거부하고 맞서 싸울 것을 주장하였다. 조선 정부가 척화론에 따라 청의 요구를 거부하자 홍타이지가 조선을 침략하였다.

바로 알기 ①은 (나) 척화론의 입장이다.

**05** 밑줄 친 '이 전쟁'은 임진왜란이다. 임진왜란 중 조선에 투항한 일본인(항왜)에 의해 조선에 조총과 사격 기술이 전해졌다.
**바로 알기** ①은 10세기경, ②는 17세기 이후, ④는 14세기경의 일이다. ⑤ 소현 세자는 병자호란 때 청에 볼모로 잡혀갔다.

**06** (가)에 들어갈 국가는 명에 해당한다. 명은 일본과의 무역을 통제하기 위해서 감합부를 발급하고 허락을 받은 선박만 입항할 수 있도록 하였다. 한편, 명의 영락제 때에는 정화의 함대를 해외에 보내 조공국을 확대하였다.
**바로 알기** ①은 조선, ②는 청의 대외 정책이다. ③ 명은 해금 정책을 실시하였다. ④는 에도 막부의 대외 정책이다.

**07** 17~19세기 외국 상인들은 청의 광저우, 조선의 부산, 일본의 나가사키 등 제한된 항구에서만 교역할 수 있었다. 청은 대외 무역항을 광저우로 제한하고 이곳에서만 서양과의 교역을 허용하였다. 조선은 일본 사절을 부산의 초량 왜관 이상으로는 올라오지 못하게 하고 왜관에서의 사무역을 허가하였다. 에도 막부는 나가사키에 데지마를 조성하고 네덜란드 상인에게만 출입을 허용하였다.
**바로 알기** ④ 일본에 조총을 처음 전해 준 것은 포르투갈 상인이다.

**08** 밑줄 친 조치는 신패 발급 조치이다. 청에서 천계령을 내린 시기에는 청 상인의 무역 활동이 활발하지 못하였다. 그러나 반청 세력이 복속되고 천계령이 해제된 이후 청 상인이 활발하게 활동하자 청과의 무역량 증가로 일본 은의 해외 유출량이 많아졌다. 이에 에도 막부에서는 신패를 발급하여 무역량을 규제하려 하였다.

**09** 데지마는 17세기에 에도 막부에서 설치한 인공 섬으로 200여 년간 네덜란드의 상인들은 이곳에서 일본과 교역하였다. 이 시기 한국에서는 모내기법이 전국에 확산되면서 농업 생산력이 증대하였고, 사회적·경제적 변동이 나타나면서 개혁을 주장하는 실학자들이 등장하였다. 중국에서는 청 대에 지정은제가 실시되면서 조세의 은납화가 이루어졌다. 한편, 일본에서는 16세기경 이와미 은광이 개발된 이래 많은 은이 채굴되었다.
**바로 알기** ③ 전시 제도는 송 대에 처음으로 도입되었다.

**10** 16세기경부터 아시아에서 유통되는 대부분의 은이 중국으로 유입되었다. 이 시기 에스파냐가 갈레온 무역을 전개하면서 아메리카 대륙의 은이 중국에 유입되었고, 일본의 은이 조선을 거쳐 중국으로 유입되었다.

**11** 17세기 이후에는 농업 기술의 발달, 경지 면적의 증가, 신대륙 작물의 재배 등으로 농업 생산력이 크게 증대하였다.
**바로 알기** ② 연은 분리법은 광석 등을 태워서 재로 만들고 그 과정에서 금, 은 등을 추출하는 제련법으로 농업 생산력 증대와는 거리가 있다.

**12** 에도 막부는 다이묘 세력을 통제하기 위해 1년마다 교대로 에도에서 머물도록 하는 산킨코타이 제도를 시행하였다. 그 영향으로 에도와 지방을 연결하는 도로망이 정비되고, 도로 주변 도시의 상공업이 발달하였다.

**13** 17세기 이후 동아시아에서는 상공업의 발달과 도시의 성장을 배경으로 서민들이 주도하는 새로운 문화의 흐름이 나타났다. 경제력의 향상과 지식의 보급에 따라 서민의식이 성장하였고, 이는 서민 문화의 발달로 이어졌다. 조선에서는 한글 소설이 널리 읽혔고, 양반이나 승려의 위선을 비판하고 사회 부조리를 풍자하는 내용을 담은 탈춤과 서민의 감정을 솔직하게 표현한 판소리가 인기를 얻었다. 회화에서는 서민의 일상적인 모습을 담은 풍속화가 그려졌고, 서민의 취향을 담은 민화가 많이 제작되었다.
**바로 알기** ㄱ. 에도 막부, ㄴ. 명·청의 서민 문화와 관련된 내용이다.

**14** 청 대에는 『사고전서』, 『고금도서집성』 등과 같은 대규모 편찬 사업이 이루어졌다. 이와 같은 편찬 사업은 고증학의 발달에 기여하였다.
**바로 알기** ① 청 대 마테오 리치가 서광계와 함께 『기하원본』을 한문으로 번역하였다. ③ 『유림외사』는 관료 사회를 풍자한 청 대의 문학 작품이다. ④ 『천주실의』는 마테오 리치가 한문으로 저술한 천주교 교리서이다. ⑤ 『해체신서』는 일본의 스기타 겐파쿠가 주도하여 편찬한 해부학 번역서이다.

**15** 왼쪽의 그림은 조선 후기 신윤복이 그린 풍속화인 「상춘야흥」이고, 오른쪽 그림은 에도 시대의 우키요에이다. 동아시아에서는 17세기경부터 서민 문화가 유행하고 경세치용적 성격의 학문이 발달하였다. 조선에서는 한글 소설이 유행하였고, 성리학을 비판하며 양명학을 연구하는 학자들이 생겨났다. 중국에서는 『서유기』를 비롯한 대중 문학이 유행하고, 엄격한 증거를 중시하는 고증학이 발달하였다. 일본에서는 조닌들이 주도하는 문화가 발달하여 우키요에, 가부키, 분라쿠 등이 유행하였다. 네덜란드인을 통해 서양 학문을 받아들이면서 난학도 발달하였다.
**바로 알기** ⑤ 9세기 말 견당사의 파견이 중지된 이후 일본에서는 귀족을 중심으로 국풍 문화가 발달하였다.

## 주관식+서술형 문제

**16** 청은 명 대의 일조편법을 이어받아 인두세를 토지세에 포함시켜 거두는 지정은제를 시행하였다.

**17** (1) (가) 고학, (나) 국학
(2) **예시 답안** 일본의 언어·문학·민속 등 고대 문화에 관심을 갖고 그 우수성을 강조하였으며, 천황을 신성하게 여기는 일본 우월주의를 주장하였다.

| 채점 기준 | 배점 |
|---|---|
| 일본 고대 문화의 우수성 강조, 일본 우월주의 주장을 모두 서술한 경우 | 상 |
| 위 내용 중 한 가지만 서술한 경우 | 하 |

## Ⅳ 동아시아의 근대화 운동과 반제국주의 민족 운동 107~109쪽

01 ① 02 ⑤ 03 ④ 04 ⑤ 05 ④
06 ③ 07 ① 08 ④ 09 ⑤ 10 ③
11 ④ 12 ① 13 ⑤ 14 ③
15~16 해설 참조

**01** 제1차 아편 전쟁에서 패한 청은 영국과 난징 조약을 체결하였다. 이에 따라 청은 홍콩 할양, 상하이를 비롯한 5개 항구 개항, 공행 폐지 등 영국에 많은 특권을 허용하였다.
바로 알기 ㄷ, ㄹ. 제2차 아편 전쟁의 결과 체결된 베이징 조약의 내용에 해당한다.

**02** (가)는 미·일 수호 통상 조약, (나)는 강화도 조약이다. 일본은 개항 이후 미국이 계속 통상을 요구하자 미·일 수호 통상 조약을 체결하여 항구를 추가로 개항하고 미국의 영사 재판권을 인정하였다. 조선은 운요호 사건을 계기로 일본과 강화도 조약을 체결하여 부산을 포함한 3개 항구를 개항하고 일본의 해안 측량권과 영사 재판권을 허용하였다.
바로 알기 ①은 난징 조약과 제1차 사이공 조약, ②는 미·일 화친 조약, ③은 난징 조약과 미·일 수호 통상 조약과 관련된 설명이다. ④ 제2차 아편 전쟁 결과 체결된 조약은 톈진 조약과 베이징 조약이다. 강화도 조약은 운요호의 일본군이 강화도와 영종도에서 조선군과 충돌하고 양민을 살해한 운요호 사건을 계기로 체결되었다.

**03** 제시된 글은 양무운동을 주도한 이홍장이 황제에게 올린 상소문이다. 양무운동은 중국의 전통을 그대로 유지하면서 서양의 군사력과 과학 기술을 수용하여 자강을 이루고자 하였다. 그러나 국가 차원에서 체계적으로 이루어지지 못하였으며, 청·일 전쟁에 패배하면서 그 한계를 드러냈다.
바로 알기 ①은 일본의 자유 민권 운동, ②는 일본의 메이지 유신, ③은 조선의 갑신정변과 청의 변법자강 운동, ⑤는 청의 의화단 운동과 관련된 설명이다.

**04** 메이지 정부는 폐번치현을 단행하고, 징병제를 실시하였으며, 사민평등의 원칙 아래 신분제를 폐지하였다. 또한 이와쿠라 사절단을 해외에 파견하여 불평등 조약을 개정하려 하였고, 소학교 의무 교육을 도입하고 대학을 설립하였다.
바로 알기 ⑤ 미·일 수호 통상 조약의 체결은 천황 중심의 신정부 수립 이전에 있었던 일로, 1858년에 이루어졌다.

**05** 제시된 글은 일본의 이타가키 다이스케의 의회 설립 요구이다. 자유 민권 운동은 1870년대부터 서양식 입헌 제도의 도입을 요구하며 전개되었다. 메이지 정부는 자유 민권 운동을 탄압하였으나, 서양식 제도의 필요성은 인정하여 입헌제를 채택하였다. 이에 따라 대일본 제국 헌법(메이지 헌법)이 제정되었다.
바로 알기 ① 일본의 반막부 세력들은 1868년 막부를 무너뜨리고 천황을 중심으로 한 신정부를 수립하였다. ② 대공황에 따른 경제 불황과 일본에서 군부·우익 세력의 대두로 만주 사변이 일어났다. ③ 태평천국 운동은 배상제회를 조직한 홍수전이 청 왕조 타도를 내세우며 일으킨 운동이다. ⑤ 신해혁명의 결과 공화 정체의 중화민국이 수립되었다.

**06** (가)는 대한 제국의 대한국 국제, (나)는 청의 흠정헌법 대강이다. 1899년 제정된 대한국 국제는 대한 제국의 정치 체제가 전제 군주정임을 대내외에 밝혔으며, 1908년 발표된 흠정헌법 대강은 입헌파의 의회 설립 요구를 수용하여 제정된 것으로 입헌 군주제 수립을 목표로 하였다.
바로 알기 ① 대한국 국제는 일본 메이지 헌법의 영향을 받아 제정되었다. ② 독립 협회가 의회 설립을 요구하였으나, 대한국 국제에는 반영되지 않았다. ④ 흠정헌법 대강은 신해혁명이 일어나기 전인 1908년에 공포되었다. ⑤ 대한국 국제는 모든 권한이 황제에게 집중되었음을 표방하였다.

**07** 1911년 우창 신군의 반란으로 시작된 신해혁명으로 중화민국이 수립되어 공화제를 채택하였다.
바로 알기 ②는 의화단 운동에 대한 설명이다. ③ 파리 강화 회의에서 산둥반도의 이권이 일본으로 넘어가자 이에 반발하여 5·4 운동이 일어났다. ④는 변법자강 운동에 대한 설명이다. ⑤ 중국이 만주 사변을 일으킨 일본을 국제 연맹에 제소하자, 일본은 국제 연맹을 탈퇴하고 군비 확장을 추진하였다.

**08** 제시된 글은 청·일 전쟁 결과 1895년에 체결된 시모노세키 조약이다. 이 조약 체결 직후 러시아가 주도한 삼국 간섭으로 일본은 랴오둥반도를 청에 반환해야 했다. 이후 일본과 러시아는 한반도와 만주를 두고 대립하였다.
바로 알기 ① 신해혁명은 1911년에 일어났다. ② 1897년 수립된 대한 제국 정부는 구본신참에 입각하여 근대화 개혁을 추진하였다(광무개혁). ③ 존왕양이 운동은 에도 막부 말기에 일어났다. ⑤ 을사늑약은 1905년에 체결되었다.

**09** 중국의 5·4 운동은 3·1 운동의 영향을 받아 일어났다. 파리 강화 회의에서 산둥반도의 이권이 일본에 넘어간다는 소식이 알려지자 베이징 대학생들이 중심이 되어 대규모 시위를 전개하였다(5·4 운동). 상인과 노동자 등이 가담하면서 시위가 전국으로 확산되자 이에 굴복한 베이징 정부는 베르사유 조약에 대한 조인을 거부하였다.
바로 알기 ㄱ. 중국 공산당은 5·4 운동 이후인 1921년 천두슈 등에 의해 조직되었다. ㄴ. 워싱턴 회의는 5·4 운동 이후인 1921년에 개최되었다.

**10** 지도는 1937년에 벌어진 중·일 전쟁을 나타낸 것이다. 중·일 전쟁을 일으킨 일본은 국가 총동원법을 제정하여 전쟁에 필요한 인력과 물자를 자국과 식민지 국가에서 동원하였으며, 식량과 금속에 대한 공출제와 식량 배급제를 시행하였다.
바로 알기 ①은 1907년에 있었던 일이다. ②는 제1차 세계 대전 중 있었던 일이다. ④는 러·일 전쟁 당시 있었던 일이다. ⑤ 만주 사변 직후인 1932년에 한국과 중국이 연합하여 쌍성보 전투에서 일본군을 물리쳤다.

11 제시된 글은 조선 혁명군의 한·중 연합 작전을 나타낸 것이다. 1931년 일본이 만주 사변을 일으켜 만주를 침략하자 조선 혁명군, 한국 독립군 등은 중국군과 연합하여 항일전을 전개하였다.
바로 알기 ① 조선 혁명군과 무정부주의는 관련이 없다. ② 워싱턴 회의는 제1차 세계 대전 이후 열강의 이해관계를 조정하기 위해 1921년에 개최되었다. ③ 루거우차오 사건을 계기로 1937년에 중·일 전쟁이 일어났다. ⑤ 장제스가 이끄는 국민 혁명군이 베이징을 점령함으로써 1928년 북벌이 완성되었다.

12 (가)에 들어갈 독립군 부대는 한국 광복군이다. 대한민국 임시 정부가 중국 국민당의 지원을 받아 창설한 한국 광복군은 연합군의 일원으로 인도·미얀마 전선에 투입되었으며, 미국 전략 정보처(OSS)와 합동 훈련을 하여 국내 진공 작전을 계획하였다. 한편, 화북 지방으로 이동하지 않은 조선 의용대 병력을 흡수하여 군사력을 강화하기도 하였다.
바로 알기 ㄷ. 김좌진의 북로 군정서와 홍범도의 대한 독립군, ㄹ. 조선 의용군에 대한 설명이다.

13 (가)는 『신보』, (나)는 『독립신문』이다. 중국에서 발행된 『신보』는 영국 상인이 상하이에서 창간하였다. 한국 최초의 민간지인 『독립신문』은 한글과 영문으로 발행되었으며, 열강의 침략상을 폭로하고 국권 수호를 위한 여론을 조성하였다.
바로 알기 ①은 일본의 『요코하마 마이니치 신문』, ②는 한국의 『황성신문』과 『대한매일신보』, ③은 한국의 『한성순보』, ④는 중국의 『신보』와 관련된 설명이다.

14 철도가 건설되면서 인구 이동, 상품 유통, 인적 교류가 촉진되었다. 그러나 철도는 제국주의 열강의 침략 도구로 인식되었다.
바로 알기 ③ 중국은 초기에 열강의 군사적·경제적 침략과 풍수 문제 등으로 철도 부설에 부정적이었지만, 청·일 전쟁의 패배 이후 철도가 국력 증강의 중요 요소라는 점을 인식하고 철도 부설에 적극적으로 나섰다.

## 주관식+서술형 문제

15 예시 답안 조선에서는 사회 진화론이 자강 운동의 근거로 활용되었으며, 일본에서는 일본의 제국주의 침략을 정당화하는 논리로 이용되었다.

| 채점 기준 | 배점 |
|---|---|
| 조선에서 자강의 근거로 활용되었다는 점과 일본에서 제국주의 침략을 정당화하는 논리로 이용되었다는 점을 모두 서술한 경우 | 상 |
| 약소국에 대한 침략을 정당화하였다고만 서술한 경우 | 하 |

16 (1) 워싱턴 회의
(2) 예시 답안 일본은 산둥반도의 이권을 중국에 반환하고, 해군력 증강에 제한을 받았다.

| 채점 기준 | 배점 |
|---|---|
| 중국에 산둥반도의 이권 반환, 해군력 증강에 대한 제한 조치를 모두 서술한 경우 | 상 |
| 위 내용 중 한 가지만 서술한 경우 | 하 |

## Ⅴ 오늘날의 동아시아 110~112쪽

| | | | | |
|---|---|---|---|---|
| 01 ② | 02 ③ | 03 ③ | 04 ② | 05 ③ |
| 06 ② | 07 ③ | 08 ③ | 09 ③ | 10 ② |
| 11 ⑤ | 12 ④ | 13 ④ | 14 ⑤ | |

15~16 해설 참조

01 1945년 2월 영국, 미국, 소련의 수뇌부가 얄타에서 회담을 열고 전후 독일의 처리 문제와 소련의 대일전 참전에 합의하였다.
바로 알기 ①은 카이로 회담에 대한 설명이다. ③ 포츠담 회담은 얄타 회담이 개최된 이후인 1945년 7월에 개최되었다. ④는 모스크바 3국 외상 회의에 대한 설명이다. ⑤ 얄타 회담은 냉전 체제의 성립 이전에 개최되었다.

02 제시된 글은 일본의 신헌법(평화 헌법)이다. 일본의 항복 이후 미국은 일본을 점령하고, 연합군 최고 사령부를 설치하여 비군사화·민주화를 목표로 개혁을 실시하였다. 이러한 개혁 과정에서 신헌법이 제정되어 천황을 상징적인 존재로 규정하고, 일본의 군사력 보유를 금지하였다.
바로 알기 ① 1949년 중화 인민 공화국의 수립으로 중국이 공산화하였다. ② 1969년 닉슨 독트린 발표 이후 냉전 체제가 완화되기 시작하였다. ④ 닉슨 대통령의 중국 방문 이후인 1979년에 중국과 미국이 국교를 정상화하였다. ⑤ 북베트남이 사이공을 점령하면서 1976년에 베트남 사회주의 공화국이 수립되었다.

03 밑줄 친 '이 재판'은 극동 국제 군사 재판(도쿄 재판)이다. 이 재판은 1946년부터 1948년까지 일본의 주요 전쟁 범죄자를 처벌하기 위해 도쿄에서 개최되었다. 이 시기 중국에서는 국민당과 공산당 사이에 전면적인 내전이 발발하였다(1946).
바로 알기 ①은 1969년, ②는 1943년, ④는 1953년, ⑤는 1951년에 있었던 일이다.

04 제시된 글은 샌프란시스코 강화 조약의 내용이다. 중국 대륙이 공산화하고 6·25 전쟁이 발발하자 미국은 일본을 동아시아의 반공 기지로 삼기 위해 연합국과 일본 사이에 샌프란시스코 강화 조약 체결을 주도하였다.
바로 알기 ② 1965년 미국은 통킹만 사건을 빌미로 북베트남을 폭격하고, 베트남에 직접적인 군사 개입을 시작하였다.

05 애치슨 라인은 미국의 국무 장관 애치슨이 발표한 미국의 동아시아 방위선으로, 한반도와 타이완이 미국의 방위 대상에서 제외되었다. 애치슨 라인이 발표되자 북한은 한반도에서 전쟁이 나더라도 미군이 참전할 가능성이 낮다고 판단하고 6·25 전쟁을 준비하였다.
바로 알기 ① 국·공 내전은 애치슨 라인의 발표 이전인 1949년에 종결되었다. ② 베트남 전쟁은 1973년 파리 평화 협정 체결 이후 북베트남이 통일하면서 종결되었다. ④ 1941년 일본이 진주만을 기습 공격하면서 태평양 전쟁이 시작되었다. ⑤ 1965년 한·일 기본 조약이 체결되면서 한국과 일본 사이에 국교가 정상화되었다.

**06** (가)는 1954년 체결된 제네바 협정, (나)는 1973년 체결된 파리 평화 협정이다. 디엔비엔푸 전투에서 베트남이 승리한 후 프랑스군의 철수, 북위 17도선을 경계로 한 남북 분단, 통일을 위한 총선거의 2년 내 실시 등에 합의한 제네바 협정이 체결되었다. 그러나 남베트남과 미국은 총선거를 거부하고 단독 선거를 실시하여 베트남 공화국을 수립하였다(1955).

바로 알기 ①은 1949년, ③은 1978년, ④는 1976년에 있었던 일이다. ⑤ 디엔비엔푸 전투에서 베트남이 승리한 이후 제네바 협정이 체결되었다.

**07** 학생들은 1972년 미국 닉슨 대통령의 중국 방문에 대해 대화하고 있다. 미국과 중국은 미·중 공동 성명을 통해 양국 관계를 정상화하였으며, 이는 중·일 공동 성명 발표에 영향을 미쳤다.

바로 알기 ① 중국이 유엔에 가입한 것은 미·중 공동 성명 발표 이전인 1971년의 일이다. ② 미·중 공동 성명은 1969년 발표된 닉슨 독트린의 영향을 받았다. ④ 대약진 운동은 미·중 공동 성명이 발표되기 이전인 1958년부터 추진되었다. ⑤ 6·25 전쟁에 대한 휴전 협정은 미·중 공동 성명이 발표되기 이전인 1953년에 이루어졌다.

**08** (가)는 일본, (나)는 한국의 1인당 국민 소득(GNI)를 나타낸 것이다. 일본에서는 1990년대에 들어 부동산과 주식 가격이 폭락하였고, 장기 불황이 시작되었다. 한국에서는 1997년 외환 위기로 인한 국제 통화 기금(IMF)의 긴급 구제 금융을 지원받았다.

바로 알기 ①은 1980년대, ②는 1970년대 중·후반 일본의 경제 상황에 대한 설명이다. ④는 1980년대, ⑤는 1960년대 한국의 경제 상황에 대한 설명이다.

**09** 제시된 글은 타이완의 정치와 경제를 주제로 한 보고서이다. 타이완은 경제 건설 4개년 계획을 차례로 시행하면서 전력, 비료, 방적, 제강, 제당 산업을 적극 육성하였다.

바로 알기 ①, ④는 베트남, ②는 북한, ⑤는 일본과 관련 있는 내용이다.

**10** 밑줄 친 '이 정책'은 중국의 개혁·개방 정책이다. 마오쩌둥이 죽은 후 정권을 잡은 덩샤오핑은 농업, 공업, 국방, 과학 기술 4개 부문의 현대화를 목표로 개혁·개방 정책을 추진하였다. 이에 인민공사를 해체하고, 사기업의 설립을 허용하였으며, 경제특구를 설치하였다.

바로 알기 ② 합작사는 1950년대 사회주의 계획 경제 정책에 따라 농업을 집단화하는 과정에서 조직되었다.

**11** 제시된 글은 한국의 6월 민주 항쟁 당시 발표된 결의문이다. 1987년 박종철 고문치사 사건이 알려지면서 시민과 학생들은 정부의 탄압에도 굴하지 않고 대통령 직선제를 요구하는 6월 민주 항쟁을 벌였고, 그 결과 대통령 직선제 개헌을 성취하였다.

바로 알기 ①은 4·19 혁명, ②는 10·26 사태에 대한 설명이다. ③ 일본의 '55년 체제'는 1990년대 거품 경제 붕괴로 경제가 침체되고, 자민당의 지지 기반이 약화되면서 붕괴되었다. ④ 복수 정당제 도입은 한국에서는 1948년 5·10 총선거가 시행되면서, 타이완에서는 1987년 계엄령이 해제된 이후부터 이루어졌다.

**12** 대약진 운동의 실패로 실각 위기에 처한 마오쩌둥은 자본주의 사상과 문화에 대한 투쟁을 주장하면서 자신을 추종하는 홍위병을 조직하여 반대파를 제거하려 하였다(문화 대혁명).

바로 알기 ① 문화 대혁명은 마오쩌둥이 주도하였다. ②, ③은 대약진 운동에 대한 설명이다. ⑤ 중화 인민 공화국의 수립은 1949년으로, 1966년에 시작된 문화 대혁명 이전의 일이다.

**13** (가)는 쿠릴 열도, (나)는 센카쿠 열도, (다)는 오키나와, (라)는 시사 군도(파라셀 제도), (마)는 난사 군도(스프래틀리 군도)이다. 남중국해에 위치한 시사 군도는 중국이 영유하는 가운데 베트남이 영유권을 주장하고 있다.

**14** (가)에 들어갈 주장은 동북공정이다. 중국의 동북공정은 조선족을 비롯한 소수 민족을 통합하여 국경 지역의 안정을 꾀하고, 북한의 정세 변화에 대비하려는 목적에 따라 진행되었다.

바로 알기 ① 야스쿠니 신사 참배에 대해 동아시아 주변국들은 침략의 역사에 대한 반성이 없다며 비판하고 있다. ② 고노 담화는 일본군 '위안부'의 존재와 일본군의 관여를 인정한 담화로, 일본 정부는 이를 통해 공식적으로 사과하였다. ③ 톈안먼 사건은 1989년 중국에서 민주주의의 실시를 요구하며 전개되었다. ④ 일본의 일부 우익 세력이 과거 식민지 지배와 침략 전쟁을 미화하는 역사관이 담긴 교과서를 제작하자, 일본 정부가 이러한 왜곡 교과서를 검정에서 통과시켰다.

## 주관식+서술형 문제

**15** (1) 한·일 기본 조약

(2) 예시 답안 미국은 동아시아에서 공산주의가 확산되는 것을 막기 위해 한·미·일 삼각 동맹의 구축이 필요하였다. 일본은 한국과 수교를 통해 수출 시장을 확보하고자 하였다. 한국은 미국의 지지를 얻고 경제 개발에 필요한 자금을 확보하고자 하였다.

| 채점 기준 | 배점 |
|---|---|
| 미국, 일본, 한국의 입장에서 조약 체결의 배경을 모두 서술한 경우 | 상 |
| 두 나라의 입장을 서술한 경우 | 중 |
| 한 나라의 입장만 서술한 경우 | 하 |

**16** (1) 도이머이 정책

(2) 예시 답안 도이머이 정책을 채택하여 시장 경제 체제의 일부를 도입한 베트남은 식량의 자급자족을 이루고 세계 3대 쌀 수출국으로 성장하였으며, 이후 지속적인 경제 성장을 이룩하였다.

| 채점 기준 | 배점 |
|---|---|
| 식량의 자급자족을 이루고 세계 3대 쌀 수출국으로 성장하였으며, 지속적인 경제 성장을 이루었다고 서술한 경우 | 상 |
| 경제 성장을 이루었다고만 서술한 경우 | 하 |